FÉLIX LECLERC

LE ROI HEUREUX

Jacques BERTIN

FÉLIX LECLERC
LE ROI HEUREUX

LES ÉDITIONS ARLÉA

Librairie les Fruits du Congo
8, rue de l'Odéon Paris VI

I.S.B.N. 2-86959-012-1

Il pleut. Du jardin de Jobin, nous ne verrons pas le fleuve, ni la chaîne des Laurentides, là-bas, loin en face. Pierre Jobin est le secrétaire de Félix, le gardien, le chien fidèle, l'agent, l'intermédiaire, le chas de l'aiguille, l'homme qui sait. Sa maison est le passage obligé, le sas, l'octroi, le seuil. On doit y montrer patte blanche avant de pénétrer chez le patron.

Félix Leclerc a posé sa valise à quelques kilomètres, sur la même route, dans son île d'Orléans. Il veut mener une vie d'homme quelconque et c'est pour cela qu'il se protège comme une star. Il a changé le nom sur sa boîte aux lettres pour que, le dimanche, les autocars ne déchargent plus jusque dans son jardin leurs cargaisons d'appareils photographiques. Félix est le monstre sacré du Québec. Le seul. Le second sera bientôt René Lévesque, sans doute : homme de la lutte, de la longue marche, du triomphe et de la défaite, l'ancien Premier ministre aura tout ce qu'il faut pour devenir un mythe. Mais à part ces deux-là, qui?

Félix est ici le plus gros vendeur de livres depuis quarante ans : pas loin d'un million d'exemplaires. Il est le seul Canadien – oui, le seul – dont le nom soit connu par tous – tous – les Français. D'autres sont venus après lui : Vigneault, Cohen, Charlebois, Dufresne. Mais, à Montréal comme à Paris, on ne voit en eux que *de grands chanteurs,* de grands poètes, des stars. Lui est un prince.

Il a été l'initiateur, celui qui montre le chemin, celui qui ouvre le chemin : un pionnier. Le premier partout. Peut-être pas le meilleur en tout, ni le seul mais le premier. Ou l'un des premiers. La radio d'avant guerre... Les débuts du théâtre... Le premier écrivain qui... Le premier chanteur... Un défricheur : l'homme du passage, qui devine le pays derrière les arbres. « La chanson, c'est devenu trop facile... Quand j'ai débuté, on pouvait faire un pays avec des mots (1). » Il a fait un pays avec des mots.

Il sortait – et toute la nation québécoise avec lui – de l'envoûtement des villages immobiles, de la honte du colonisé, de la pauvreté des laissés-pour-compte, du silence des sans-parole où la religion appuie et s'imprime longuement, comme une trace dans la neige et qui demeure. Le mouvement d'épaule pour charger le sac, c'est lui; le mouvement d'épaule pour se dégager du piège, c'est lui; le mouvement d'épaule de la débacle, c'est lui. Il a parcouru trois cents ans et dix millions d'années-lumière et il n'a rien trahi : il a toujours célébré son enfance et parlé sans complexe au nom du peuple; il a accompagné les gens d'ici vers ce qu'il appelle « le monde adulte » : urbanisation, émancipation, nationalisme. Présent en 1940, il demeure présent en 1985. Rien renié, rien oubié, beaucoup vécu. Un Québécois : à la fois timide et parleur, réservé et passionné, humilié et gai. Pas de complexe à part la certitude que les maladresses sont le produit de l'aculturation du colonisé... et la preuve qu'il a raison de se libérer.

Il vient de loin : du Canada. Du vieux Canada français : pas de littérature, pas de lecteurs, pas d'intelligentzia, pas de traditions culturelles, pas de café de Flore, pas de Montparnasse, pas de

(1) *La Presse* 30 décembre 1978.

chapelles se bombardant les unes les autres, pas de revues, pas de théâtre, pas d'édition, pas de spectateurs éclairés. Rien que des paysans arrivant en ville un par un avec un silence séculaire dans la tête en plomb. Il fut donc un artiste populaire : du peuple. Il a parlé fier, sans vulgarité. Et l'intelligentzia d'aujourd'hui est bien obligée de le saluer avec respect. Il a su se tenir droit. Les Québécois le savent, les Français le sentent.

Il pleut. Jobin m'a embarqué rue du Petit Champlain dans une Renault 12 qui n'a plus d'âge. Ni de pot d'échappement. Son problème d'aujourd'hui : va-t-il effectuer la réparation et se présenter au poste de police comme convenu avec cet inconnu à casquette plate rencontré sur la route ? Ou va-t-il vendre la bagnole pour payer l'amende ? Je lui conseille de vendre.

Jobin a quarante-deux ans, une barbe, des fiancées éphémères comme des lampions et de l'esprit. Son dernier mot est destiné à l'immortalité : « Mon amie est si petite que la première fois que je l'ai vue, j'ai cru qu'elle était loin. » Nos éclats de rire se mélangent harmonieusement à ceux du moteur.

Il gère les affaires de Félix depuis 1972 avec une passion filiale et un sens de l'ordre plutôt relatif. Mais ce job ne suffit pas à épuiser sa vitalité. Aussi enchaîne-t-il les coups de cœur. Après quatre ans, il vient d'abandonner la direction du théâtre du Petit Champlain mais conserve le Théâtre de l'île : une grange au milieu de l'île d'Orléans, en pleine campagne. Et ça marche ! Il se multiplie, se divise, s'embrouille et s'échappe. Cet après-midi nous irons chez Félix. Mais avant, nous devons nous plonger ensemble dans les archives.

Ce diable à ressort de Jobin habite paradoxalement une maison de bois centenaire, ornée, en temps normal, d'une vue sur le fleuve et, en toute occasion, d'un jardin impeccable. Le rez-de-chaussée, beaucoup moins impeccable, fait une grande pièce unique surveillée sentencieusement par une escadre de chats. Partout des affiches, des bibelots, des disques témoignent d'une carrière d'agent artistique déjà longue. Quelques soirs de première achèvent de s'éteindre sur les murs.

Une cloison met à part un minuscule réduit. Pierre ouvre la porte et me montre un classeur à tiroirs : « Tout est là. Tu m'excuses, j'ai un rendez-vous. Je reviens dans une heure. Débrouille-toi. »

Disparition de l'elfe barbu.

J'ouvre le classeur. Quinze ans de métier et moi tout seul devant. La maison n'a vraiment rien à cacher. Tous les relevés de comptes, les contrats, les lettres des éditeurs : des kilos de documents! Pas un chanteur français n'accepterait ainsi d'ouvrir sans contrôle son plus intime secret à un journaliste. Mes chiffres de vente! Même à mon confesseur sur mon lit de mort je les multiplierais par cinq pour ne pas avoir l'air d'un ringard au paradis!

Mais *la maison n'a rien à cacher* : Le dernier livre de Félix, *Rêves à vendre*, a atteint les douze mille exemplaires dans les six premiers mois. C'est énorme. Évidemment il y a là d'autres chiffres moins brillants. Par exemple, des disques anciens qui, en un semestre de 1983, font entre cent cinquante et cinq cents sorties. Plus banal : un contrat de mille dollars en juillet 74. Plus intéressant : pour soixante mille francs, (douze mille dollars), la vente de *L'hymne au printemps* par les éditions Raoul Breton au Café Legal, en vue d'un message publicitaire, à condition que les textes remplaçant l'original « se rattachent aux thèmes de l'amitié, de l'amour, de la solidarité, de l'entr'aide et de la générosité dans la vie quotidienne ».

Rien à cacher. En 1983, deux demandes pour monter *L'Auberge des morts subites* au Québec. Réponse de Jobin : accord et dix pour cent de la recette brute, avec minimum de cinquante dollars par représentation. Un assez gros litige semble s'amorcer avec Polygram en 84-85. Rien à cacher.

Je présume que l'autre fou m'a planté devant ce territoire avec l'assentiment du patron qui doit en éprouver une fierté subtile, comme un paysan qui montre le champ défriché : « J'ai fait cela, tout le monde peut voir. » Et il y a aussi, sans doute, la certitude de n'avoir plus rien à craindre de personne. Il est trop tard, les critiques et les sarcasmes ne peuvent plus m'atteindre.

Puis l'aspect moral du geste : un homme qui se tient droit n'a pas à avoir peur. Le travail est fait, voyez le travail. Je note enfin l'habituelle aisance presque désinvolte de Félix qui invite toujours l'autre à venir jouer sur *son* terrain.

Et son humour.

Sans compter qu'il me jette un défi : à moi de savoir lire, comprendre, traduire, expliquer...

Deux heures après, Jobin est de retour. J'embarque dans la Renault. Il pleut toujours. Nous avons déjà cinquante minutes de retard.

Je connais Félix Leclerc depuis 1966. A cette époque, j'étais un étudiant chanteur à l'école de journalisme de Lille. Lui venait de vivre la plus dure période de sa vie : un divorce et la rupture avec Jacques Canetti, l'imprésario qui l'avait « découvert ». Sur le plan professionel, une longue traversée du désert et quelques échecs. Il venait d'épouser Gaétane, de vingt-cinq ans sa cadette et entamait une seconde carrière française avec jean Dufour, alter ego européen de Pierre Jobin. Jean l'entraîna dans les maisons de jeunes et les universités. Finis les casinos et les fêtes votives! Félix renaissait. Nous avons fait quelques galas ensemble. Je me tenais à distance de ce monsieur courtois et sans familiarité. Jean devint mon agent et mon ami. Je voyais Félix de loin en loin, toujours brièvement et avec déférence. Je ne suis pas de ses intimes mais nous avons vécu dans le même milieu professionnel. En mai 68 les affiches que nous collions, Jean et moi – « La police à l'O.R.T.F., c'est la police chez vous » – étaient entreposées chez Félix avec la colle et les pinceaux. Deux fois, il fit sa tournée d'hiver en empruntant ma voiture. Un jour, tous deux débarquèrent à l'improviste chez mon parrain, viticulteur dans les côteaux du Layon, comme ça, pour rien, pour toucher la main au vignoble...

Je n'ai jamais été reçu chez Félix. Je ne suis pas le seul. L'ancien ministre Claude Morin, son beau-frère, raconte :

– Je reçois un appel de mon homologue de la culture, Clément Richard. Il a chez lui un grand écrivain français qui souhaiterait saluer notre chanteur national. Puis-je arranger une rencontre ? J'appelle à l'île et voici la réponse :

– Tu diras à Clément Richard que s'il vient avec Marylin Monroe, c'est d'accord. S'il vient avec Einstein, c'est d'accord. S'il vient avec Jean XXIII, c'est d'accord. Pour tous les autres, veux-tu bien me sacrer la paix ! Et s'il vient tout seul, c'est encore non !

Rien contre le ministre lui-même, bien sûr, dans ce grognement. Tout simplement, Félix n'est pas un monument qu'on visite. Le monument est vivant. Il se défend. Il rit. Et il sacre.

Le long de la route qui longe le fleuve, nous tournons contre la grosse boîte à lettres marquée au nom d'un autre. Félix nous accueille avec des protestations de fausse colère. Ne nous attendant plus, il allait sortir pour on ne sait quel travail domestique : le ciré noir, le petit chapeau un peu ridicule, les bottes. Jobin s'excuse vaguement en camouflant sa mauvaise foi dans une plaisanterie. Nous nous installons à la cuisine : Gaetane, Jobin et moi. Et Félix. Il a soixante et onze ans. Ses traits sont alourdis par un traitement à la cortisone qui soigne son asthme. Mais il est en pleine forme : il parle. Il parle vite avec une voix très jeune, située dans les aigus et qui contraste avec celle, plus grave qu'il emploie pour chanter ou pour répondre aux journalistes de radio. Il parle librement et c'est avec une voix d'enfant. Il parle librement : de choses et d'autres et je me garde bien de l'interroger ou de prendre des notes.

Il parle de son père dont il raconte quelques aventures qu'il ponctue de grandes tapes sur la cuisse. Tous les journalistes québécois ont décrit ce geste. Pas les Français qui, eux, semblent ne l'avoir jamais vu rire. « En France, je ne suis pas chez moi, je me surveille » dit-il sérieusement. C'est un rieur, pourtant, qui ne cesse d'être drôle que lorsqu'il évoque Francis Blanche. « Francis se savait condamné. Il a voulu me rendre visite. Il s'est fait engager dans un maudit film (1) qui l'a amené ici. Il est resté plusieurs jours à la maison. Je l'ai entraîné dans un gala, vers le nord, à Port-Alfred. A la fin : « Mesdames-messieurs, j'ai l'honneur de vous présenter le premier artiste français qui m'a dit que Bozo était une belle chanson : mon grand ami Francis Blanche. Et l'autre, au premier rang qui se lève et salue, tout gêné, tout ému, tout content. » Félix mime le salut et, c'est vrai, on croit voir Francis Blanche, là-bas, dans une petite salle perdue, au nord, très loin, comme un débutant dans sa première émotion et qui sait qu'il va mourir bientôt, comme si sa carrière triomphale devait immanquablement le conduire là, dans ce bout du monde des origines...

Puis on va de René Lévesque (« Quel grand homme! Mais il doit partir! (2) ») à Bourassa (« Qui sera balayé dans les deux ans! ») Le père Legault et Léon Chancerel surgissent en ombres. Guy Mauffette, bien sûr. Là, je prends quelques notes. Soudain, Félix sort de sa poche une enveloppe : « J'ai écrit quelque chose pour toi. » Nous nous taisons. Il lit.

Bilan.

Pas d'affrontements dans mon œuvre
Pas de règlements de comptes
De syndicats en colère
De distribution de coups de fouets

(1) D'après Gilles Paradis qui raconte aussi cette histoire dans *Le Soleil* du 16 octobre 72, il s'agit du film de Denis Hérou *J'ai mon voyage*.

(2) Nous sommes en juin 85. René Lévesque, Premier ministre du Québec depuis le 15 novembre 76 démissionnera quelques semaines plus tard. Robert Bourassa sera porté au pouvoir le 2 décembre 85.

Jamais de rencontres physiques
De drapeaux en flammes sur les barricades
De défis virils, de pièges cachés
Et de coups dans le dos
C'est une œuvre frileuse
Peureuse comme moi
Ayant toute ma vie fuit les combats
Les vengeances et les chicanes
Installé de l'autre côté de la fenêtre
Côté sécuritaire
D'où j'ai observé le « struggle for life » des autres
Rien chez moi d'engagé que quelques coups de griffres sans suite, beaucoup de lâchetés, parfois du recul, souvent des rires sous cape
Rangez-moi avec les musiciens
Les outardes
Les innocents
Les contemplatifs
Toute ma vie loin de la foule
Mais aussi toute ma vie
Seul en face d'elle
A défaire des nœuds.

Il me tend la feuille, parcourue dans les deux sens de son écriture illisible. Un premier jet, semble-t-il : pas de brouillon. Il écrit comme il parle. Je mets l'enveloppe dans ma poche. Et, pour dissiper l'émotion, les enfants rentrent de l'école. Nathalie, une déjà belle fille de seize ans et Francis qui a treize ans, qui salue et qui disparaît : ce ne doit pas être facile d'être l'héritier d'un mythe. La conversation va sur les problèmes de ramassage scolaire. Les Leclerc s'arrangent avec les voisins pour qui, je suppose, le mythe a des allures de voisin. Je suppose aussi que ces gens-là pénètrent dans la maison plus aisément que les ministres. Félix s'est cassé cinq côtes, cet hiver « en poussant la voiture du gars d'à côté ». Noble vieillard. Belle santé. Il est vrai que la cortisone rend les os fragiles. L'anecdote sera journalistique si j'omets d'en donner le contexte médical.

Dix-huit heures et nous reprenons la Renault et la route. J'aime cet homme. A cause de sa dignité, sa distance vis-à-vis du Métier grouillant et veule, son exigence de vérité, sa façon pleine d'humour de refuser les compromis. On voit un artiste et on se demande : « Est-ce que je peux vraiment le respecter ? Croire ce qu'il dit quand il parle du bonheur, du courage, du travail ? » On a peur. Je sais, moi, depuis longtemps, que celui-là, je peux le respecter. Je ne suis pas le seul. Jobin me crie, dans le tumulte du moteur qui favorise l'expression pudique des émotions : « Parmi ceux avec qui j'ai travaillé et qui, tous, sont des gens très bien, forcément, c'est le seul qui, après chaque spectacle, au moment de me quitter, m'a serré la main en me disant : merci. »

Je m'en doutais.

Il pleut. Nous passons le pont de l'île. Québec est devant nous. Sur cette route de Sainte-Anne-de-Beaupré, j'ai chaque fois l'impression que c'est Québec qui est une île, ou une proue de navire, ou un idéal, un défi. Dans l'autre île, la vraie, l'île d'Orléans, il y a un jeune homme de soixante et onze ans qui n'en finit pas de pousser son enfance à tous les avenirs et dit merci au monde pour l'avoir épargnée. Il veut qu'on le range parmi les musiciens, les contemplatifs, les outardes : les silencieux, les humbles. Qu'a-t-il été, en effet, sinon un Québécois type, un Homme du peuple, un Sergent York banal, une pépite sortie de la rivière ?

Un prince.

« Parfois je me dis, pour calmer ma détresse
Que je suis peut-être le corps d'un vieux héros
Une pensée éternelle

L'hymne d'un pays
Un enfant qui s'en vient (1) »

Rangez-le avec les outardes. Outardes ? Dans son dernier recueil, on trouve ce court poème :

Le poète c'est l'outarde
Toujours partie, toujours plus loin
Que dit-elle ? Que dit-elle ?
Suis-moi, suis-moi, suis-moi, suis-moi (2).

(1 et 2) *Rêves à vendre,* Félix Leclerc, Nouvelles éditions de l'arc, Montréal 1984.

I. Pleure ô Mauricie...

« Nous sommes tous nés, frères et sœurs, dans une longue maison de bois à trois étages... » Ainsi Félix commence-t-il lui-même le récit de son enfance, *Pieds nus dans l'aube* (1). Tous les Québécois connaissent par cœur cette première phrase. « ... Une maison bossue et cuite comme un pain de ménage, chaude en dedans et propre comme de la mie. » Tous les Québécois sont nés dans cette maison. Et pour les autres, il y a les manuels. Dès 1957, Samuel Baillargeon cite la première page du livre dans son *Histoire de la littérature canadienne française* (2) à l'usage des élèves du secondaire. Ça se passe à La Tuque, le 2 août 1914.

La Tuque est à peine une ville : un gros bourg de pionniers en haut de la rivière Saint-Maurice. 2 934 habitants en 1911, 5 603 en 1921. C'est un point d'interrogation jeté au milieu de la carte. De Trois-Rivières, où le Saint-Maurice se jette dans le Saint-Laurent, la colonisation arrivera-t-elle à joindre le Saguenay et le lac Saint-Jean, à trois cents kilomètres au nord ? Entre les deux : La Tuque. Jusqu'au milieu du XIXe siècle, le Canada français, en

(1). Fidès, Montréal 1946.
(2) Fidès, Montréal 1957.

dehors de la grande région de Montréal, se limitait à la vallée du fleuve, sur une largeur n'excédant jamais vingt milles de chaque bord. Au-delà commençait le royaume des castors, des ours, des orignaux, des moustiques. Des arbres.

Je vais faire naître – provisoirement – Félix vers 1850, quelque part sur une berge du Saint-Laurent, à cent cinquante kilomètres de La Tuque. Félix en effet vient de là. D'où vient-il ?

La conquête de la Mauricie est une épopée. Mais les épopées vues de l'intérieur, n'ont rien d'épique. La ruée vers le nord n'est qu'un long piétinement pénible : sueurs et larmes. Pas de gloire. « Durant la première moitié du XIXe siècle, les cadres géographiques du Bas-Canada éclatent. Les terres à proximité du fleuve ne suffisent plus. Bien sûr, jusqu'en 1850, il s'en trouve encore un certain nombre de libres mais on les dit de moins bonne qualité. Il faut donc partir à la conquête de nouveaux milieux naturels (1). »

En 1850, il n'y a que cinq mille habitants à Trois-Rivières (2). Le gouvernement encourage les colons. Mais il encourage aussi les grosses entreprises forestières : construction navale et exportation de bois hier, pâte à papier aujourd'hui, l'avenir est dans la forêt mauricienne. Montez vers La Tuque !

Et, tandis que les paysans avancent l'épaule dans les arbres, les forestiers jettent la main sur la région.

Les colons d'abord. Les « habitants ». Une marée lente comme les années qui, vague lente après vague lente, repousse la forêt.

Le futur habitant vient seul, laissant femme et enfants dans sa paroisse d'origine. Et, toujours aussi seul, il abat des arbres. Une première année est occupée uniquement à la bataille : faire reculer l'horizon. On a trop dit que ce pays était celui des grands espaces. Ce qui frappe plutôt l'étranger, ici, c'est la sensation d'enfermement. La

(1) *C'était l'été,* Jean Provencher, Boréal-Express, Montréal 1982.
(2) Cinquante-deux mille en 1982.

pression des bois qui engloutissent le paysage. Et ne parlons pas de la neige.

A l'automne, entre les souches, il plante de l'orge, du sarrasin, des pommes de terre, après un premier labour à la pioche. Puis, « quand il a construit sa première demeure, le colon cesse d'habiter chez le voisin et invite son épouse à le rejoindre. Certains hésitent à convier si tôt leur " créature " et préfèrent attendre une autre année (1). »

Et des mouches
Et des souches
Et des frousses
A la tonne
Le paradis qu'on dit
Est derrière l'abattis
On le cherche on l'appelle
On travaille comme des bœufs
Et le soir y'a plus rien
Qu'deux étoiles dans les cieux

Mais il avance, l'habitant, dans cette solitude. Une maison de bois tous les deux cents mètres, le long d'un chemin trop droit, le « rang ». Et derrière elle, deux à trois kilomètres de terre, parallèle à celle du voisin : prairie, labour, forêt. De quoi vivre en autarcie complète comme ont fait ses parents depuis le XVIIe siècle. Cela donne, vu du ciel, cet extraordinaire quadrillage qui signale au bon Dieu que le pays existe bien. Cela donne aussi une mentalité d'assiégé par le silence et les traditions. L'habitant est rangé, classé dans sa case, figé dans une pensée quadrillée, elle aussi, sans une ouverture pour rien qui soit moderne ou différent.

Un confluent, une chute d'eau, un passage, voici un village. Ou

(1) *C'était l'été*, op. cit.

plutôt une « paroisse », tant le catholicisme tient son monde en main et en langue. Curieux villages sans agglomération qui s'étendent sur des kilomètres de long. L'habitant, bloqué à sa place, ne fréquente guère que ses voisins immédiats. D'ailleurs le système veut que, dans la plupart des cas, il n'ait personne de l'autre côté du chemin. Pour la circulation des idées, cela ne vaut pas le téléphone arabe.

Des églises. Et des chemins qui ne mènent nulle part. La route viendra beaucoup plus tard. « En 1887, c'est en barge et en canot que monseigneur Laflèche fit sa première visite épiscopale dans les petites agglomérations qui avaient pris racine sur les côtes du Saint-Maurice entre Les Piles et La Tuque (1). » Le chemin de fer vers le lac Saint-Jean sera construit entre 1905 et 1911. La route ne libèrera La Tuque qu'en 1925.

J'ai deux montagnes à traverser
Deux rivières à boire
Une ville à faire avant la nuit.

Un détail : les paysans n'ont pas le droit de commercialiser leur bois.

Ils n'ont pas assez de travail pour l'hiver. Ni assez d'argent. Une aubaine pour les compagnies forestières qui vont ainsi s'offrir de la main-d'œuvre à bon marché. Voici le deuxième volet de la colonisation : l'exploitation de la forêt par les hommes et des deux ensemble par le capital.

L'exploitation du bois est aux mains de quelques grandes compagnies. Les concessions sont attribuées selon une procédure bien peu égalitaire : en 1852, l'État octroie 119 concessions pour 6 064 milles carrés. Les deux plus gros entrepreneurs s'en partagent plus de la moitié. Les six premiers, 90 % ! Dès 1880, les grandes sociétés anonymes imposent leur loi. Anglo-américaine, bien sûr : Glenn

(1) *Forêt et société en Mauricie*, René Hardy et Normand Seguin, Boréal-Express, Montréal 1984.

Falls, International paper, Union Bag, Whitehead, etc. (1). Que fait Hyacinthe Bellerose ? Fainéants de Canadiens français !

Hyacinthe Bellerose est dans le bois.

Comment naît une nation ? La langue ni l'histoire politique ou militaire ne suffisent. Mais une communauté de souffrance, le sentiment de l'injustice partagée et d'un exploit digne de mobiliser les cœurs. Pouvoir dire : « Mon père a vécu cela. » Et d'autant plus si « cela » était une grande douleur.

Voici la grande douleur.

« A Saint-Stanislas, en 1860, près de quarante pour cent des hommes de seize à quarante-cinq ans avaient passé l'hiver dans les seuls chantiers de la Mauricie. D'autres s'étaient engagés à l'extérieur de la région [...] Vers l'âge de seize ans, le temps était venu pour l'adolescent de quitter le foyer et d'aller en forêt. Véritable rituel d'initiation. Vivre pendant six mois avec les hommes, peiner jusqu'à la souffrance, éprouver toute sa résistance physique et revenir enfin dans sa communauté avec le sentiment d'être reconnu comme un adulte. Puis, des années durant, à répétition, six mois de misère morale et d'exil volontaire de la société formeront les traits d'un type d'homme (2). »

> *J'ai deux montagnes à traverser*
> *Deux rivières à boire...*

C'est une des premières chansons de Félix. Un jeune homme imprégné de la légende de la Mauricie. Trait dominant de la société québécoise, le travail dans les chantiers remplit les chansons du pays. « L'homme est parti pour travailler/ La femme est seule, seule,

(1) « Les Américains se lancèrent aussi à la curée vers 1870. Ces derniers n'avaient pas besoin de notre bois pour eux-mêmes car leurs grandes réserves du Michigan et du Wisconsin étaient à peine entamées mais c'était pour l'exploitation vers l'Angleterre qui réclamait notre bois parce qu'il revenait à meilleur compte que celui de la Gatineau ou de l'Outaouais. » *Mauricie d'autrefois,* Thomas Boucher, le Bien-Public, Trois-Rivières 1952.

(2) *Forêt et société en Mauricie,* op. cit.

seule », chante Gilles Vigneault. Georges Dor chantait : « Si tu savais comme on s'ennuie/ A la Manic. » Il s'agissait de s'ennuyer à la construction du barrage. Point commun : l'exil longtemps. Et vous connaissez sans doute cette chanson donnée comme folklorique : « Mon mari est au Rapide blanc/ Y'a des hommes de rien... » Elle fut écrite en 1940 par Oscar Thiffault. Et si elle a fait un succès, ce n'est pas seulement grâce à ses qualités musicales.

Il faut partir. « Les gens se sentaient parfois déprimés lorsqu'au départ pour un hivernement de cinq ou six mois, il leur fallait quitter femme et enfants. N'était-ce point pathétique? Et quelquefois pitoyable? Alors, pour leur remonter le courage et le moral, M. Baptist avançait à chacun d'eux une couple de bouteilles de gin ou de whisky. L'effet en était magique à ce qu'on dit (1) ». Bon gré, mal gré, les voilà à pieds d'œuvre.

Tant que dure la lumière du jour, les bûcherons se battent dans la neige qui rend la circulation et la coupe plus aisées. On attaque les arbres – et la neige, à chaque coup de hache, vous tombe sur la tête, gaiement. On charge d'invraisemblables traîneaux (cinquante à soixante billes de trois mètres de long) retenus par deux chevaux invraisemblablement naïfs qu'un invraisemblable audacieux retient sur les pentes. Glissons! On entassera ces troncs sur la rivière gelée, seule voie de communication, été comme hiver. Au printemps, l'eau emportera tout vers les usines, comme une foule ou comme une chanson.

Le soir, les gars se retrouvent dans « le camp ». « Les logis étaient souvent trop exigus pour loger trente, quarante ou cinquante hommes " cordés " les uns à côté des autres, ne pouvant même pas s'asseoir (sur les lits de la rangée supérieure) le plafond étant trop bas (2). » « Les hommes couchés tête au mur se réveillaient avec du givre sur les moustaches et dans les cheveux (3). »

Et je ne vous dirai pas ce qu'ils mangent : c'est caviar et

(1) *Mauricie d'autrefois,* op. cit.

(2, 3) *Forêt et société en Mauricie,* op. cit.

compagnie! Le matin, certains s'en allaient même au boulot avec des fils de champagne givrés dans la barbe!

« Nous ne saurons jamais le nombre de malades, de blessés, voire de morts que ces conditions de vie et de travail ont provoqué car il n'était ni de l'intérêt des travailleurs, ni de celui des entrepreneurs de le déclarer. Déjà mal rémunérés, les bûcherons ne pouvaient se permettre de perdre une partie de leur salaire pour cause de maladie. Du reste, les défaillances étaient mal vues dans ce petit monde fermé où l'on attachait tant d'importance à la force physique, à la résistance et aux exploits (1). »

Naturellement, au-dessous d'un certain seuil, il faut bien que l'esprit humain justifie l'inacceptable : il s'invente une mythologie, il sacralise le combat, il peint la nécessité aux couleurs du défi, il transforme le malheur en épopée. Il exhalte « la force physique, symbole de la masculinité dans cet univers d'hommes. Les champions cités en exemple étaient d'emblée reconnus comme les coqs de la paroisse (2). »

Les historiens pourront se battre entre eux pour décider si le départ au chantier était un esclavage ou une libération. Libération? Oui, il y avait aussi de ça. Ces hommes coincés, au village, dans une société ultradévote, où l'on ne pouvait respirer que le parfum de l'encens, étaient bien contents de partir, affirment certains. Et de me raconter la tyrannie des curés, la bigoterie générale et les campagnes antialcooliques. Comment résister? En fuyant! Dans le bois, me dit-on, il y avait une vie libre, une vie entre hommes, pas de curés, des sauvagesses. Et à boire. C'est vrai. C'est vrai aussi que ces hommes, au village, tout l'hiver, étaient confinés, inutiles, impuissants, réduits à subir.

Et maintenant, afin d'égayer un peu le tableau, je vous offre un entracte amusant. Les draveurs. Au détour du siècle, ils seront environ cinq cents à se produire sur le Saint-Maurice, dans leur si excitant

(1, 2) *Forêt et société en Mauricie,* op. cit.

numéro d'équilibristes. Voici les draveurs! Bravo, les draveurs!

Ils vont « driver » le bois. Rien de plus simple. Le seul problème qui peut se poser à la compagnie, à part la chute des cours, c'est lorsque le convoi de billes, libéré par le dégel, se coince dans les rochers. Les billes se mêlent, s'entassent, un barrage se forme. J'y vais patron! Que fait le pittoresque draveur avec sa ridicule pique en bois, sur la photo? Juché sur l'amoncellement qui me donne la chair de poule, il décoince patiemment les billes une à une. Et si ça ne va pas assez vite, il allume un bâton de dynamite, se protège derrière son doigt et, dès que l'embâcle se défait, d'un seul coup, lorsque tout fout le camp, il fuit le plus vite qu'il peut, sautant d'un tronc à l'autre vers la rive, en tâchant de ne pas être emporté. Bravo le draveur! On ne le voit pas courir sur la photo : le photographe, pas fou, s'est tiré avant que la forêt de la Mauricie ne lui roule sur la gueule. Amusant métier! Comme ils ont dû rire!

Vous aussi, vous allez rire : ces gens-là portent des bottes *trouées*. Exprès. Pour que l'eau s'évacue. Toute la journée, les bottes trouées, les pieds dans l'eau. Vive le printemps! Vive le draveur!

A l'angelus de ce matin
Le chef de drave, le gros Malouin
A dit : les billots sont pris
Qui d'entre nous, avec sa gaffe
Va faire un trou pourqu'ça s'dégraffe
Celui-là r'viendra pas...

Il faut lire ce reportage – car c'est un reportage – que Félix écrit sous forme de deux chansons : MacPherson en 1948 et La Drave en 1954. Pas de la poésie : des phrases courtes, de style parlé, des jets de regard, deux feuillets qu'un journaliste envoie aux jeunes gens de 1987 :

Ça commence au fond du lac Brûlé
Alentour du 8 ou 10 de mai [...]
Thauvette, Sylvio Morin
Éphée, les deux Mainguy
Sweeny, l'gros Quévillon [...]
On creuse un trou,
A la bonne place
On met l'joujou
Dessous la glace
Jambes à son coup
On débarrasse [...]
Melançon s'est noyé par ici
Il faudrait pas qu'ça r'commence [...]
Pour arriver au moulin
Au moulin de Buckingham (1)
Il faut débloquer la « jam » [...]
... Dans sa tête, y'a plus d'billots qui flottent
Mais sa femme au village qui tricote

Ben oui, comme ils ont dû rire...

Et pour pas cher. Fin de l'entracte : les angloaméricains savent bien qu'ils tiennent là une main-d'œuvre prête à payer pour jouer dans la neige et dans l'eau : « Quand, en 1881, un journalier affecté à la construction de l'aqueduc [...] recevait un dollar par jour, un travailleur forestier de cette paroisse s'en voyait offrir seize par mois, pension comprise. La Laurentide Co, de Grand-Mère, en 1887, demandait un maçon à deux dollars cinquante par jour, alors que ses bûcherons en recevaient moins de la moitié (2). »

(1) Le moulin – l'usine de pâte à papier – de Buckingham fut créé en 1864 sur la rivière la Lièvre dans l'Outaouais par James MacLaren. Cet écossais « bâtit un véritable empire » qu'il dirigea « d'une main de fer ». « Il profitait de son monopole pour payer aux bûcherons et aux ouvriers des salaires misérables. » En octobre 1906, une tentative de syndicalisation des ouvriers se termina par la mort de deux d'entre eux, abattus par des policiers recrutés par le fils de MacLaren. (Bertrand de La Grange, *Le Monde*, 24 octobre 1985.

(2) *Forêt et société en Mauricie*, op. cit.

Il y a une astuce. Les économistes, ici, vont tressaillir de volupté. Comment et pourquoi trouvait-on de la matière première humaine pour un boulot somme toute aussi insensé que les acrobaties des coolies chinois de la Central Pacific dans les à-pics de la Sierra Nevada ? Et bien voilà : (En bonne période) « le recrutement le plus large des bûcherons correspondait aux rémunérations les plus élevées, de même qu'à la plus forte demande en approvisionnements de toutes sortes. Les conditions optimales se trouvaient de la sorte réunies pour faire avancer rapidement le front pionnier. En période de baisse du cycle, la chute de l'emploi en forêt s'accompagnait inévitablement d'une importante diminution des taux de rémunération et d'un affaissement de la demande en denrées agricoles. Dès lors, sous-emploi et misère accrue se combinaient pour freiner le mouvement de colonisation et même contraindre bon nombre de colons à renoncer à la terre parce qu'ils n'arrivaient plus à garantir leur subsistance (1). » Autrement dit, les cours de la pâte à papier décidaient de la vie des colons. Pleure ô Mauricie...

« Y aura-t-il des chantiers cet hiver ? » Voilà la question qu'un gamin entend dans la bouche de son père, vers 1885. Voilà la question qu'entend le père de Félix dans la bouche du grand-père. « Y aura-t-il des chantiers cet hiver ? Sinon, il faudra s'éloigner... »

Le capitaliste tient la population dans sa main qu'il ouvre et ferme à son gré. Personne ne bronche. Dans certains endroits, il possède l'usine, les terres agricoles et le commerce. A Val Jalbert, cette extraordinaire ville fantôme du lac Saint-Jean, même les maisons appartiennent à M. Jalbert. Et quand le proprio s'en va, on coupe l'électricité et vous n'avez plus qu'à partir ou à crever. Et ça ne se passe pas au Moyen Âge mais en 1932. Et le paysage est identique en Gaspédie où la famille Robin asservit pendant un siècle les pêcheurs du coin.

(1) *Forêt et société en Mauricie,* op. cit.

Et Robin, et Jalbert, et Baptist, c'est du pareil au même : « Pendant que les hommes étaient aux chantiers pour l'hiver, leurs familles devaient s'approvisionner pour vivre à l'unique magasin de M. Baptist qui vendait au prix qui lui convenait. Mais, il faut le dire, rarement à des prix exagérés. Cependant, avec les maigres salaires que ces messieurs distribuaient à leur employés, ceux-ci restaient généralement en dette quand arrivait le règlement des comptes après l'hivernement ou à la clôture de la saison du sciage (1). »

Et le Félix vieillissant conclut pour moi, dans la pénombre naissante d'un après-midi de novembre 1985 : « Où il y a des montagnes d'or, il y a des banques, des bureaux, des spécialistes, des gouverneurs, des constitutions, des lois, des armées et des prisons pour protéger l'exploitant, souvent blanc et protestant, et punir l'indigène qui oserait dire qu'il est chez lui et que les richesses sous ses pieds sont à lui... »

« ... Mon humiliation de Canadien français n'est rien, d'ailleurs, comparée à celle que l'Indien connaît depuis trois cents ans! Ici, l'Indien est inexistant, fini, mort avec une Histoire qui est celle d'un barbare, d'un tueur, d'un tortionnaire, d'un monstre. Mais il était chez lui; il défendait son territoire, sa femme, ses enfants, ses coutumes. On l'a violé, volé, tué et on nous apprenait à l'école que c'était un bon débarras... »

Félix reste un moment silencieux. Il sait que je vais arpenter avec rage et pitié la forêt de son enfance. Il me laisse faire. Il lui a fallu longtemps pour admettre ces choses, pour « devenir adulte »...

Il se lève. On se voit demain après-midi! Il rentre chez lui. On attend la première neige qui mettra sur la grisaille comme au printemps un drap sur un pré. Un baume de pureté sur la souffrance.

(1) *Mauricie d'autrefois,* op. cit.

Je reviens à mes notes.

« Faut-il rappeler que le chômage endémique et le sous-emploi laissaient peu de choix à quiconque devait travailler en dehors de l'agriculture jusqu'à l'avènement tardif de l'industrialisation. L'emploi en usine ne commença réellement à concurrencer le travail en forêt qu'à la veille de la Première Guerre mondiale. Il aura donc fallu que la crise vienne dégrader davantage des conditions de travail déjà pénibles pour que les protestations des travailleurs forestiers surgissent et entraînent une première intervention gouvernementale en 1934 (1). »

Ils protestent, les travailleurs ? Ils osent protester ? Non ! Ils ont attendus 1934, la crise et l'*aggravation* de leur situation pour protester. L'aggravation ! Plus de quatre-vingts ans, ils ont attendu !

Non, les travailleurs ne protestaient pas. « Recrutés en grande partie dans le milieu rural, souvent dans les centres de colonisation, [ils] retrouvaient en forêt des conditions de vie et de travail assez semblables aux durs labeurs du défricheur (2). » Il faut dire aussi « qu'ils se définissaient généralement comme des agriculteurs, c'est-à-dire des petits producteurs indépendants dont le travail en forêt, quoique nécessaire à leur subsistance, n'en était pas moins perçu comme une seconde source de revenus (3). »

Les travailleurs ne protestaient pas. A cause de l'habitude de la souffrance physique et de la misère, à cause de l'isolement, à cause du manque de relai pour leur plainte (pas de villes, pas de presse, pas d'intelligentzia, eh oui, les intellectuels sont utiles !) à cause d'un encadrement religieux serré comme un étau, ils ne protestaient pas. Or, l'Église ne protestait pas non plus. Ni les politiciens, souvent liés aux compagnies. D'ailleurs, il va de soi que le premier grognement, tel celui des « patriotes » en 1837 ou celui de Riel en 1885 se serait

(1, 2 et 3) *Forêt et société en mauricie,* op. cit.

heurté à la mère patrie. La répression de la vieille Albion aurait bousculé cette classe politique sans force et atteint de plein fouet l'Église. Celle-ci a accepté de cautionner l'exploitation. Aux Anglais l'argent, les affaires. A nous, les âmes. Et la misère. Et Hyacinthe Bellerose ira couper notre bois dans vos chantiers.

La conquête de la Mauricie finit ainsi : un jour, on s'aperçoit que la colonisation ne peut plus avancer. A trente kilomètres de Trois-Rivières, aujourd'hui, en 1985, c'est la forêt : plein d'arbres qui nous narguent, cachés dans les buissons. La Tuque est toujours un point, perdu en pays hostile. « La population mauricienne n'avait pas voulu déborder la barrière des montagnes au-delà desquelles les conditions d'existence les plus élémentaires paraissaient incertaines (1). »

De la grande idée, il ne reste que cette usine de pâte à papier, à La Tuque. Installée en 1907, elle employa très vite des milliers d'ouvriers : quatre travailleurs industriels sur cinq. Voilà la ville de pionniers de Félix : les dépendances d'une usine. Sans compter cette autre dépendance, installée là comme pour la dérision, comme pour narguer les géants du passé : une fabrique de bâtonnets pour chocolats glacés...

Les souvenirs, eux, traînent dans les combes, stagnant comme des brouillards : les ruines d'un camp, les mots d'une société en déclin, quelques phrases arrachées à un vieillard, des images grises, des taches sur les photos, des sentiments jadis partagés par des milliers d'hommes (2) qui vont former la mentalité – « l'inconscient collectif » – du peuple québécois.

Je suis allé à La Tuque. C'est une laide petite ville sans charme dans un décor magnifique pourtant. L'usine l'enveloppe d'un brouillard jaunâtre qui lui indique son statut. Rien n'a changé. En

(1) *Forêt et société en Mauricie,* op. cit.

(2) Le secteur bois emploie encore directement ou indirectement deux cent cinquante mille personnes en 1985 et réalise dix-huit pour cent des exportations du Québec.

haut de la ville, surplombant de très haut la rivière superbe, il y a un joli quartier avec de jolies maisons, de jolies pelouses, une jolie église anglicane, de l'air vif, du calme. On y parle anglais, forcément.

Félix a-t-il connu le monde des pionniers ? Je crois que non. Il en a vu la fin. Il a baigné dans les souvenirs. Il a couru entre les maisons de bois des premiers arrivants. Il les a écouté parler, parler l'oncle Richard et son père et son frère aîné. Il a manqué l'aventure de quelques années, très peu. Lorsque le père et le frère monteront coloniser l'Abitibi, Félix, trop jeune, devra partir étudier à Ottawa. Félix Leclerc, le colon ? Félix est un menteur. Lorsqu'il a commencé à écrire et à chanter, la bataille était terminée. Il l'a manquée. Il n'en a vécu que les adieux, les ultimes odeurs, les bruits qui se taisent, les anecdotes qui circulent et se figent pour devenir folklore. Félix naît le jour même de la déclaration de guerre : les historiens font commencer le XXe siècle ce jour-là. Trop tard pour lui ou trop tôt. A cheval il sera, sur deux mondes.

Vous trichez, Félix. Mais cette tricherie est plus pathétique que la vérité des biographes : elle en dit long sur vous et sur les Québécois.

J'ai deux montagnes à traverser
Deux rivières à boire
Une ville à faire avant la nuit

Vous trichez, Félix mais vous avez raison : où vous posez la main, les gens d'ici ont leur fierté et leur douleur (1).

C'est pourquoi, de forêt, il n'est pas revenu...

La conquête de la Mauricie marque la culture québécoise. Le Saguenay et la Gatineau sont d'autres Mauricie. Six millions de

(1) Novembre 1985 : « Bien sûr, je triche ! je suis un artiste, j'essaie d'inventer du merveilleux avec toute cette souffrance. Mais je n'ai connu que la fin de tout ça, c'est sûr... »

Québécois aujourd'hui ? Un million et demi à la fin du XIXe siècle ! Peu ou prou, tout le monde vient de là. Tout le monde a un cousin Tremblay du Saguenay et un grand-père Leclerc de La Tuque : des pauvres. Les enfants des habitants-forestiers sont la légion des beaux jeunes gens de Québec, professeurs, infirmières, psychologues qui ont fait la révolution tranquille puis le Parti québécois. Ils sont le bûcheron de seize ans, le vieux qui s'éveille avec du givre dans la moustache, la femme qui attend six mois sur douze, le draveur qui court sur l'embâcle et le photographe épouvanté. Quand Félix parle, chacun sait de quoi il parle, de quelle misère. Et quel silence il chante.

Observateur amical, j'ai vu ce pays respirer comme un cœur sur la carte, de chaque côté du Saint-Laurent, son aorte. C'est facile : l'aventure est courte, le développement est simple ; ici chacun sait d'où il vient et le nom de ses ancêtres. On a l'impression que l'Histoire s'est mise à taille humaine comme pour être une leçon lisible.

La France est un trop vieux pays. Pas un chanteur ne dira « nous » en parlant de la patrie. Tout au plus quelques-uns prétendent-ils parler « des gens » ou « des jeunes » ou plutôt de certaines couches de jeunes, zonards, contestataires etc., selon les époques. Ils durent le temps de deux 33 tours et sont remplacés. La superficialité reste : de l'écume renouvelée.

Personne, dans ce pays perclu, perdu sous la surenchère, ne dira aussi tranquillement « mon pays » que les Québécois en général, leurs chanteurs ensemble et Félix Leclerc en particulier. Félix chante le pays et le peuple acquiesce. La simplicité avec laquelle la nation québécoise se parle à elle-même est quelque chose de prodigieux pour un français habitué au charivari, aux modes, aux contremodes, aux contrefeux, aux jeux d'ombres. D'où vient cette audace tranquille du Québécois à tutoyer son Histoire ? Peut-être du fait qu'il n'en est qu'à la première page : l'habitant a pioché, labouré, dessouché en silence. Un peuple puis une nation mais toujours pas d'État. Il peut bien tutoyer l'Histoire, ce ne sera pas plus terrible que de tutoyer la neige et la forêt qui, elles, ne répondaient jamais.

Au printemps 1905, un homme apparaît entre les arbres. Pour échapper à son destin de paysan, il vient de parcourir cent milles en canot et à pieds. Il a quitté Trois-Rivières quatre jours plus tôt, avec Guertin et l'Italien. Il s'appelle Léo Leclerc. Il est marié à Sainte-Emmélie-de-Lotbinière, le long du fleuve où il a laissé sa jeune femme et sa petite fille. Vous le voyez en contreplongée. C'est un colosse. Il pèse cent vingt-cinq kilos.

... Deux montagnes à traverser...

Il regarde devant lui la montagne de La Tuque et le plateau qui surplombe la rivière. Voilà l'endroit dont il rêvait : la palissade de l'ancien poste, les travaux de la future usine, là-haut; quelques fermes... Il s'avance. Il porte sur son dos le cadavre de l'Italien.

II. Une ville à faire avant la nuit

Il est le fils de Nérée Leclerc, illettré, cuisinier dans les chantiers du « Seigneur Joly », ce hobereau de Lotbinière dont le gouvernement de 1985 entretient encore la propriété comme un bijou national : le seigneur Joly faisait bien les choses en exploitant bien ses gens; la maison est superbe et le parc offre une vue imprenable sur le Saint-Laurent. Malheureusement, Nérée Leclerc ne profitait pas tellement du paysage, à touiller les « beans » et le lard pour les bûcherons. Parfois, le patron venait visiter ses chantiers, pas trop souvent pour ne pas déranger, une ou deux fois par an. Une vraie fête : il débarquait de Québec ou d'Europe avec ses filles, devant le regard admiratif des durs à cuire. Il aimait écouter Nérée, le soir à la veillée : le bougre avait des talents de conteur. Léo ne lui ressemble pas tellement.

Pas un conteur, lui. Un homme « de fouet et de cordes », un homme de courses et de cheval, un homme de « broue » (1). « Peux-tu imaginer Harry Baur ? me demande Félix. C'était mon père. » Un géant aux mains énormes, jovial et doux, parleur, charmeur, fonceur, aventurier. Mais foncièrement bon. Il avait la qualité de sa

(1) Il pète de la broue : il fait de l'épate.

race : le goût de partir. Il rêvait d'aller plus loin, construire enfin la maison de sa vie, *pour toujours*. Il aimait se battre pour s'en sortir.

« Il était déjà allé dans l'ouest et déjà revenu quand ma mère le vit pour la première fois. Elle était sagement chez elle, sur la galerie. Il passait sur sa sleigh, orgueilleux comme un conquérant. Un peu plus fier au deuxième passage. Elle, plus émue. Lui, le costaud aux yeux bleus, pleins d'idées folles, de fortunes lointaines. Et elle, la douce au chignon brun, aux yeux noirs. Un grand amour. Tu noteras ça : Ils s'aimaient. »

Elle ne manquait pas de prétendants, pourtant! Comme ce Napoléon Francœur, un intellectuel empesé comme un livre, un savant (1)! Mais pour une femme tendre et romantique et bien élevée et pieuse, une « harpe au vent », il fallait un fou qui sache l'entraîner dans son tourment, un gars dont elle puisse admirer la démesure. Et qu'elle puisse domestiquer. De toute façon, la harpe commande au vent, tout le monde sait ça.

Si beau ce qu'il vit là-bas
Qu'il eut grande peur
Je vais tout vous dire cela
C'était vers cinq heures

Ce qu'il vit... Mais j'y pense
Ne se dit pas ici mais ailleurs
Dans un puits, dans un lit de dormeurs
Une nuit à l'oreille d'un ange...
... Et cet ange tremblera.

Oh! Si beau ce qu'il vit là-bas
C'était vers cinq heures...

(1) Il fit une carrière politique. Le Québec a eu chaud : Félix Francœur n'aurait été qu'un députaillon!

Elle s'appelait Fabiola. Son père à elle était un Français, Eugène Parrot, un horloger huguenot de la région de Besançon qui avait monté à Sainte-Emmélie-de-Lotbinière un magasin général. La mère, Nathalie Langlois : une aïeule de rêve, ancienne institutrice, coquette, parfumée... On fit le mariage de la musique et de l'ouragan.

Léo travaille un peu à Sainte-Emmélie, rôdant, humant l'air, cherchant l'idée. Voici l'idée : il enlève sa cavalière d'un bras et, aux États-Unis, à Belliford-Maine, il ouvre une boulangerie. Il va faire fortune.

Il n'est pas le seul à y croire : Certains auteurs comptent sept cent mille départs vers les « États » entre 1850 et la crise de 1929! Raoul Blanchard, étudiant sept localités des environs de Trois-Rivières (1), signale qu'entre 1880 et 1892, elles ont perdu mille deux cents personnes sur douze mille! On a tort de regarder le Canada d'est en ouest, son axe est nord-sud : contre les deux ou trois lignes de chemin de fer qui joignent l'Atlantique au Pacifique, il y a quatre-vingt-quatre passages de la frontière des USA!

A Belliford, un premier enfant, Marthe, naît en 1904. Tout va bien. La valse tourne. Léo fait faillite. Il revient à son point de départ, le temps de se refaire. Rien à dire.

La colonisation de la Mauricie est sa trouvaille suivante. La troisième, si je compte bien.

La Tuque n'existe pas encore. Il apprend que les Brown, une famille du New-Hampshire, ont acheté la chute pour y installer une usine, à condition qu'un raccordement relie La Tuque au chemin de fer du lac Saint-Jean sur trente sept milles. Tout sera à créer, là-bas. Il va y aller. Il fondera une ville, lui. Cette fois, Fabiola reste en arrière provisoirement. Tu me rejoindras plus tard, dès que je serai le maître du monde. Bon, d'accord.

(1) *Le Canada français,* Raoul Blanchard, Arthème Fayard, Montréal 1960.

Pour La Tuque, un seul itinéraire possible : par Trois-Rivières, au sud. « On voit, en plusieurs endroits de l'histoire du Canada sous la domination française, des corps expéditionnaires partir de Trois-Rivières et aller par le Saint-Maurice attaquer les Anglais au milieu des glaces de la baie d'Hudson (1) ». La route des conquérants est aussi la seule. Pas de passage au nord. Les colons venant du lac Saint-Jean doivent faire le détour par Québec et Trois-Rivières.

De là, il faut quatre jours pour parcourir cent milles : canot, portage, canot, portage. A quelques heures de l'arrivée, l'Italien meurt. Restera-t-il pour toujours un émigrant ? Non car Léo Leclerc le charge sur son dos et le porte au long des derniers rapides : il en fera un colon.

La Tuque est devant ses yeux. Léo pose son fardeau et son rêve sur le sol. Regard circulaire. « Il n'y avait guère là que quelques familles de cultivateurs en 1907 aux abords de l'ancien poste de traite, transformé en magasin pour les chantiers et qui conservait ses palissades, son mur de protection (2). »

Regard circulaire : « Sur la haute terrasse qui épaule la bosse du verrou, des foules d'hommes. Il y eut des milliers de travailleurs à la fois sur cet étroit plateau et, bien qu'on eût bâti en toute hâte des hôtelleries, un magasin général, deux mille à trois mille devaient vivre sous la tente. Les bagarres, les rixes étaient quotidiennes et, sans l'autorité du curé Corbeil, on eût vu des massacres (3). »

Ça grouille, en effet. Tous les Léo du Canada français sont là, qui ahannent leur espoir et retournent et défoncent leur trouvaille commune. Vous êtes dans un western. Le regard de Léo, c'est la caméra de Sergio Leone pour « Il était une fois dans l'ouest ». A cette différence près : le shérif, ici, porte la soutane.

Eugène Corbeil joue le rôle. Un gros homme que les photos disent inoffensif. Rond de tête et rond de corps : Cent kilos. Je suis tenté

(1) *Anciens chantiers du Saint-Maurice,* Pierre Dupin, Le Bien-Public, Trois-Rivières 1953.
(2 et 3) *La Mauricie,* Raoul Blanchard, Le Bien-Public, Trois-Rivières 1950.

d'ajouter : tous ronds. Et sans arme. Celui qu'on présentera plus tard comme le fondateur de la ville fait la loi avec des sermons. Il y met autant d'énergie qu'il aura de componction, ensuite pour distribuer les indulgences. Le curé québécois est un curieux type d'homme à empenage variable : chef de bande dans les bois puis comptable des péchés véniels au nom du Bon Dieu. Un Bon Dieu affreusement bondieusard qui règne par la trouille sur tout le monde sans exception. Le curé retrousse les manches de la soutane et en avant : « On m'a mis à coloniser l'Ontario, dit l'un d'eux, je ne sais pas pourquoi j'y suis; mais enfin j'y suis. Et quand je me mets dans la tête de coloniser un endroit, je m'y mets! [...] Nous ne voulons pas de paresseux. Nous ne voulons pas non plus de vieux garçons. Si des vieux garçons veulent absolument venir chez nous, nous les accepterons à la condition qu'ils se marient avec une veuve ayant déjà une dizaine d'enfants (1). »

Eh ben, ça marche! De toute façon, ceux qui bossent là sont tous obligatoirement de bons chrétiens. Les autres font semblant. Tous derrière le curé! On n'est pas aux États : la paix est signée avec les Iroquois depuis 1701 : on a eu le temps de ranger les pétoires! Et ce qui fait l'ordre, ici, c'est que l'Église catholique marche *en avant* des pionniers. Le missel rend inutile le colt. Tu es un bon chrétien ou tu es un homme mort : c'est-à-dire un exclu de la société. Ça marche.

Léo est un bon chrétien, à peu près. Malin et travailleur. Il a monté un commerce. A la réflexion, le magasin général cité plus haut est peut-être bien le sien. Peu de temps après, Fabiola arrive avec Marthe. Léo n'est pas vice-roi mais il a quand même construit une belle maison sur la rue Tessier, au 168, le long de la voie ferrée, à proximité de l'usine. Trois étages – ce qui, à la française, fait deux étages –, chauffée par le sous-sol, confortable. Il vous vend tout ce

(1) *Le Problème de la colonisation*, congrès de l'ACJC, Montréal 1920.

que vous voulez : cordes, bois, foin, grain, scies, haches; il vous loge si vous êtes un draveur et si on est en hiver; il vous promène si vous êtes de mariage ou de baptême; il vous vendra aussi de la bière – mais discrètement – si vous êtes assoiffé. Il n'a pas de licence mais comme il est brave homme, personne n'y trouve à redire. Et surtout, il achète et il vend des chevaux. Maquignon, à part de d'ça, comme on dit ici.

Un détail : l'enseigne est en anglais : « Léo Leclerc, wood-dealer, livery stable »...

Le voilà un des personnages clés de la paroisse. Il sera même, de 1924 à 1926 « contremaître général », chargé des travaux publics de la ville. Le désordre des débuts se calme, en effet. Une municipalité est élue en 1911. Un maire est invalidité en 1923 pour fraude électorale, ce qui prouve que les mœurs civilisés ont vaincu la forêt. Des trottoirs en bois, un éclairage public qu'un employé à bicyclette allume chaque soir, quelques autos – dix ou quinze en 1925 qu'on va accueillir au train en cortège. Voilà le train : un tous les deux jours. « Il stoppait à la petite station, essoufflé, en nage, penaud, ahuri... » On en débarque un piano de marque Lindsay, acheté pour Marthe qui se découvre des talents de musicienne.

La famillle s'agrandit : Clémence, Jean-Marie, Grégoire, Gertrude, Félix... Tous les deux ans, réguliers comme les sacrements. Si le couple ne vas pas assez vite en besogne, le curé québécois se charge de le rappeler à l'ordre naturel : en dessous de dix enfants, une femme est une pécheresse. Pas d'échappatoire! Bons Québécois.

Léo sympathise avec Jos Lamarche qui possède l'hôtel Windsor, juste derrière chez lui. Et Filion, un jeune de Chicoutimi qui, sitôt marié, est venu jouer au forgeron à La Tuque. Le fils à Filion, Lucien, a l'âge de Félix. Maire de la ville, inamovible depuis 1961. Il le serait encore s'il n'était décédé subitement, une semaine après m'avoir reçu, en septembre 1985. Il dit de Léo : Il avait beaucoup d'entregent, il vendait n'importe quoi, il savait tout, il connaissait tout le monde, il circulait sans cesse, il était aimé de tous...

Tous, c'est-à-dire, principalement les ouvriers. Car la colonisation, pour le plus grand nombre, c'est le travail en usine et rien de plus. La plupart des hommes de La Tuque montent là-haut tous les matins. A cinq heures, le coup de sifflet libère des centaines d'ouvriers, deux par deux, trois par trois, les pionniers d'une autre sorte de pays : celui de l'industrialisation.

Des pauvres. Évidemment, le système agri-forestier, autarcique et le reste, qui permettait de nourrir tant bien que mal une très nombreuse famille, ne fonctionne plus aussi bien. Ouvrier d'usine avec douze ou quinze enfants, la hiérarchie catholique n'a pas prévu le cas. Il lui faudra des décennies avant de réagir. La réaction, ce sera le peuple québécois qui l'aura : autour de la Seconde Guerre mondiale, finies les grandes familles et adieu l'Église vers 1960. Ils ne se marieront plus, ils ne feront plus beaucoup d'enfants et ils seront heureux tout de même.

En attendant, ils sont pauvres.

En plus de son autorité naturelle, Léo a une réelle générosité. Il n'a pas le cœur du commerçant qui s'enrichit sauvagement. Chacun, ici, fait crédit au moins chanceux; les solidarités campagnardes jouent encore. Félix : « Un jour, je lisais en cachette dans son gros livre de comptes. Je pouvais avoir huit ans. Je vois soudain un gros doigt apparaître sous mon nez puis montrer une filée de zéros : une corde de bois pas payée – zéro... etc.

– Il faut être généreux...

Un silence.

Un sourire :

– Regarde!

Le père soulève le registre : cent cinquante piastres sont cachées dessous! Et le lendemain, il achète un pouliche!

Il est bon. « Un rôdeur avait volé une livre de beurre dans la glacière de la voisine, accrochée sur la galerie. On l'avait surpris.

L'homme s'était caché dans notre grange. » Émoi général. Le père y va, seul, ayant d'abord attaché son chien. Pas de lumière. Dans l'obscurité, il avance en parlant au voleur. De la maison, la famille le regarde disparaître. Il parle calmement, sans hargne. Il fait sortir le vagabond. Pas de coups. Rien qu'une amicale pitié. Fabiola est fière. Félix a tout vu. Dans sa tête, il y a un royaume où règne un roi débonnaire, sans peur et sans haine : Léo Lerclerc.

Et le bonheur. Et l'amour.

« Quand j'avais douze ans, les matins de décembre
La porte de la cuisine, chez nous était couverte de givre à l'intérieur, comme dans une étable.
Quand j'y pense!
Le verrou et la clenche et la vitre étaient glacés blanc
Pas de tambour dehors, ni de deuxième porte
Quand j'y pense!
Qu'est-ce donc qui nous faisait chanter quand même?
L'assurance du printemps tout proche?
Je ne me souviens pas d'avoir eu froid
C'est après sa mort que j'ai connu le froid.
(Je parle de ma mère) (1) »

Et le bonheur.

« Lorsque la famille était réunie à table et que la soupière fumait ses parfums jusqu'à nous étourdir, maman disait parfois :
– Cessez un instant de boire et de parler.
Nous obéissions.
Regardez-vous, disait-elle doucement.
Nous nous regardions sans comprendre, amusés.
– C'est pour vous faire penser au bonheur (2). »

(1) *Le Petit Livre bleu,* Félix Leclerc, Nouvelles éditions de l'arc, Montréal 1978.
(2) *Pieds nus dans l'aube,* op. cit.

L'enfance décrite dans *Pieds nus dans l'aube* est-elle une enfance vécue ou imaginée ? Probablement vécue beaucoup et imaginée quelque peu. Ce qui est sûr, c'est qu'à part des changements de noms, l'enquêteur n'a pas trouvé d'erreurs ni de mensonges en confrontant les témoignages. Lédéenne Hardy était la petite « blonde » de Félix; elle habitait en face chez lui et a donné son prénom à une des sœurs du héros du livre. Le père du maire Filion, c'est le forgeron Bérubé. L'oncle Richard, l'ancien draveur de la Gatineau, frère de Nérée, a bien vécu vingt ans chez Léo, son neveu. Et Fidor Comeau, le petit Acadien qui n'allait pas à l'école a bien existé avec ce nom-là. Il a quitté la ville vers 1930; il est mort dans les années 70 sans avoir revu Félix.

Oui, l'hôtel Windsor a bien brûlé. C'est une scène villageoise typique : mars 1924; les enfants ont fêté hier l'anniversaire du curé Corbeil en donnant une « séance ». Aujourd'hui, ils ont congé. Félix court dans la montagne. Il est midi. L'hôtel est en feu! Il y a des photos dans les archives de La Tuque (1). Gros succès populaire.

La famille s'agrantit encore : Cécile, Thérèse, Gérard, Brigitte, Sylvette. Félix suit les cours des frères maristes à l'école Saint-Zéphyrin. C'est évidemment la seule école de garçons. Élève moyen, pas trop sûr de lui, il est rêveur.

Nous partirons
Nous partirons seuls
Nous partirons seuls loin
Pendant que nos parents dorment

Il brille dans le théâtre scolaire où il tient toujours le rôle principal. On joue *La Fée bonbon* et *La Revanche de Croquemitaine.*

(1) Et notamment dans le livre du maire Filion : *Histoire de La Tuque à travers ses maires.* Le Bien-Public, Trois-Rivières 1977.

Il sait chaque fois son texte avant les autres. Il invente des pièces qu'il fait jouer à ses sœurs. Il chante à la chorale des petits. Il est un des piliers de la musique des « zouaves ». C'est lui, au centre, sur la photo derrière la grosse caisse, le calot bien proprement posé sur la tête (1). Il a du talent, tout le monde le sait. Il ne force pas son talent, tout le monde le voit. Ce bel enfant plaît à tous. Il est farceur mais pas méchant. On part castagner (2) les Anglais : une centaine de familles d'Américains cadres de l'usine. Ils ne font de mal à personne. Ils se tiennent à part sagement. Le maire Filion cite même le représentant de Général Motors qui a passé toute sa vie à vendre des milliers de voitures à La Tuque sans jamais éprouver le besoin d'apprendre le français. Que leur reprocher ? Rien à dire. Les gosses vont castagner les Anglais. Par dévouement à l'Histoire, probablement car il s'agit là d'une vieille tradition nationale, confirmée par René Levesque : « C'était une aventure permanente entre gangs de petits Canadiens français et de petits Anglais [...] on se cognait sur la gueule. Ils nous traitaient de " pea soup " et nous, je ne sais pourquoi, on les traitait de " crawfish " [...] Je trouvais ça normal. Ça faisait partie de la vie (3). » Le petit Félix n'aime pas les Anglais. Mais, pas trop bagarreur, il suit...

Pas trop bagarreur, il tient ce trait de sa mère : « Je me moque de vos muscles, le danger est ici, disait la mère en se touchant le front... Initiés par elle au bonheur, juger nous était défendu et, nous arrivait-il d'être pris dans la laideur, elle nous levait le menton et disait : Regarde en haut pendant que tes pieds se débrouillent (4). »

– La pureté, c'est mon enfance. On aurait voulu être des enfants de douze ans pour l'éternité. Ne pas vieillir, ne pas devenir des

(1) *Histoire de la Tuque,* op. cit.
(2) En québécois : sacrer une volée aux Anglais.
(3) Cité par Jean Provencher, *Portrait d'un Québécois,* éditions La Presse, Montréal 1973.
(4) *Pieds nus dans l'aube,* op. cit.

hommes. Mais il a fallu quand même marcher, rencontrer des mots atroces [...] On entre malgré soi dans la maturité. Tout en étant blessé, se tenir droit, marcher puis s'émerveiller quand même (1).

Cet enfant sans histoires a tout pour lui. D'ailleurs, le curé Corbeil le choisit, honneur insigne, pour servir sa messe quotidienne au couvent de l'Assomption qui est aussi l'école des filles. Félix : – Importante promotion. J'étais regardé comme un jeune dieu. A la sacristie, tous les matins, je trouve une orange, une fleur. C'était Marie-Ange Pinaud. Je l'ai su plus tard : je l'ai surprise avec une orange dans sa main tremblante...

Et en 1985, Marie-Ange Pinaud vit encore, à La Tuque.

Léo Leclerc s'ennuie.

Dans la maison chaleureuse, Marthe joue Mozart, Bach, Schubert. La ville va trop bien. Léo enrage de n'avoir qu'à replanter les poteaux du téléphone et livrer des cordes de bois. Et la fortune, Léo, ça vient ?

La maladie de partir. Comme une chanson qui tourne dans l'esprit. La route est enfin arrivée à La Tuque (1925). L'approvisionnement se fait mieux. Il y a maintenant un chef de la police qui vient chercher Léo quand l'affaire est risquée. La colonisation reflue : pas d'habitants sur le bord de la route, rien que des arbres. Les affaires vont moins bien. Les enfants grandissent et il faudra songer à leur payer des études. Léo n'a pas fait fortune. Léo s'ennuie, se civilise, boursicote. Il gagne, il perd. Il participe au conseil municipal. Figurez-vous que le « gérant » de la ville (directeur des services) est payé directement par l'usine. Ça durera jusqu'en 1961. Mais à part ça, ce ne sont pas « les Anglais » qui commandent : on est en démocratie.

Un jour, quelqu'un parle de l'Abitibi, des mines d'or et d'argent, d'une nouvelle colonie. Léo rêve.

(1) A Jean Dufour, dans *Cent chansons de Félix Leclerc,* Fidès, Montréal 1970.

Demain si la mer est docile
Je partirai de grand matin
J'irai te chercher une île
Celle que tu montres avec ta main

Ce territoire a été rattaché au Québec en 1898. Par le Témiscamingue, l'Abitibi était jadis la route des missionnaires vers les Indiens de la baie d'Hudson. La région est traversée depuis 1912 par le Transcontinental qui relie Québec à Winnipeg et au Pacifique. En juin 1914, il n'y a que 953 âmes dans cette solitude. Soudain, en 1920, un prospecteur, Edmond Horne, y découvre de l'or sur les bords du lac Osisko. C'est la ruée. Un an plus tard, près de 15 000 habitants! Il y en aura 40 000 en 1940. En quinze ans, 226 000 claims vont être marqués et 675 compagnies minières constituées. Curé en tête, les colons sont entraînés dans l'aventure. Les nouveaux cantons de l'Abitibi reçoivent les noms des régiments de Montcalm : Royal Roussillon, Languedoc, La Reine, La Sarre, Berry, Béarn et les noms des officiers de ces régiments : Roquemaure, Palmarolle, Trécesson, Senneterre etc. : le Québec poursuit toujours sont Histoire...

Il y a de la terre à cultiver. Mais il y a surtout une kyrielle de métaux non ferreux qui sont, avec l'hydroélectricité, la nouvelle richesse de la province : plomb, nickel, zinc, molybdène et, bien sûr, cuivre et or. « Chaque aventurier se ruant jadis vers Noranda, Malartic ou Val-d'Or, pouvait, sans trop d'extravagance envisager un coup de fortune, la chance de frapper un bon claim susceptible d'être revendu à gros prix (1). »

Léo n'est pas un chercheur d'or, non. Il est un commerçant. Mais il va quand même foncer là-bas et tenter sa chance. J'imagine la discussion sous la lampe : – Cette fois, ce sera la bonne; je te jure, une maison, pour toujours...

(1) *L'Ouest du Canada français,* Raoul Blanchard, tome 2, Beauchemin, Montréal 1945.

– Tu dis ça à chaque fois...

Il trace des plans, raconte des futurs en battant l'air de ses grands bras. Elle, fière, au fond, comme toujours. Elle ne le retiendra pas. Il doit obéir à sa nature. Et si les femmes craignent les hommes qui s'en vont, elles savent que ceux-là seuls sont des hommes. Quand on a la passion d'être une femme, ça joue! Puis ils finissent tous par revenir et la femme gagne à la fin. La décision est prise, il part. Il emmènera son fils aîné John – Jean-Marie – qu'il a toujours appelé ainsi et deux autres gars de La Tuque, Camille Rivard et Frank Spain.

L'Abitibi est à mille kilomètres au nord-ouest. La lie de la société, comme on dit, fait route. Des fous, des chômeurs, des ambitieux, des regards exorbités, des imaginaires démesurés. Et des Russes, des Tchèques, des Polonais, pour faire bon poids. Le chemin de fer n'arrive pas encore à Rouyn : il faut parcourir à pieds les trente kilomètres de balast qui conduisent à la ville. Léo retrouve là l'atmosphère des débuts de La Tuque. Le curé (« missionnaire-colonisateur ») cette fois se nomme Ivanohé Caron. Il amène ses ouailles par trains entiers. Bien sûr, ce sont les mines et les usines qui très vite vont donner le travail.

Léo et John louent une première maison « ben minable » rue Perrault et bâtissent un commerce sur la rue principale, la « Main ». Mais à La Tuque, Marthe, la fille aînée, la musicienne, à peine mariée à un Normand Tremblay meurt d'une « angine de poitrine ». Alors le père et le fils reviennent pour le service funéraire. Et on repart. Fabiola est chargée de vendre le stock du mieux qu'elle peut. On s'écrit : « Je te félicite pour la vente du cheval. Tu en as tiré un bon prix. On aurait peut-être pu en tirer davantage mais c'est quand même bien. » Fabiola n'est qu'une sainte, elle n'a pas le talent de maquignon. Lui : « Embrasse donc ce pauvre petit Félix, c'était sa fête et je l'ai oublié; Léo. » Elle, à une amie : « Les larmes coulent de mes yeux, abondantes comme les pluies d'avril »... Car le Léo, en partant, lui a laissé quelques problèmes de femme : sa fille aînée morte, des filles à marier, un Félix à caser, de la solitude d'amoureuse aussi : « Tu noteras ça : ils s'aimaient. »

Léo achète une maison plus belle que l'autre à un médecin qui s'en allait. Le commerce ne va qu'à moitié. Léo a un revolver sous son oreiller et, au magasin, un gourdin gros comme *un bat* de base-ball accroché à la poutre au-dessus de sa tête. « C'était rough », dit John. On va quand même faire monter la famille.

A La Tuque, un oblat de passage converse avec Mme Leclerc. « Ce dimanche-là, à la messe, le sermon fut donné par un missionnaire à grande barbe qui avait une voix rauque et qui boitillait en marchant. [...] Maman s'absenta cette après-midi et, après souper, me fit venir dans sa chambre. Une étrange peur me précédait (1). »

Le boiteux est un sergent recruteur. Les oblats ont la juridiction de la Mauricie; ils sont chargés de l'évangélisation des chantiers et des Indiens « Tête de boule »; leur siège est à Ottawa. Votre petit Félix ferait-il pas un oblat ? « Elle aurait bien aimé ça que Félix fasse un oblat » dit John. Il est si gentil, si charmant, si fin...

La mère pense que oui. Le père pense que pour que son fiston fasse des études, il n'y a qu'un filon : le séminaire. Il sacre en secret, dans son « camp », à Rouyn. Il n'est catholique que parce qu'il ne peut faire autrement. On ne le voyait pas souvent à l'église à La Tuque. Mais comment échapper à cette bon dieu de religion ? Il accepte. Félix est enrôlé. On lui demande vaguement si... Comme il ne comprend rien, il répond vaguement que... Il veut faire plaisir : obéir. « J'étais le petit gars rêvé pour partir : archinormal, pas trop sportif, heureux, doux... »

Il abandonne sa première guitare et son premier banjo. Il abandonne surtout le continent immense de l'enfance. Le voilà dans le train d'Ottawa, une orange à la main qui tombe comme il s'endort.

(1) *Pieds nus dans l'aube,* op. cit.

La mère a dit : « Entre nous, ça ne pourra pas se découdre, il faudra que ça se déchire. » Elle a bien du talent. Ce sera un déchirement, en effet. La Tuque disparaît et la conscience d'un bonheur absolu naît dans le souvenir.

Voilà l'histoire. Pour l'autre, la petite, l'embellie, la vraie, lisez *Pieds nus dans l'aube*. C'est un livre enchanté.

Je vous en donne quelques lignes. La réalité y vient affleurer contre le rêve. Puis vous lirez tout seuls.

« Je m'en vais d'ici.

– Vous quittez la vallée ?

– Oui.

– Avec la famille ?

– Oui.

M. Lebel était de plus en plus songeur.

– Ça ne me regarde pas mais, à un vieux citoyen, je me permets de demander pourquoi il abandonne la paroisse qu'il a fondée ?

– Folie, monsieur Lebel (1) ! »

On dit adieu au « canton Mayou ». La mère pleure.

« Regardez bien partout, regardez bien ! Comme si elle avait dit : Emportez tout dans votre âme pour plus tard (2) ! »

Félix a tout emballé dans sa mémoire. Y compris cette vision, moins poétique, qu'il ne restituera que soixante ans plus tard, dans *Rêves à vendre* (3) :

« 1920. Une image classique de nos petites villes : Dominant la vallée, quarante bonnes maisons anglaises sous les arbres, avec golf, haies, parcs, voitures, jardins, écuries, chevaux de race, le fief des patrons. »

(1 et 2). *Pieds nus dans l'aube*, op. cit.
(3) *Rêves à vendre*, op. cit.

« Au fond, la petite usine avec haute cheminée et sifflet. »

« Et descendant à droite vers les marécages, mille taudis collés les uns sur les autres, où s'entassent pêle-mêle sous les cordes à linge, les ouvriers de la boîte à lunch (1) qui, sans union, ni protection, ni moyens de transport, ni congés de maladie, ni normes de sécurité, ni salaire garanti, les poumons pleins de colle, vont à pied, faire marcher l'usine qui rapporte des fortunes à des étrangers jamais vus. »

Mais puisqu'il dort, à présent, dans le train où finissent toutes les enfances, je peux supposer que ce n'est pas cette sinistre image qu'il a fourrée dans son bagage. Un jour, il a aussi écrit ailleurs :

« Au lieu de la pousser dans la maturité les mains vides, j'inviterai l'enfance à s'attarder le temps qu'il faut pour empocher des images pour la période d'hiver, la noire et dure période à vivre, si longue et si fade de l'adulte qui n'en finit pas de pousser sur l'ennui. Deux sacs de clairons dans ses bagages, une perdrix morte, une pincée de poussière d'étoiles, une botte de légumes, du vin, le sourire de quelqu'un mort, une trace à suivre qui mène à l'île inaccessible, une corde de violon, un masque drôle... (2) »

(1) Traduction pour les Français : la gamelle, le casse-croûte, le frichti.
(2) *Les Temples,* acte I.

III. Les pieds dans le bénitier

Le Canada français est le « seul pays où Dieu est à la fois ministre, président, juge et gendarme » écrit Morvan Lebesque. C'est une théocratie. « On n'y a pas le droit de vivre si l'on ne croit pas en Dieu et très précisément au Dieu catholique ou plutôt à l'image que s'en fait l'Église du Québec. » (1)

Ce jugement gicle de la plume d'un Français pas vraiment clérical... Traduit, il donne, après tout, sensiblement la même chose dans la bouche d'un prélat. Le peuple canadien « incarne dans le détail et dans l'ensemble de sa vie sociale, aux dires de Mgr Landrieux, le type du peuple chrétien » tel que souhaité par les encycliques pontificales (2). Convertissez-les tous, Dieu reconnaîtra les siens, pourrait être la devise des croisés d'Amérique. Pour un prêtre, le Québec de 1900 peut, en effet, ressembler à un paradis terrestre : tout y est dans la main de l'Église. N'est-ce pas un peu à ce « royaume » que le Très-Haut pensait quand il a créé le monde ?

(1) *Chroniques du Canard*, Morvan Lebesque, J.J. Pauvert, Paris 1960.
(2) Jean Hamelin et Nicole Gagnon, *Histoire du catholicisme québécois, le XXe siècle*, Tome 1, Boréal-Express, Montréal 1984.

Depuis 1852, le droit canadien sépare, en principe, l'Église et l'État. Mais, jusque vers 1960, cette séparation est illusoire. Qu'est-ce que c'est, l'État provincial ? Environ deux cents fonctionnaires à la fin du siècle. Contre dix mille prêtres, religieux et religieuses ! « En 1901, le Québec compte environ (sic) 2102 prêtres, soit un pour 680 fidèles. Trente ans plus tard, ces effectifs peuvent se chiffrer à 4274, soit un prêtre pour 576 fidèles [...] En 1913, l'Italie, l'Espagne et la Hollande, pays les plus riches en prêtres, avaient une relation clercs-fidèles estimée à 1 pour 760. » (1)

« J'étais venu au monde dans une sacristie, dira plus tard Félix (2) et n'avais vu que les prêtres, les religieuses, les frères enseignants. Qui avait vu d'autres gens ? »

Personne. Personne, en effet. L'Église prend tout le paysage. Elle tient les registres de l'état-civil. (Le mariage civil n'existe pas.) La totalité du système de santé lui appartient. Et, bien sûr, le système scolaire, nous allons le voir. « En dehors de l'Église, il n'existe pas de force sociale suffisamment organisée pour lui faire contrepoids : la grande bourgeoisie d'affaires, anglophone et protestante, relativement peu nombreuse, vit en marge de la société québécoise. Consciente de son autorité morale et de sa force politique – l'une renforçant l'autre – l'Église parle beaucoup, et fort, et sèchement. « Quand nos laïcs grognons auront à leur actif autant d'œuvres et de dévouement que l'Église, écrit " La Semaine religieuse " de Montréal, ils seront mieux venus de se plaindre. Jusque-là, ils devraient n'être que reconnaissants. » [...] S'adressant aux directeurs de théâtre, Monseigneur Bruchési leur déclarera cavalièrement qu'il espère « qu'ils voudront bien se rappeler les leçons qu'il leur donne aujourd'hui et qu'ils agiront toujours de manière à ce qu'il n'ait pas à se plaindre d'eux à l'avenir » (3). C'est comme ça et pas autrement.

(1 et 3) *Histoire du catholicisme québécois*, op. cit.
(2) *Québec français*, mars 1979.

« Les évêques québécois ont su tirer parti de la conjoncture : écrasement du Parti patriote et, partant, des élites laïques en 1837-1838, condamnation par Rome du libéralisme issu de la Révolution française, création en 1867 d'un État provincial, pauvreté collective des Québécois, absence d'une riche bourgeoisie d'affaire francophone. » (1)

Donc, résumons la situation. Au long du XIXe siècle, l'Angleterre tient à garder une possession en Amérique du Nord. Elle craint que le modèle U.S. n'attire les Canadiens anglophones. C'est pourquoi elle a intérêt à maintenir une forte minorité catholique francophone pour faire écran. L'Église de Rome est la seule structure qui puisse prendre en charge ce peuple et son développement paisible. Une seule condition : silence dans les rangs. Ça tombe bien : résignation et respect de l'autorité sont les deux mamelles de la morale catholique. L'Église accepte ce marché qui lui donne un jardin. Elle accepte aussi, mais sans le faire exprès, de laisser le peuple québécois au bord de la famine. Cette distraction rend service aux entrepreneurs américains qui ne se battront jamais vraiment pour annexer un pays pourtant riche; cela rendrait les coûts d'exploitation plus élevés!

Le roi d'Angleterre est content, les capitalistes sont contents, l'évêque de Québec est content.

Félix roule vers Ottawa. S'il est là, c'est parce que l'Église a aussi la haute main sur le système d'éducation. Nous sommes en 1927. Il n'y a pas d'instruction publique laïque. Ni obligatoire. Ni même de ministère de l'Éducation. La loi viendra en 1942 et le ministère attendra jusqu'en 1964. Jusque-là, les autorités religieuses se seront opposées du bec et des dents à tout empiètement sur leur territoire.

« Il existe vers 1930 quelque trente-six collèges classiques dont deux seulement pour jeunes-filles. Ces collèges qui sont pour la

(1) *Histoire du catholicisme québécois*, op. cit.

plupart des séminaires préparent les jeunes surtout à la prêtrise et aux professions libérales traditionnelles : droit et médecine. Les carrières scientifiques sont terriblement négligées. Ce système, de toute évidence, ne peut répondre adéquatement aux besoins d'un pays industrialisé (1). »

Depuis 1875, un pouvoir local, la commission scolaire, administre les écoles primaires sous le contrôle du curé. Sur le plan provincial le Conseil de l'instruction publique est composé de tous les évêques du Québec et d'un nombre égal de laïcs catholiques et protestants nommés par l'État. Le surintendant de l'instruction publique, un fonctionnaire, apporte l'argent. Dans la réalité, ce comité se dédouble : d'un côté les catholiques, de l'autre les protestants. Chaque comité est responsable de son propre réseau d'enseignement. Il n'y a donc, à part l'enseignement technique qui débute sous l'impulsion du gouverncment, pas d'enseignement laïc. Ni au primaire, ni au secondaire, ni au supérieur. La campagne pour une loi rendant l'instruction obligatoire est violemment et constamment combattue par la hiérarchie qui y voit une tentative du pouvoir civil pour ébrécher ses prérogatives. Même chose pour l'éventuelle création d'un ministère.

Vouloir que l'État puisse ouvrir des écoles! Mais c'est faire de l'anticléricalisme! Tout, plutôt que l'école neutre. Même le sous-développement. « Répugnant à taxer les contribuables, les commissions scolaires n'entreprennent aucune amélioration de l'intruction publique; elles s'efforcent plutôt de minimiser les coûts aux dépens de la qualité de l'enseignement, notamment en payant des salaires de famine à des institutrices sans diplômes et sans expérience. » (2) Deux sœurs de Félix (3), Thérèse et Cécile, joueront à ce pauvre jeu avant guerre, dans une école proche de Trois-Rivières, à Red-Mill où leur

(1) *Histoire du Québec contemporain*, Linteau Durocher et Robert, Boréal-Express, Montréal 1979.

(2) *Histoire du catholicisme québécois*, op. cit.

(3) « La martyre, l'oubliée qui ne gagnait pas le salaire d'une laveuse de plancher! » *Adagio*, Fidès, Montréal 1943.

frère allait les conduire en traîneau à chiens. « Cent vingts dollars par an chacune! Et quelques marguilliers qui trouvaient ça cher! » Ils n'en savent rien sans doute, ces « commissaires d'école » mais l'ignorance est la rançon de la catholicité qui est, elle-même, le rempart à l'assimilation.

Ça va loin. « En 1930, le Premier ministre Taschereau annonce qu'il va créer des écoles juives indépendantes. » L'archevêque de Québec proteste : les écoles juives seront le premier pas vers la neutralité du système scolaire! Les petits juifs resteront donc chez les protestants et le petit Cohen sera un anglophone...

« C'est grâce aux prêtres que nous parlons encore français. Mais, hélas! il faut bien dire toute la vérité. Le clergé a contribué à nous maintenir dans une certaine nuit de l'esprit », lancera plus tard Félix, Québécois pauvre parmi trois millions de Québécois pauvres. « On a été élevé et on a grandi dans un bénitier. » C'est bien ça, le Québec : un immense bénitier.

Bénitier à travers lequel, si je puis dire, fonce le train qui va déposer le petit Leclerc à Ottawa, juste de l'autre côté de la frontière provinciale. Les pieds sur le bord du bénitier, la tête dans le ciel des archanges. N'oublions pas que ce gosse a la vocation. Il n'a pas le choix, il a été choisi.

Comment fabrique-t-on une vocation? Vous pouvez rendre compte de la chose d'une manière triviale, de l'extérieur, en sociologue, à grands coups de crayon : « De façon générale [...] les Canadiens français n'ont pas encore appris à s'inventer bien grand d'aspirations, trop préoccupés qu'ils étaient par la nécessité de la simple survie. Dans ce contexte, on ne choisit pas un métier ou un état de vie pour y épanouir sa personnalité : on cherche simplement une place où se caser pour gagner sa croûte. La vocation sacerdotale est alors vécue moins comme choix ou recherche de dépassement que comme destin et un destin de favorisé [...] » (1)

(1) *Histoire du catholicisme québécois*, op. cit.

On peut aussi décrire de l'intérieur le cheminement de l'idée, suivre la source dans l'âme. Voici comment. Jean Hamelin et Nicole Gagnon citent (1) deux témoignages édifiants. D'autant plus édifiants que les deux témoins sont deux célébrités. Nous les rencontrerons plusieurs fois dans ce livre et dans l'Histoire du Québec. Le premier témoignage est celui de l'abbé Lionel Groulx historien national, recueilli en 1899 : « Pendant deux ans j'en suis tourmenté. Serai-je prêtre ? Serai-je plutôt serviteur de l'Église dans le monde ? Avec toutes mes illusions de jeune homme, je me cramponne à ce dernier rêve [...] Je remets un mémoire à mon directeur où, tout examiné, pesé, aussi objectivement que possible, je conclus contre le sacerdoce [...] Avec une logique surnaturelle et irréfutable, l'abbé Corbeil, mon mémoire à la main, le démolit pièce par pièce [...] Dès cet instant, j'arrête ma décision [...] Le calme, un calme profond, absolu, s'établit aussitôt en mon âme. »

Le deuxième témoignage est celui d'Albert Tessier, en 1916 : « Je m'en ouvris à mon directeur de conscience et lui confiai que j'envisageais de me lancer dans le journalisme catholique militant [...] Mon directeur opposa un veto presque absolu [...] Il balaya d'un geste mes inquiétudes et mes objections et je dus m'incliner sans trop de résistance, comme d'habitude. »

Ils n'ont guère le choix, ces adolescents. Ils sont coincés, travaillés, minés, creusés, désossés par la « logique surnaturelle » et ils finissent par « s'incliner » devant leurs aînés. Ceux-ci se rendent-ils compte qu'ils abusent un tout petit peu de la situation ? Non, bien sûr. L'époque leur a coulé dans le béton précontraint une bonne conscience à toute épreuve. L'époque cerne ces enfants depuis leur naissance. L'époque possède la vérité. La vérité de l'époque a des allures de bulldozer. Et la technique du conditionnement indique que l'armée du Christ n'est pas différente de l'armée tout court.

(1) *Histoire du catholicisme québécois*, op. cit.

Heureusement, il y a du rejet.

Soyez remercié, Seigneur, pour le rejet! Il permet à la société civile d'exister. D'après Hamelin, il représente quarante-cinq pour cent des entrants. Ça laisse un bon rendement, malgré tout : entre 1900 et 1930, la population catholique augmente de soixante-douze pour cent et le clergé québécois de cent deux pour cent (1). De ces jeunes gens « aspirés par l'institution cléricale bien davantage qu'ils n'ont cherché à y réaliser leurs aspirations personnelles (2). » Pour échapper, il doit falloir une certaine force d'inertie...

Un garçon de treize ans descend du train à Ottawa. « Gentil, doux, peu sportif »...

Le juniorat du Sacré-Cœur est une grise bâtisse sans charme, sur la rue Laurier (3). Les élèves entrent par la rue Hastay dans une cour d'un demi-hectare bordée d'arbres. Un jeu de balle au mur, une patinoire, des cornettes de religieuses pour la cuisine et le ménage, cent quinze élèves, grand dortoir et petit dortoir.

Les cours sont donnés en face, dans un bâtiment de l'université – catholique elle aussi. Voici le domaine du nouveau prisonnier : cent mètres dans la plus grande dimension.

« Le règlement austère qui régit ses activités quotidiennes le préserve contre l'ivresse de l'ennui en même temps qu'il moule la forme que devra prendre sa pensée et qu'il creuse le vide où le sens viendra prendre place (4). »

La messe tous les matins. Le voussoiement entre les élèves. Une seule sortie par mois. Durée de la sortie : une heure trente. Pourquoi une heure trente? « Pour que les élèves n'aient pas le temps d'aller au cinéma! On calculait : Dix minutes pour

(1, 2 et 4) *Histoire du catholicisme québécois*, op. cit.

(3) Ce local a été vendu à l'université d'Ottawa en 1967. Le mur d'enceinte a été abattu, la cour transformée en parking. On y enseigne les « arts visuels ».

se rendre en ville, dix minutes pour rentrer; c'était gagné! (1) »

Pour un gosse habitué à courir dans la montagne de la Tuque, c'est gagné, en effet.

On ne porte pas d'uniforme. Mais l'uniformité imposée par l'autorité évite tout chahut. A peine si les dortoirs sont gardés par un élève plus âgé. Tous sont de bons petits Québécois, bien dociles. On fera beaucoup de sport car il faut éliminer les toxines et les mauvaises pensées qui sont les toxines de l'âme et s'éliminent pareillement. Quelques pique-niques...

Au rez-de-chaussée, il y a une grande salle de récréation. Le long des fenêtres, des planches posées en travers permettent de voir la rue. « Je me rappelle Félix, monté sur la planche, passant son temps à regarder dans le vide (2). » Mais de la fenêtre, il ne voit que la colonnade de l'université et la rue sur cinquante mètres... Félix aussi s'en souvient : « Je regardais dans la rue, je sifflais beaucoup, à l'époque. Une main sur mon épaule : – Fais pas le voyou! »

Ce qu'il regarde, on suppose, c'est le monde merveilleux de La Tuque qui s'efface et reparaît. Il a treize ans et il est en prison. « J'en ai-t-y braillé! » Tous ne sont pas comme lui : « C'était comme d'être mousse sur un bateau. » Et le père Boucher : « Je me suis parfaitement adapté. Je n'ai pas vu le temps passer. » Il y est encore. Le père Montpetit, un an devant Félix : « Je suis parti de chez moi, où il n'y avait ni électricité ni eau courante. Pour moi, fils d'agriculteur, c'était, dans une certaine mesure, une promotion sociale. On découvrait ici une vie confortable. On avait des livres. C'était une sorte d'épanouissement! » La séparation des parents? « Étant fils d'agriculteur, le père on le voyait peu... » Surtout s'il passait l'hiver en forêt, en effet...

Dès le début, Félix est bon en français. A la faveur d'une sortie, en première année, il assiste à une course de chiens. Sitôt rentré au

(1) Père Boucher, ancien élève et archiviste du juniorat.
(2) Père Médéric Montpetit, ancien du juniorat.

juniorat, il écrit. Le supérieur, informé, va chercher en douce le texte dans le bureau de l'élève et cette composition française hors concours fait le tour de l'établissement avec les éloges répétés du supérieur. Voilà ce qu'on raconte.

J'ai retrouvé le « Cahier d'Honneur » des années 29-30. Félix est alors en troisième année. Ça marche plutôt mal pour lui. Au début, il s'est appliqué : A l'examen de janvier 1929, il était sixième ex-aequo sur trente-quatre. (97 sur 100 en français, 86 sur 100 en latin, 100 sur 100 en histoire du Moyen Age, seulement 40 sur 100 en zoologie.) Mais en janvier 1930, il n'est plus que vingt-deuxième sur trente-quatre et au deuxième semestre, vingt-huitième. Il semble avoir découvert la technique de la fuite douce, l'esquive par l'intérieur dont il fera son profit pendant sa vie entière : je suis ce que vous voulez que je sois mais, faux docile, j'ouvre les fenêtres vers l'intérieur sur ma liberté. Et je m'échappe sans rupture. La technique est assez québécoise, au fond.

Pas de rupture. Le Cahier d'Honneur de français rassemble les meilleurs travaux, calligraphiés avec soin par un professeur. Sur une centaine de pages, Félix en occupe vingt et une. C'est mieux que bien.

Malheureusement, il n'est pas l'auteur de ce qu'il écrit. L'auteur est un petit-séminariste-type dont le portrait-robot a été dessiné au goupillon par la hiérarchie romaine. Les traits sont un peu gros, forcément. Félix pense ce qu'on veut, ressent ce qu'on veut, écrit ce qu'on veut, verse toutes les larmes qu'on veut. C'est à pleurer.

Au hasard et en respectant l'orthographe :

« Hélas il (le nouveau supérieur) est parti maintenant. J'aurais bien aimé qu'il demeura (1) pour une chose en particulier, pour lui prouver que quand je veux je peux travailler.

Ah! Oui, c'est bien ma faute. Peut-être pense-t-il que je suis indomptable? Manque de volonté?? »

(1) Toutes les fautes de cette page sont signées du jeune Leclerc lui-même.

Ou ceci :

« Accoudé sur la rampe de pierre de l'église du sacré-cœur, le visage triste, les yeux presque baignés de larmes, je regardais venir un flot de prêtres... Plus il s'avançait, plus je sentais grandir en mon âme, la soif d'un désir... que je conserve toujours! »

Là, il en a fait un peu trop. Au point qu'il se mélange les pinceaux... « La soif du désir »... « Et apparut dans toute sa grandeur, le cardinal Rouleau marchant la tête haute et bénissant la foule; lui, m'a laissé de sa personne un souvenir ineffaçable! »

« ... Un instant plus tard et le héros du jour, si humble et pourtant si grand paraît à son tour... »

« ... saisit d'une émotion profonde, j'inclinais la tête. Et ému plus que jamais, je murmurai ces mots : tout à l'heure cet homme sera évêque! O que c'est beau! »

La soif du désir...

Il y en a des pages de cette eau bénite. A l'âge où n'importe quel adolescent normalement constitué s'exalte des petites culottes de sa cousine, il n'est question que « d'émotions profondes » de « suis-je un diablotin? » de larmes pleins les yeux, pleins les mouchoirs, pleins les cahiers! L'apparition du cardinal décrite comme un coup de théâtre digne de Cecil B. de Mile! Des sentiments obligés! Des contritions parfaites! Des cerveaux lavés! Des chanoines contents.

Bien entendu, les sujets sont toujours choisis pour « édifier » l'élève et ramener son attention vers le juniorat. Pas question de laisser libre cours à l'imagination qu'on doit trouver pernicieuse à la Curie. Au contraire : « Un départ imprévu » (Celui du supérieur : on pleure, il est admirable). « L'intronisation du nouvel évêque » (on pleure il est admirable). « Le départ de deux missionnaires » (On pleure, ils sont admirables). Traitez le retour vers le juniorat après les vacances : « Alors il me fallut quitter ma pauvre mère. ô combien fut cruelle cette heure de la séparation!! Je n'ai pu m'empêcher de verser quelques larmes... ! Mais tout d'un coup un rayon de bonheur brilla dans mon esprit et il m'a semblé entrevoir la lumière de l'espérance [...] Mon cher juniorat ! »

Il est vraiment bon, ce Leclerc : aucune personnalité, tout va bien.

Il n'y a guère que dans un travail intitulé « Mon pupitre » qu'il montre un peu de son âme. « Que de rêveries trompeuses ont tracassé mon cerveau alors que j'étais accoudé sur celui qui est témoin de tous mes actes. » Passons sur les « *rêveries trompeuses* » qui ont « *tracassé* » son cerveau : ces mots-là sentent le buis. Une rêverie qui n'est pas tournée vers La Mecque ne peut être que trompeuse. Alors, forcément, elle *tracasse*. On ne rêve pas et on tient les mains sur la table. Poursuivons.

« Quand par les mauvais jours d'automne où tout semble fuir, quand la plupart des visages sont assombris à la pensée des souvenirs éteints, seul le petit meuble au teint doré ose me regarder en face en souriant »... On se marre pas tous les jours au juniorat, dites donc !

« Dans quel cœur pouvez-vous confier vos secrets alors que tous sont accablés par les mêmes idées moroses ? Quant à moi, me cachant le visage sur mon ami... temporel, je cause longuement tandis que lui, immobile, attentif, semble recueillir mes paroles sacrées [...] J'y pleure secrètement, longuement quelquefois mais toujours sans crainte... »

Pleure un bon coup, mon petit gars, dans l'odeur de vernis, d'encre, de poussière et de sueur d'enfant ! Ce qui me rassure c'est que lorsqu'il n'en peut plus de verser les larmes inscrites à l'ordo, Félix chiale comme un vrai gosse.

Il va passer là neuf mois et demi sans sortir. A part les vacances d'été, il n'y a de congé que deux semaines à Noël et Léo Leclerc qui entretient plusieurs enfants dans les collèges, ne peut payer les voyages. Félix restera donc à Ottawa pour les fêtes. Ils sont quatre petits malheureux dans le même cas qui regardent partir les copains. Journées interminables. Patinoire. Messe. Rêveries (trompeuses). Soir de Noël sinistrement enturluminé. Tant de dorures, de pompe prétentieuse contre une vraie solitude! « On nous demande de pendre notre bas devant la porte de l'homme qu'on aime le moins car Noël est la fête de la réconciliation. » Les services d'action psychologique ne perdent pas une occasion! Même les sentiments intimes sont fliqués, déviés, récupérés. « Je pends le mien chez le préfet de discipline... Le lendemain : une orange, une poignée de noisettes... »

Félix fuit à l'intérieur : je suis ce que la société veut que je sois. Pour le reste, je me retourne comme un habit. J'ouvre à l'intérieur une fenêtre sur le royaume où je suis libre. Pas de résistance. D'ailleurs, comment s'opposer sans trahir les espérances des père et mère?

Les années passent. Une « académie française » réunit, tous les dimanches après-midi, les élèves à partir de la troisième année du cours classique. On y cultive l'art oratoire, le débat, la récitation, toutes pratiques importantes pour de futurs prêtres et soldats de la langue française mais aussi arts constitutifs de « l'esprit canadien français » qui veut que les Québécois soient « gens de parole ». Chaque élève doit participer à son tour. Un cahier porte les compte-rendus : un poème de Paul Déroulède s'attire quelques rires – quand même! – que le journaliste occasionnel « ne s'explique que par un manque d'intelligence ». L'abbé Lionel Groulx, chantre du nationalisme québécois, déjà rencontré page 54 vient donner une conférence sur « quelques autres causes de nos insuffisances ». Félix, lui, n'est jamais cité dans ce cahier. Tout au plus se rappelle-t-il vaguement avoir tenu un ou deux débats avec un comparse.

Car l'application du début se défait progressivement comme un mauvais tricot. Mais dans ce même temps, la vraie vocation du faux junioriste émerge. « J'ai dit que je ne voulais pas être prêtre dès la première année. J'ai trouvé deux soupapes pour supporter le juniorat : le théâtre et le chant. »

Le chant : Le 16 juin 1931, prix de chant à Félix Leclerc. Les vocations se devinent déjà : son condisciple Jean-Jacques Bertrand (1) futur Premier ministre du Québec gagne le premier prix de « débat anglais ». Chacun son job.

Le théâtre : Les représentations sont données dans le sous-sol de l'église du Sacré-Cœur (brûlée depuis) à cent mètres du juniorat. Dans les grandes occasions, on pousse jusqu'au Capitol (brûlé aussi). Le 25 novembre 1931, Félix joue « Sbrigani, homme d'intrigue » dans *Monsieur de Pourceaugnac* de Molière. Il ne chôme pas, le Félix, un vrai pro : quinze jours plus tard, le 7 décembre, il tient le rôle principal – le doge – dans *La Madone de Venise*, « petit opéra de l'abbé Brossard. » Le même jour, on peut l'applaudir dans *La Nuit rouge*, drame en quatre tableaux de Théodore Botrel. Il est un officier « jacobin ». Donc un méchant, d'après les critères de notre sainte mère de l'époque.

Quelques jours avant, il a assisté à la soirée des jeunes filles du couvent de la rue Rideau. Elles présentaient *Iphigénie*. Le jacobin est tombé net amoureux d'Iphigénie : Yolande, la mère du musicien François Dompierre. Il lui a passé un billet : « Si cette rencontre vous a fait le même effet qu'à moi, venez me voir jouer *La Nuit rouge* au Capitol. » Eh, c'est qu'on a dix-sept ans, quand même!

Elle vient. Il est électrisé. A un moment, audace du metteur en scène, il doit balancer un chouan par la fenêtre. Il y va si ardemment que l'autre se casse le genoux dans la coulisse. Il en boite encore : c'est l'honorable avocat Marcel Piché, de Hull.

Pendant que Marcel Piché plane dans les airs et que Félix est rendu muet par l'amour et la stupeur, revenons à Rouyn.

Les choses ne vont pas fort. Fabiola ne s'habitue pas à l'atmo-

(1) « Il s'appelait Pierre-Jean-Jacques Bertrand. Je lui ai dit : T'en as pas un de trop ? Alors il en a enlevé un. Dis-le pas, ça fera pas plaisir à la famille. »

sphère de la frontière, aux bagarres, aux ivrognes gueulant dans les aubes : « Léo, donne-nous de la bière! On sait qu'tu'n'as! » Le piano Lindsay a suivi mais, sans Marthe, sa petite musique ne suffit pas à couvrir les bruits. Fabiola regrette La Tuque et son bonheur. Elle rêve de revenir vers le Saint-Laurent et la civilisation. Une nuit, la ville commence à brûler. La voilà en chaloupe, parmi cent chaloupes, au milieu du lac Osisko, protégeant ses enfants avec des couvertures mouillées pendant que Léo bataille dans les flammes (1).

Grégoire a été recruté par les capucins. Sa vocation s'étouffera après un an et demi. John est inscrit chez les trappistes d'Oka mais simplement pour apprendre le métier d'agriculteur. La mère ne connaîtra donc pas la joie d'avoir un fils prêtre ou religieux.

Léo retarde le jour où il va devoir s'avouer vaincu, lui, le pionnier, le « fondateur de villes », l'homme de tous les horizons. Puis il finit par accepter son destin. Il vend son stock et rapatrie sa tribu à Trois-Rivières. Moins deux filles qui restent à Rouyn pour raisons conjugales : Clémence mariée à un chimiste et Gertrude mariée à un néo-Québécois d'origine yougoslave.

Léo prend une épicerie rue Saint-Maurice, près de l'hôtel Canada où son ami Jos Lamarche s'est installé après avoir vendu le Windsor. Parfois il y donne un coup de main comme homme de peine. Pas brillant.

Mais il reste le même fouineur entreprenant qui connaît les bons coins et les bons coups. Une ferme est à vendre à Sainte-Marthe-du-Cap-de-la-Madeleine, à vingt kilomètres à l'est de la ville. Les pieds dans l'eau, le fleuve sous les yeux. Le paradis. Cette fois on y est. Fabiola acquiesce. Elle a gagné. John sera le propriétaire de la

(1) Curieux pays que ce Québec où toute chose semble destinée aux flammes. L'hôtel Windsor a brûlé. La maison des Leclerc à La Tuque a brûlé quelques années après leur départ. L'église du Sacré-Cœur et le Capitol d'Ottawa ont brûlé. La basilique Sainte-Anne-de-Beaupré en 1922, le quartier Saint-Roch de Québec et une partie du quartier Saint-Jean en 1845. En 1852, le sixième de la population de Montréal est sans abri à cause du feu. Huit villages du Saguenay en 1870. Et partout des incendies de forêts. La ville de Rimouski flambe en 1950 sous les yeux d'un séminariste du nom de Gilles Vigneault. On nage dans l'incendie! Heureusement, depuis qu'on s'occupe un peu moins des flammes de l'enfer, on a inventé les « Canadair »...

ferme, charge à lui d'héberger la famille. Greg, le second garçon, gardera l'épicerie. Cet été, Félix rentrera à Sainte-Marthe.

Voulant échapper à son destin de Québécois voué à la ferme et aux chantiers, Léo n'a réussi qu'à être plus québécois encore. Il a fait le détour par « les États », et par la colonisation et le voilà paysan au bord du Saint-Laurent. Son caractère est typique, comme celui de Fabiola. Les sociologues vous décriront le Québec comme une société matriarcale : l'homme y est aventureux et hableur, ne rêvant que de départ; la femme y est raisonnable et responsable, c'est elle qui tient le gouvernail et sauve la famille dans les désastres. Tous les Québécois vous diront : « Mon père – ou mon grand-père – était un rêveur. Heureusement que ma mère – ou ma grand-mère – était une femme de tête. » Les écrivains racontent cela à longueur de romans, de Gabrielle Roy dans *Bonheur d'occasion* à Michel Tremblay dans *Des nouvelles d'Édouard*...

Voilà donc mon Léo qui arpente la berge du fleuve, le long de cette terre qu'il veut acheter...

Un regard sur le cap de la Madeleine : « Jusqu'en 1910, date de la construction de l'usine à pulpe qui est devenue la Saint-Maurice Paper, vivaient là trois cents familles de cultivateurs pauvres et économes; les hommes, l'été, cultivaient et travaillaient aux scieries; l'hiver, ils partaient aux chantiers et leurs femmes se retiraient dans leurs familles pour économiser le chauffage (1)... » Avec beaucoup de dignité, je suppose.

Le propriétaire de la ferme s'est enfui il y a sept ans. Il a dignement posé sa dignité par terre et a pris la direction des États-Unis. Personne ne s'est précipité pour prendre sa succession. La trouvaille de Léo est à pas cher et la terre est en friche. Mais Léo est courageux. Les Leclerc n'ont ni outils, ni matériel, ni bêtes? Oui mais Léo est un personnage de cinéma! Il apprend qu'à Saint-

(1) *La Mauricie*, op. cit.

Célestin, un pauvre gars a fait faillite. L'équipement et le cheptel sont vendus, à pas cher encore un coup, à celui qui enlèvera le tout *immédiatement.* J'y cours! Oui mais nous sommes en janvier! Il fait moins quarante! Ah! vous ne connaissez pas Léo Leclerc! Il fonce à Saint-Célestin. L'affaire est conclue. Il emporte le lot.

Oui mais il y a trente miles à parcourir dans la neige et le fleuve à traverser.

Oui? Eh bien ce sera la dernière ruée vers l'or de Léo Leclerc.

Le premier jour, dès l'aube, une curieuse caravane hante les chemins glacés et déserts de la rive sud, à la limite des « Bois francs ». En tête, une charrette de foin conduite par le père. Derrière suivent trente-cinq vaches. Et derrière encore, une autre charrette, conduite par son fils aîné et chargée de toute la volaille, les cochons, les moutons. En avant. On couchera à Sainte-Angèle. Même les animaux sont dubitatifs : on ne les entend pas broncher. Après quelques heures, un taurillon, effrayé par des chiens ou pris d'un doute raisonnable, fait demi-tour au galop et rentre à son point de départ. Vous imaginez l'hésitation de Léo sur son char, par moins quarante. Léo, tout le monde te regarde...

Il continue! D'ailleurs le taurillon, pas vache, rejoindra le cirque le soir, à l'étape, dans une ferme amie. Beau joueur. Le lendemain, on traverse le fleuve. Fabiola est fière.

En attendant, Marcel Piché hurle de douleur en silence, dans sa coulisse; Iphigénie s'efface avec le décor; le Capitol brûle un peu et Félix, revenu à lui, se morfond davantage. En début de « Versification » (quatrième année) on a admis qu'il n'avait pas la vocation et il s'est installé en face, à l'université. Rien de changé, à part le gîte. La messe tous les matins, les mêmes cours. Il a juste un peu plus de liberté. « On allait au cinéma, rue Rideau, le samedi après-midi. Je me souviens du premier film parlant, *The singing fool* (bêtement traduit en français par *Le chanteur de jazz*) avec Al Jolson. » Aux vacances suivantes, armé d'un ukulélé, il écrit sa première chanson, *Notre sentier...*

Encore un an de « Belles lettres » et l'ultime retour à Sainte-Marthe. Il ne passera jamais en « Réthorique ». Léo est « raide pauvre ». En parisien : Léo est raide. L'achat de la ferme a vidé sa bourse. « Je ne retournerai plus au collège à cause d'un détail : le manque d'argent (1). » Félix en a assez des salles de cours, des corridors, de la grisaille (« Plus de théorie, plus de livres, fini ! ») Plus de prison. Nous sommes en juin 1933 et il va avoir dix-neuf ans. D'un commun accord, père et fils disent adieu aux études. Félix, parmi les garçons, celui qui aura suivi la plus longue scolarité, ne sera jamais un homme « de profession ». Il n'en sait pas assez pour devenir un intellectuel, un avocat, un journaliste, un médecin, un notaire. Mais, déjà, il est trop loin dans le gué : il ne sera plus jamais un manuel. Le voilà hors-classe, marginal, un homme du peuple en cavale qui n'a appris qu'une chose, au juniorat : la culture n'est pas le débouché naturel de la sensibilité mais quelquefois son ennemi mortel. C'est pas le moment, Félix, pour être un déclassé : le Québec moderne est en train de naître. Voici l'aube.

Cinq ans de solitude ont creusé une fissure dans sa poitrine. « J'étais devenu dur comme un prisonnier. » Et le voilà à jamais seul, entre deux rives.

En tous cas, Félix, le conteur qui aime à répandre ses souvenirs dont il parle comme d'un pays, n'a jamais rien écrit sur Ottawa. « Je ne suis jamais retourné dans ces souvenirs-là. Par dégout, par tristesse... »

– Voulez-vous que je vous offre vos compositions françaises retrouvées dans les archives du juniorat ?

Brusquement :

– Non ! (2)

(1) *Moi mes souliers*, Félix Leclerc. Amiot-Dumont, Paris 1955.

(2) Et, relisant mon manuscrit, le vieux Félix a écrit dans la marge à cet endroit : « Parfait ! »

IV. Un pionnier de la radio

Normalement, les amoureux montent par le château Frontenac, cet hôtel de luxe bâti en 1892 sur l'emplacement de la résidence du gouverneur et qui semble sorti du Moyen Age par les cartons de Louis II de Bavière et ceux de Walt Disney. Puis, montant encore, ils échangent leur premier baiser sous les murs de la citadelle. Sans perdre de vue le panorama : faut faire les deux ensemble, c'est dur. Mais en mettant les grands espaces dans un baiser, on se garantit un minimum d'éternité. Le site de Québec est une merveille du monde : en 1985, l'UNESCO l'a déclaré « joyau du patrimoine culturel mondial ». M. de Montcalm n'est pas mort pour rien.

Derrière vous, les remparts de la plus ancienne ville d'Amérique du Nord. A votre droite, les Plaines d'Abraham font une épaule à votre tendresse. M. de Montcalm y perdit la vie et la France. A vos pieds, le Saint-Laurent traverse l'écran, infiniment, sillonné de grands bateaux immobiles.

Loin à droite, le Pont de Québec, merveille de fer qui s'est écroulée deux fois lors de sa construction. Avec un peu de chance vous serez témoin de la troisième catastrophe. Quelles belles soirées en perspective avec les amis!

Sous vos yeux, le goulet de Québec. Ce mot algonquin signifie « passage étroit », rien à voir avec les appellations normandes en « bec ».

A gauche, à dix kilomètres, l'île d'Orléans, barque perdue dans un rêve. La chute de la rivière Montmorency ferme l'image. Derrière elle moutonnent les Laurentides où six mille kilomètres de forêt brament et appellent à l'aventure.

Le long du fleuve, en bas, le port et la rue du Petit-Champlain, la plus ancienne rue d'Amérique, un bijou pour touristes, astiqué par les commerçants. Dans les années 30 elle n'est qu'une rue pauvre, habitée par les employés du port; des gamins en guenilles y courent sur le revêtement en bois.

Et près de vous, une amie vous glisse sur un ton narquois qu'il est impossible (« impossèble! ») de voir à la fois tout ce que je viens de décrire. – « Ça s'peut-u? » Oui car le cinéma de la tête se joue sur écran superlage. Même les vieux Québécois, pris d'un doute, iront demain vérifier : Après tout, peut-être que de là-haut, on voit, en effet la chute Montmorency, le pont de Québec, le port et les Plaines d'Abraham...

Tant que vous y êtes, voyez-vous aussi cette auto qui, du fin fond de l'année 1934, secoue la poussière du temps sous une arche du pont, traverse le panorama de droite à gauche, passe le port, tourne dans la basse ville et, après ce tour de piste à l'usage du lecteur, fuit vers Trois-Rivières le long de la rivière Saint-Charles? Il fait soleil. Les amoureux se détournent et continuent leur promenade dans le Parc des champs de Bataille. L'auto file vers le sud-ouest.

C'est la fin août et l'oncle Alphonse est au volant, vaillant comme un représentant de commerce. L'auto aussi, vaillante et optimiste : une auto de représentant de commerce.

Et pittoresque, le frère de Léo. La passion de la représentation le tiendra jusqu'à ses derniers jours : bien après sa retraite, il continuera à tenter de placer des téléviseurs et, à sa mort, ses enfants découvriront chez lui des dizaines d'appareils figés dans le deuil et l'expectative : un optimiste!

L'auto passe à La Pérade sur le pont de la rivière Sainte-Anne. Sous le pont, à l'hiver, les habitants plantent des dizaines de cahutes. Un trou dans la glace, un brasero et on s'installe là pour des journées entières à placotter et boire en pêchant des « petits poissons des chenaux ». Alibi délicieux que cette friture consommée sur place. L'auto, habituée à n'être que la complice silencieuse de ces délices de Capoue américaines arrache mollement l'oncle à son fantasme. Voici le pont de fer de la Batiscan. Une pièce au péage. Pas une « piastre », attention! La piastre – prononcez « piasse » – c'est le dollar, même s'il est en papier. Appréciez les subtilités du langage populofiduciaire...

La ferme des Leclerc est sur le bord de la grand-route qui longe le fleuve. Alphonse range son engin à côté du bazou familial. Un bazou pour dire un tacot, une guimbarde. Félix qui, peut-être, rentre d'une baignade dans le Saint-Maurice, salue l'oncle. Il vient de passer deux mois sur la ferme. Les foins, la moisson, les vaches; il y a du travail pour plusieurs hommes. Seulement voilà... la situation financière est mauvaise. Les livres d'Histoire que j'ouvre dans le ciel de cette journée d'été indiquent qu'une série de bonnes récoltes a fait baisser les prix agricoles à partir de 1926. Puis, en 1929, la crise économique a dévasté le pays : le prix du blé est divisé par quatre en trois ans. Le prix du foin – spécialité de l'agriculture locale – est passé de trente dollars à cinq dollars la tonne en 1929. C'est ce moment que Léo a choisi pour s'installer...

Non, les Leclerc ne sont pas riches. Un souvenir hante Félix depuis ces années : Un jour, la Shawinigan, la plus grosse entreprise provinciale d'électricité, a coupé le courant chez les Leclerc. Motif : retard de paiement. Il faut savoir que la maxime « Ne t'endette pas » est comme un onzième commandement pour ces gens-là. Félix, lui-même, parlant de sa jeunesse, répète souvent : « Je n'avais pas de dettes, tout allait bien. » Ou encore : « Je conseillais à untel : – Ne t'endette pas et tu t'en sortiras. » S'endetter est plus qu'une faute morale : l'antichambre des catastrophes dans une société économe, parcimonieuse, peu spéculatrice, peu entreprenante qui « ne joue pas avec l'argent ». On a coupé le courant chez Léo pour retard de paiement! Déshonneur!

Cette humiliation, Félix ne l'a jamais oubliée; ni la scène suivante : Léo sort sur la galerie pour cacher sa honte et sa colère; Fabiola, très vite, maîtresse d'elle-même comme sont les grands artistes, entraîne les enfants, leur fait fouiller les armoires, ouvrir les cartons, sortir les lampions, les guirlandes, les bougies. La fête bouscule le drame. Vue de dehors, la maison... les vitres tremblantes comme des yeux humides... un cœur gros... La caméra recule. Fondu enchaîné. Août 1934, soleil couchant.

Qu'est-ce qu'on va faire de Filou? Cet hiver, on n'aura pas besoin de lui. Il doit partir. A la grâce de Dieu!

Voilà comment l'intéressé énonce le problème :

« J'ai eu la chance de rencontrer Jean L..., un cultivateur du cap de la Madeleine. Il possédait de gros bâtiments et quatre-vingts vaches. J'ai essayé de travailler pour lui mais, un jour, il m'a dit : tu nous nuis. Va donc plutôt écrire ce qu'on fait, nous autres. Il m'a bien aidé sans le savoir (1). »

Sautons par-dessus les quatre-vingts vaches qui, à ce moment-là, n'étaient probablement que quarante. Félix malaxe toujours joliment la réalité. Passe encore pour les vaches absentes qui hochent la tête en souriant. Mais il ne sait pas encore qu'il « écrira », voyons! Il est un peu tôt pour transformer le destin en vocation. On n'a pas besoin de lui, voilà tout. « Tu nous nuis. » Il peut bien essayer de se faire passer pour un maladroit, un sous-doué de l'agriculture, il n'est malheureusement qu'une paire de bras en surnombre.

(1) Dans *Châtelaine,* février 1962; dans *Québec français,* mars 1979, etc.

Il n'éprouve d'ailleurs aucune attirance pour la ville. La période suivante montrera une succession de retours éperdus vers Sainte-Marthe. Plus tard, il vivra systématiquement à la campagne – Vaudreuil et l'île d'Orléans – et, bien que sa carrière le conduise dans le cœur des villes, il restera toujours un habitant.

Pour le moment, il n'est qu'un futur petit chômeur.

Pas d'emploi à Trois-Rivières. La ville est la capitale mondiale de la pâte à papier, certes mais la crise a décidé les Américains à fermer la frontière à ce produit. Il va falloir chercher ailleurs. Et pas aux « États » : la frontière est également interdite aux émigrants. Où aller ? Vers l'ouest ? Situation désespérée pour les provinces de l'ouest, notent les historiens. Les intempéries font leur petit travail. La production de blé de la Saskatchewan est divisée par neuf en neuf ans de crise. « La plupart des agriculteurs, presque réduits à la famine, ne vivaient que des subsides gouvernementaux. Des milliers d'hommes, des milliers de jeunes gens se glissaient dans les trains de marchandises, allant d'un bout à l'autre du pays (1). »

En 1935, la Bolduc, chanteuse populaire nationale, chante ceci :

Mes amis je vous assure
Que le temps il est bien dur
Il faut pas s'décourager
Ça va bientôt r'commencer
De l'ouvrage i' va en avoir
Pour tout l'monde cet hiver
Il faut bien donner du temps
Au nouveau gouvernement
Ça va v'nir, ça va v'nir
Ne vous découragez pas

(1) *Histoire du Canada,* Robert Lacour-Gayet, Fayard, Paris 1979.

Futur chômeur. Mais attention, n'imaginez pas Félix disant : « J'ai été semblable à ces gars qui prenaient d'assaut les trains. » Félix n'est pas Woodie Guthrie.

Woodie Guthrie est pourtant bien son frère, son aîné de deux ans, né dans une ville-champignon, lui aussi, en Oklahoma et qui décrira l'exode des petits fermiers expropriés par les grandes compagnies. Écrivain, chanteur, homme de radio, chantre du pays, Woodie Guthrie a écrit l'hymne de l'Amérique : « This land is your land, ce pays est fait pour toi et moi. » Un frère à Félix, oui. Mais pas un jumeau : la révolte en plus.

Car le petit Leclerc est un produit typique. Alors que Guthrie affronte la route, lui, revient toujours à la maison. La société québécoise étouffe la révolte sous une tendre torpeur. Pas de conscience de classe chez Félix, ni aucune attirance vers la marginalité. Ces deux concepts-là sont inconnus dans la province. Félix est et restera un conforme enfant du terroir : toute déviance est rentrée, corrigée comme un mal. Elle ressortira plus tard, beaucoup plus tard, quand l'homme abordera la vieillesse et aura réglé ses comptes avec l'autorité, l'ordre établi, le respect. Elle culminera dans les années 80. Il aura fallu une vie d'homme pour en finir avec la peur.

On trouve, ici et là, épars dans son œuvre, des chômeurs. Je ne serais pas étonné qu'il ait rencontré leur cohorte blême vers 1934, cernant d'une angoisse diffuse le bonheur adolescent de Sainte-Marthe avec la rumeur des deux villes, Montréal et Québec, courant sur le fleuve, vent d'ouest et vent d'est, dans le soir d'été. Il fait très chaud, très lourd, très moite. La famille a soupé à cinq heures. Alphonse et Léo fument sur la galerie. Félix est appuyé à la rambarde. John fait du bruit dans la grange. Les petits jouent dehors. On les entend crier avec les hirondelles. Par la porte ouverte de sa « cuisine d'été », Fabiola surveille son monde. La décision est prise.

Le lendemain, la petite auto de l'oncle roule vers la capitale. Optimiste. « Dans un sac de papier tout neuf, un sac à poignée, j'avais deux chemises, un gilet, le pantalon de mon frère, un manche de rasoir (mon frère ayant gardé les lames) ma brosse à dents et du tabac en feuilles (1). » Sa façon de prendre les trains d'assaut, après tout, consiste simplement à embarquer dans la voiture au tonton. Mais la destination est la même : la ville où il y a « de l'ouvrage ».

Il en vient des Leclerc, sur cette route! Depuis le début du siècle, les paysans de la vallée du Saint-Laurent ont submergé les Irlandais. Oui, les Irlandais. Vous croyez que Québec est une ville française de toute éternité? Regardez donc sur le mur de la Porte Saint-Jean cette inscription : « Saint John's gate, 1897. » En 1861, il y avait quarante pour cent d'anglophones dans la ville. Et pas tous des riches. Des Irlandais, catholiques comme les Canadiens français mais... anglophones, avant tout. On ne se mélange pas. L'Église a préféré la pureté ethnique du troupeau, plus facile à mener. Quitte à perdre les Irlandais. Pour la plupart, ils ont poursuivi leur voyage vers l'Amérique anglophone, ne laissant au Québec que quelques poches d'Irlandais catholiques qui constituent la moitié de la société anglophone d'aujourd'hui.

Ces immigrants travaillaient au port. Le port de Québec a été le terminus des transatlantiques jusqu'à ce qu'en 1848, un chenal libère Montréal et en fasse la porte de derrière des USA. Détrônant Québec, Montréal deviendra la plaque tournante du nord. Le Saint-Laurent est l'allée du jardin du continent, par où sortir le blé des grandes plaines, les objets manufacturés des Grands Lacs, les bagnoles de Detroit. Le minerai de fer descend du Québec vers les USA ou vers l'Atlantique. La rencontre se fait à Montréal. Montréal explose.

(1) *Moi mes souliers,* op. cit.

Québec ne suivra que de loin sa rivale. De 1900 à 1930, la vieille capitale est passée de 70 000 à 130 000 habitants. Ce n'est pas si mal. Mais Montréal fait carrément dans l'énorme et a triplé sa population dans le même temps. 820 000 personnes : un Canadien français sur trois est montréalais. Ces enfants nés par douze ou quinze dans chaque ferme de chaque rang il faut les caser! Ils viendront à Montréal et à Québec donner un sens à l'expression « chômage endémique ».

Lorsque Félix arrive par la route de Sainte-Foy, soixante pour cent de ses compatriotes sont déjà urbanisés contre trente pour cent en 1900. Voici la deuxième époque de la société québécoise : après l'expansion vers la forêt, le retour dans les villes. Ouvriers du tabac, de la chaussure, du textile s'entassent avec leurs familles nombreuses dans les maisons à un étage construites sur des tracés rectilignes à Limoilou ou à Saint-Roch, tout comme à Montréal dans le quartier Saint-Henri ou sur le plateau.

Ceux qui n'ont rien regarde couler
Le son des cloches sur les toits.

Les salaires sont bas : « Cette surabondance (de main-d'œuvre) affecte les salaires qui sont en effet moins élevés que ceux de l'autre grande province industrielle, l'Ontario. Les feuilles de paye, à Montréal, sont inférieures de quelques dix pour cent à celles de Toronto et la différence est vraisemblablement plus considérable dans le reste de la province. L'afflux de main-d'œuvre aboutit ainsi à en abaisser le prix et c'est là, pour l'industrie québécoise, un avantage qu'on ne saurait trop apprécier; nous verrons d'ailleurs que beaucoup de spécialités sont fondées sur l'utilisation d'une main-d'œuvre abondante et bon marché (1). »

(1) *Le Canada français*, op. cit.

Ces travailleurs n'ont pas pour eux que le nombre, ajoute l'auteur cité avec une bonne candeur : « On leur accorde d'ordinaire d'autres précieuses qualités. Leurs employeurs les décrivent volontiers comme aisés à conduire, peu revendicatifs... (1) » Le portrait du Québécois type se précise...

A tous les bohémiens, les bohémiens d'ma rue
Qui n'sont pas musiciens ni comédiens ni clowns
Qui vont chaque matin bravement proprement
Dans leur petit manteau
Sous leur petit chapeau [...]
J'apporte les hommages émus...

Les rues sont pleines de chômeurs : la production industrielle a baissé de moitié en trois ans de crise et un ouvrier syndiqué sur quatre est sans emploi en 1932. Record absolu jamais dépassé. Personne ne dispose du chiffre indiquant le nombre de jeunes Leclerc qui n'ont même pas eu le temps d'être ouvriers syndiqués. Ils arrivent dans l'auto de l'oncle Alphonse en hurlant des chansons. On espère que le bon Dieu fera un geste.

Pour lui, Félix a un atout, un seul : une belle petite gueule aux yeux marrons, bien rembourrée par la cuisine familiale, des cheveux bruns bouclés, un air rieur et surtout, surtout, une innocence plus épaisse que n'importe quelle cuirasse. Ou plutôt : cette aptitude qu'ont les gavroches à passer à travers les balles.

Et s'il ne trouve pas un boulot, il lui restera toujours la solution des chantiers!

J'exagère ? Voici le témoignage d'André Garon, aujourd'hui cadre du gouvernement : « Vers 1930, mon père avait obtenu un brevet d'enseignement. Le grand-père était un ancien agriculteur devenu

(1) *Le Canada français*, op. cit.

gardien de nuit à l'usine Wabasso à Trois-Rivières. N'étant pas propriétaire, il ne payait pas de taxe foncière. La " commission scolaire " refusa donc de donner à mon père un poste d'enseignant. Il dut refaire le chemin de ses aïeux : armé de son diplôme, il redevint bûcheron. »

Le reste de l'aventure n'a pas de rapport mais je vous le livre pour le plaisir : comme les copains sont tous à peu près illettrés, le père Garon joue les écrivains publics. En avant pour les lettres d'amour pleines à ras bord de phrases à la crème et de déclarations ronflantes comme le feu. Les « blondes » répondent. Elles sont généralement plus instruites que leurs soupirants et savent écrire. Le bûcheron diplômé exige de lire les réponses. Il y fait moisson de compliments sur son style et de promesses d'éternité où il prélève sa part.

Moi j'serais en peine d'écrire
Et j'serais en peine d'aimer
Je connais pas mes lettres
Et pas d'visage aimé.
Notre vie on la roule
Sur des houles de pays
On nous sort de la foule
On nous déboule ici.

Vraiment? L'usine ou le chantier? Allons, il n'y aurait pas, dans ce pays qui s'urbanise à toute vitesse, des emplois de fonctionnaire, gratte-papier, postier, télégraphiste? Après tout, le père Garon s'est bien retrouvé employé de banque!

Sans doute. Mais en 1934 on sort à peine de la crise. Le secteur tertiaire, les services, les bureaux, ça suit derrière. Le secteur public est inexistant. Les ministères fonctionnent avec vingt employés. Et voyez l'état des routes. Ce n'est qu'en 1930 qu'on a commencé à asphalter puis à dégager la neige, en hiver : 83 mille au cours de l'hiver 28-29. Sur 43 000!

Et 7 100 en 49-50. Le Canada français se développe, oui. Mais il n'est pas encore sorti de la crise économique et du sous-État. Que les jeunes gens en attente « d'une bonne job » se préparent à patienter.

L'usine ou le chantier. Ou végéter en attendant que le monde moderne se grouille un peu d'avoir besoin de vous. Voilà notre Félix pris aux pattes.

« Sur la terrasse Dufferin, il me fallut sortir de l'automobile et suivre mon parrain qui m'avait pris le bras et, de force me colla le dessus de la main, me la râpant un peu, sur la brique du château Frontenac. Il fit la même chose sur la maison de Montcalm, sur le séminaire de Québec, sur les remparts et me fit baiser les Plaines d'Abraham. Comme je vous dis. Avec politesse tenace, il me fit mettre à quatre pattes en chuchotant : « Baise l'Histoire, toi, fils de France. »

« Et devant quelques Québécois stupéfaits, je m'exécutai et baisai l'Histoire à deux pouces d'une plaque de boue. M'éloignant de là, je me retournai et j'aperçus les Québécois quittant leur banc pour venir voir à terre l'endroit où j'avais baisé l'Histoire (1). »

Juste après, le bon Dieu a fait un geste. Alphonse glisse à son neveu :

« Va donc dans cet hôtel en face et demande à visiter le poste de radio, ça ne coûte rien, c'est un endroit public... (2) »

« A une jeune fille assise derrière un bureau, je demande à visiter. On me fait visiter. Un gros homme gras, à grosses dents, à cheveux noirs et collants, rond de partout, impeccablement mis, me demande qui je suis, ce que je fais, d'où je viens, ce que je veux et me dit : « Voilà, je t'engage. Tu commences demain, annonceur. Signe ici. Viens que je te présente aux autres. Tu seras heureux, c'est la maison du bonheur (3). »

(1, 2 et 3) *Moi mes souliers,* op. cit.

La même aventure, racontée par un journaliste : « Il entre par hasard en curieux dans les studios de CHRC (“ cent watts, on l’entendait à six rues quand le vent soufflait du bon bord! ”) Le gérant du poste, monsieur Thivierge (il dit toujours monsieur ou madame quand il parle des gens qu’il a connus) lui demande ce qu’il fait là et, en entendant sa voix, lui propose de passer une audition (1). »

Peut-être a-t-il été séduit par la désarmante naïveté du visiteur, ce petit paysan désinvolte qui se balade sans rendez-vous. Si j’en juge par l’adulte que tout le monde connaît, ce gamin devait avoir un charme fou. Cinquante ans après, je lui demande :

– Comment ça c’est passé, votre arrivée à Québec ?

– (Grand sourire). Exactement comme dans le bouquin.

Et dans la seconde, Félix est devenu un pionnier de la radio.

– Ça vous a étonné ?

– Je comprends! Pour moi, faire de la radio, ça s’apprenait! Fallait suivre des cours, ramasser toutes sortes de diplômes (2)...

La radio débute , en effet. CHRC est une des deux premières stations créées au Canada. Elle a obtenu son permis d’émettre en 1926 avec CKCV. Tout va vite, évidemment : en 1929, il y a cinquante mille récepteurs au Canada français. Un ménage sur dix est équipé contre cinq en Ontario (3). La différence dit l’autre différence, celle des deux sociétés, que l’on rencontre dans cette Histoire presque à chaque page et à propos de tout.

Ce retard est global : « Le fermier québécois est au dernier rang de tous les fermiers canadiens pour la radio et l’automobile et à l’avant-dernier rang pour le téléphone... Pour l’automobile, alors qu’environ la moitié des fermiers en jouissent en Ontario, dans les Prairies et en Colombie britannique, il n’y en a pas une pour cinq fermiers québécois (4). » En 1941, il y aura trois téléphones dans

(1 et 2) *Nous*, novembre 1975, à René Homier-Roy.

(3 et 4) *L’Évolution de la radio au Canada français*, Elzéar Lavoie, Presse de l’Université Laval, Québec 1971.

les campagnes de l'Ontario pour un dans celles du Québec.

Allons! La progression de la radio sera quand même foudroyante. Et en 1941, soixante-dix pour cent des foyers possèdent un récepteur.

La radio a-t-elle sauvé la langue française? Elle a, pour le moins créé un environnement français, et ce n'est pas rien : « En revenant à leur domicile, le soir, les ouvriers qui passaient la journée dans les usines où l'anglais était la langue d'usage, se retrempaient dans une atmosphère française à l'écoute de la radio (1). »

Félix est entré par la grande porte du hasard à CHRC. (Le « C » indique que nous sommes au Canada. Les autres lettres, ne cherchez pas, n'indiquent rien. C'est un sport national, ici, que d'aligner des lettres pimpantes pour édifier des noms de radios impressionnants.) Le poste est alors dans l'immeuble de l'hôtel Victoria, en bas de la rue Saint-Jean.

La grande porte, c'est lui qui l'ouvre ponctuellement chaque matin à cinq heures. Dans toutes les stations du monde, ce rôle est le moins envié. Le fait nous éclaire un peu sur la facilité avec laquelle il a été embauché. Sitôt après le *God save the king*, Félix lance le « Ici CHRC! » sonore et bien timbré qui est le sésame ouvre-toi des oreilles matinales. Et c'est parti!

« Discours politiques, recettes culinaires, sermons, jazz, interviews, chansonnettes nouvelles, galopades déchaînées sur les ondes, chevauchées fantastiques dans la brume des rêves, tam-tam de cauchemar, la furie, l'abîme, mille voix dans l'oreille, mille orchestres, mille musiques. Le silence était notre pire ennemi... Le quart d'heure de la buanderie avec musique d'opéra, le quart d'heure de la lessiveuse avec quatuor à cordes, le quart d'heure des pâtes dentifrices sur la symphonie de Schumann... Sonner l'heure avec un marteau et la dire précise, courtoisie d'un bijoutier; la tempéra-

(1) *La Radio d'hier et d'aujourd'hui,* éditions Gilles Proulx, Libre expression, Montréal 1986.

ture en jetant un coup d'œil à la fenêtre et annoncer " incertain "; rire d'un gros rire de santé avant l'annonce d'un tonique fait d'herbages; frapper à la porte et s'exclamer " madame est servie " et " hum hum, la soupe est bonne "; siffler pour l'annonce des taxis, grogner avant l'annonce des pilules et chantonner en les avalant (1). » Dans tous les rôles, sur tous les tons, à tous les instants, c'est Félix, c'est Félix, c'est Félix.

« Qui souffle, qui a chaud, qui court, qui s'affaire, qui gesticule, qui s'endort et tient debout, qui file, qui fonce, qui disparaît pour un programme, qui revient en faire un autre, qui parle vite, beaucoup, longtemps, raide, sec, net, qui marche, qui obéit, qui s'incline, qui avale les heures comme on avale de la soupe (2)... »

« Des idées ? les lièvres qui en avaient on les appelait " les tristes ". Non, Non. Du sérieux, de la logique, de l'action, de l'ordre, de la discipline, pas de paresse, ni de pose, ni d'hésitation... Quand on nous dit " prends-le pendant que ça passe ", c'est donc qu'on a la petite inquiétude que ça ne durera pas, alors on met les bouchées doubles. C'est le système que nous honorions avec toute la fougue de nos vingt ans. Les poseurs de questions, les douteurs, les insatisfaits, ceux qui ne répétaient pas leur slogan de santé tous les jours, ceux qui se laissaient prendre à la tentation de réfléchir n'étaient pas dans la course pour longtemps. Ils retournaient d'eux-mêmes à leurs savanes toutes sales. »

« Oui ! Si nous nous sommes amusés ! »

« Et tout ce joyeux tumulte se terminait par une chanson du vieux répertoire chantée en chœur par le personnel au complet qui, enragé de servir, venait là presque tous les soirs, comme des fanatiques. Souvent l'annonceur en devoir faisait pitié à regarder, avalant ses sanglots à la fermeture des émissions. Et le patron, premier arrivé, dernier parti, le melon sur la tête et la larme à l'œil, restait

(1 et 2). *Moi mes souliers*, op. cit.

debout dans le contrôle, écrasé de joie, comme si on lui remettait chaque soir le prix Nobel (1). »

« Je gagnais dix-douze piastres par semaine. Le patron avait des ambitions bien bornées : Être écouté et vendu, peu importe la manière... Mon chef direct, celui qui m'a appris le métier s'appelait Yvan Desève. »

« ... Je me souviens des croisades pour la tempérance, une des grandes affaires de l'époque. »

Soudain traverse l'écran, hilare et hâbleur, un homme que sa légende, juste ou injuste a sauvé de l'oubli : le notaire Alphonse Huard, « conférencier de la ligue de tempérance et un farceur toujours saoul »!

Il n'y a pas de quoi rire, pourtant. L'Amérique du Nord ne rigole pas avec l'alcool. L'Église a fait de ce problème une affaire d'État. On est passé à deux doigts d'une belle loi de prohibition totale. Imaginez Al Capone québécois sous les traits d'un Hyacinthe Bellerose! Les politiciens se sont battus le dos au mur de la buvette, vraiment, subissant, l'œil glauque, les neuvaines, semonces, exhortations et cantiques. Belle résistance. Il y eut même, en 1951, une pétition remise par le cardinal Léger au Premier ministre et signée par huit cent mille personnes. Dans un pays peuplé, à cette époque, de quatre millions d'habitants, cela signifie que la plupart des nourrissons ont signé et la totalité des poivrots.

Où trouverai-je cette citation que j'aime tant ? Je cherche pendant que le notaire Huard parcourt la mémoire de Félix en vantant, comme Bourvil, les mérites de l'eau ferrugineuse... Au début du siècle, pendant que les États-Unis sombraient sous des flots d'alcool prohibé, le gouvernement québécois régla l'affaire par la création de la Commission des alcools (1921). Ce qui n'a nullement arrêté la

(1) *Moi mes souliers*, op. cit.

croisade mais qui a permis à l'État provincial de s'enrichir par des taxes énormes. Ça dure encore et vous ne boirez au Québec, en matière de bon vin, que ce que les fonctionnaires auront sélectionné – après quelle dégustation par comité supérieur gravement encravaté ? Le notaire Huard avait probablement compris qu'à côté d'une réelle compassion envers les misérables, l'Église voyait là une façon de mettre la main sur l'intimité des gens. Et cela depuis la moitié du XIXe siècle. Ainsi parlent les historiens. Ce doit être l'absurdité de la cause qui faisait rire le notaire. Voici la citation. Nous sommes en 1905 : « Avec la tempérance, croit Monseigneur Bruchési, le paupérisme n'existerait plus qu'à l'état de souvenir. L'épargne deviendrait en honneur. La vieillesse aurait un abri, des vêtements et du pain. Le chômage serait inconnu. Il n'y aurait plus de grèves (1). »

Musique!

Félix habite une chambre au 94, rue Saint-Joachim, en plein centre, à deux pas de CHRC. Cet endroit est un des plus charmants de la ville : une petite église au toit vert et un minuscule cimetière où des pierres tanguent et se promènent comme des barques entre les arbres. Un autre cimetière marin...

Sur le même palier que lui est installé son frère Greg. Le pauvre Greg a, pendant un temps, géré l'épicerie familiale de Trois-Rivières. Mais ses talents de commerçant ne semblent pas avoir été reconnus par la clientèle et il a pris la même route que son aîné. Pour sa défense, je ferai parler la statistique : trente-cinq mille établissements de commerce de détail, au Québec en 1930, pour cinq cent mille ménages. Faites comme moi le calcul et vous vous demanderez si une quinzaine de familles peuvent faire vivre la seizième. Greg sera fonctionnaire. Il rêvait d'être chanteur d'opéra, dit Félix. C'est presque la même chose.

Félix s'inscrit à un cours d'anglais.

(1) *Histoire du catholicisme québécois*, op. cit.

« Mon professeur d'anglais s'appelait Ormsby. C'est lui qui, le premier, m'a fait découvrir le Québec et m'a dit de l'aimer. »

Dans ce nuage d'inconscience exhaltée où le jeune homme s'enfonce, sans voir la ville, ni la vie, ni l'exploitation, ni la démesure du catholicisme auquel il adhère les yeux fermés, voici une éclaircie, une fleur naissante dans le brouillard. Primevère, la naissance de l'âme : un certain monsieur Ormsby en est le jardinier.

« Une fois par semaine, j'allais à ses cours sur la rue Sainte-Cyrille. J'avais dix-neuf ans. Il était scandalisé de voir que je n'aspirais qu'au ciel et que j'avais quasiment hâte de mourir. »

Eh! Voilà pourquoi il n'était pas Woodie Guthrie : « Pauvres Québécois, revenus de si loin, que savions-nous en dehors du calendrier des saints ? »

« Et puis un soir, à l'église anglicane de la rue Saint-Joachim où je m'étais faufilé pour entendre une chorale d'enfants de Londres, qui vois-je, deux bancs devant moi, émotionné, laissant couler ses larmes sans retenue? M. Ormsby, capable de sentiment! »

Le prof d'anglais, l'Anglais, dur comme un Anglais, qui sait vivre, qui sait penser, qui donne des leçons d'humanité, qui se moque du rêveur, il sait aussi pleurer? Il y a des Anglais qui pleurent?

« Le lendemain, j'achetais ma première guitare (1). »

Y a-t-il un lien de causalité? Vous n'êtes pas forcés de marcher. Mais alors, vous ne marcherez pas non plus quand Paul Claudel vous racontera qu'il a rencontré Dieu derrière un pilier de Notre-Dame. Chacun son chemin de Damas, n'est-ce pas. Ici, le petit annonceur adolescent découvre un homme : sensible et dur, pas conforme à son image. Pour la première fois naît un trouble, un doute dans l'esprit de Félix. Ce n'est plus comme à Ottawa, ces volées de curés ourlés de larmes romaines! Il existe des vrais hommes qui pleurent vraiment! Et l'art existe qui fait pleurer. J'y crois.

(1) *Rêves à vendre,* op. cit.

Bon. J'ai dit chemin de Damas; j'ai exagéré. S'il est tombé de son cheval, il ne s'est pas fait grand mal. Mais au moins a-t-il senti le premier choc, la première fêlure dans la glace. Il a vingt ans. Il ne fait que commencer à devenir un homme.

Il s'offre une guitare à tempérament. Deux piastres par mois. Coût total : Vingt piastres. Il suit les cours de Vic Angelillo rencontré à CHRC où il donnait un quart d'heure de chanson hebdomadaire sous un titre grandiose : « Les Troubadours napolitains ». A ce maître, le mérite d'avoir enseigné le picking de main droite, unique, aérien que le chanteur a déposé jusqu'au fond des plus petites salles de la province française et pour lequel notre langue possède un bien plus joli mot : doigté.

Aérien aussi – vu la mentalité du soupirant – un béguin que je n'ose pas appeler premier amour. « Elle était serveuse dans le restaurant où je mangeais mes deux sandwiches quotidiens avec laitue. Elle me trouvait beau, grand et fort. Sur les murs de ma chambre, j'avais recopié des vers du grand Verlaine. Nous rêvions tous les deux à ma fenêtre donnant sur le petit cimetière de la rue Saint-Joachim, serrant bien fort dans nos mains ce petit bonheur, ce premier bonheur qui nous arrivait à tous les deux sans qu'on sache d'où il venait. La nuit, nous allions nous asseoir sur les pierres tombales du cimetière [...] Nous parlions de mort puis nous éclations de rire en nous embrassant (1). »

J'ajoute péremptoirement la promenade en descendant la rue Saint-Jean, les alignements de canons des remparts devant le séminaire et, sur les Plaines, là où se joua le destin des Amériques, juste au milieu de l'espace immense, un baiser, bien sûr, volé par la petite histoire à la grande.

La jeune fille n'a qu'un surnom – « Ti-loup » – et on ne sait rien

(1) *Moi mes souliers,* op. cit.

d'elle (1). Et avec son gentil surnom qui sent le cinéma des années trente, elle a disparu dans la foule qui ferme la mémoire.

Nous avons plus de détails sur la moto! Il s'est acheté une moto, l'animal. D'occasion. C'est bien pire, vous allez voir. Une Harley-Davidson énorme, quatre cylindres et une étrange particularité qui aurait fait frémir Brigitte Bardot et Serge Gainsbourg : elle ne fonctionne qu'en quatrième. Et si, une fois chaud, le moteur cale, il ne démarre plus. Symptômes de l'hystérie.

Bon. A en croire Félix, son sport préféré, sitôt bouclé son service du matin, est de foncer à Sainte-Marthe pour y surprendre la famille au saut du lit, y avaler le petit déjeuner (café, œufs, toasts, bacon...) et rentrer à Québec pour son service de mi-journée. Il raconte l'exploit dans *Moi mes souliers* mais il aime tout autant – ça dure depuis cinquante ans! – en faire le menu des réunions amicales pour un auditoire riant aux larmes – mais moins que lui. Ce trait psychologique explique aussi le style de ses livres, ce style haché, zébré de sous-entendus enjambés à la diable, de ruptures de ton, de changements de caméra et d'angles de vue, cette salade d'effets de théâtre et de gestes du bras : Vous l'avez rencontré dans les pages précédentes, l'homme est avant tout un conteur, un raconteur qui aime à se faire rire, qui sélectionne les détails signifiants et les sert et ressert, année après année. C'est un Québécois : son art est oral; il est issu d'un peuple de parleries – pensez à Vigneault et à Sol! Et il vous raconte l'histoire de la moto telle que vous la retrouverez dans son livre : un sketch appris par cœur.

Veste de cuir, casque de cuir, regard de cuir, grosses lunettes, il roule très vite. Très vite, sinon Brigitte va caler. D'après plusieurs témoignages – le sien, recueilli plusieurs fois – il fait du quatre-vingt-dix milles à l'heure. Ça m'ennuie un peu de dénoncer le jeune

1. Mais n'est-ce point elle qui réapparaît sous forme de Florentine, l'héroïne du beau roman de Gabrielle Roy, *Bonheur d'occasion*, prix Fémina 1947 : un petite serveuse de bistrot dans un quartier pauvre de Montréal... Comme j'ai aimé Florentine!

flic motocycliste qui, un jour, l'a doublé en lui faisant un signe de la main : « Ça va-t'u ? » Heureux temps, où tout démarrait! Même l'excès de vitesse a un commencement.

Dans une telle course folle, le fameux péage de la Batiscan constitue un obstacle majeur : impossible d'arrêter! « Alors, je téléphonais de CHRC : Allo, ici l'annonceur; vous allez me voir passer dans un moment; je lancerai la pièce au passage; ne vous affolez pas. »

Ils ne s'affolent pas. Sitôt raccroché le combiné, ils lèvent un regard incrédule que traverse un bolide et courent après « le 30 sous » comme dans un dessin animé.

L'a-t-il fait plusieurs fois ? Disons oui pour le plaisir des choses. On ne construit pas une chouette légende sans quelques compromis avec le réel. Mais comme il ferme habituellement l'antenne à minuit, je serais étonné qu'il ait tourné la scène tous les jours.

Scène à laquelle il faut une chute. La voici, digne de W.C. Fields. « Je promenais ma sœur Thérèse devant la maison sur le porte-bagage. Survient une auto. Le gars, un anglophone, c'était la première fois qu'il sortait sans sa femme. Alors, forcément, il s'est troublé et trompé de pédale. Il a accéléré au lieu de freiner! Nous voilà dans le décor sous les yeux horrifiés de ma mère. John accourt nous ramasser dans l'herbe. Me v'là avec une béquille dans les couloirs de la radio, fier comme un blessé de guerre! »

Quant à l'automobiliste, le pauvre, on peut imaginer ce qu'il a gémi à sa femme en rentrant et sur quel ton elle lui a répondu. Soyez sûrs qu'elle portait un nom de fleur et un chignon droit sur la tête. – Mais, mon cœur... – Taisez-vous, Sherlock!

John héritera de la moto et Félix prendra le train, désormais. John viendra le chercher à Trois-Rivières. Avec son bazou, rien que pour la beauté du mot.

Causer dans le poste, c'est utile. Lucien Filion est l'un de ses auditeurs. « Un jour, je l'ai entendu se nommer. J'ai couru à l'hôtel

Victoria et nous nous sommes retrouvés, sept ans après La Tuque. Il devait gagner vingt-cinq ou trente dollars par semaine. Je travaillais au gouvernement pour vingt piastres. On se voyait de temps en temps. Un jour, il arrive chez moi avec une guitare : « Je commence à apprendre. » Il avait déjà, vous savez, ce geste sur le côté pour remonter le bas du pantalon avant de mettre le pied sur la chaise. »

Car il écrit des chansons, secrètement. La première est datée de 1932, rappelez-vous :

Notre sentier près du ruisseau
Est déchiré par les labours
Si tu venais, fixe le jour
Je t'attendrai près du bouleau.

Félix restera deux années à Québec. Sur ce premier séjour, voici ce qu'il écrit en 1975 :

« 1935... Annonceur à la radio, j'ouvre le poste avec *God save the king*

Et je le ferme avec *God save the king*

Pour qui ?

Pour quarante familles anglaises sur deux cent mille françaises, au cas où...

Étiquetage en anglais seulement sur la monnaie

Les menus, les chèques, les timbres, les panneaux, les traverses à niveaux. L'union-jack sur les édifices publics

Les ouvriers poinçonnent en anglais

Trois-Rivières s'appelle Three Rivers sur les billets de chemin de fer (1). »

Le Québec ne s'appelle encore que Canada et les Québécois un

(1) *Rêves à vendre*, op. cit.

peuple colonisé. On est inférieur, il doit bien y avoir une raison, non ? Si les anglophones commandent, ce n'est pas pour rien. Parler français – et un français « ancien », presque dénaturé – ça fait habitant. Le Québec n'existe pas. Il y a d'un côté la France, terre des arts, des armes et des lois qui fascine et qui fait peur, le pays de la culture et du péché. Et de l'autre, les Anglais, les patrons, les gagneurs, les meilleurs. Point de place pour Québec ni Québécois. Et lorsque Félix va prétendre parler, écrire et chanter québécois, il va passer de durs moments.

Pour l'heure, il bosse. Comme le temps passe, il lui arrive de rejoindre la bande indécise de « ceux qui réfléchissent ». Toute cette dépense d'énergie pour rien, cette fatigue à vide, cette poulie qui tourne sans rien entraîner, ces paroles enchaînées l'une à l'autre et enchaînées à la poulie folle... « Des fois, j'en avais assez, j'annonçais mon départ. Alors monsieur Thivierge me convoquait dans son bureau : – Tu es vraiment très talentueux; je t'augmente d'une piastre. »

« Je restais. Soudain, je me trouvais très bon et je relevais la tête et les épaules. Alors, pour que je ne me prenne pas trop au sérieux, il s'empressait de trouver un prétexte pour me passer un savon... »

Ce jeu dure deux ans. « La dernière fois, j'ai remis la paye dans son enveloppe. Dessus, j'ai écrit : I'm going to see the world! Et le tout dans la boîte du patron. »

La paye est hebdomadaire. Mais, malgré ce détail légèrement dépréciatif, le geste reste beau. Et puis il montre que Félix a appris l'orgueil en même temps que l'anglais. Le professeur Ormsby a bien travaillé. Une réserve, toutefois : pourquoi faut-il que la fierté s'exprime en anglais ?

Voir le monde... Hélas, pour le moment, le monde a les contours de Sainte-Marthe, rivage de l'éternel bien-être. Rivage à portée de la main...

Et le retour est un peu piteux :
– J'ai passé l'hiver a glaiser.
– L'hiver ?!!
– Eh, la glaise ne gèle pas !
Ah bon. Mais le glaiseur ?

V. Le paysan du Cap

Les phrases flamboyantes s'éteignent vite dans le silence des compartiments de chemin de fer. « Je m'en fus à mon point de départ, c'est-à-dire, chez mon père, en plein hiver, par le train de nuit [...]. Je traînais mes os maigres de lièvre et mes cheveux longs et ma carcasse bien fatiguée jusqu'à mon ancien lit et, dans le noir, je réalisai que j'avais fait une bêtise, que j'étais sans travail et sans avenir. Un trou se creusa devant moi. »

« Le lendemain, l'un de mes premiers gestes [...] fut d'endosser mes vieux habits de paysans figés dans la penderie de ma chambre et de filer dehors en plein champ, en plein vent, vers le ruisseau qui coupait la terre en deux, près duquel priait dans la neige un vieux bouleau gris à écorces frisées, le bouleau de mes amours. Je relus le nom des filles qu'autrefois j'y avais gravé et en m'amusant, je rajoutai le nom de celle qui attendait mon retour à Québec. »

« Adossé au tronc de l'arbre, vent dans le dos, je regardais courir la poudrerie sur la croûte de neige rendue rose par le soleil de trois heures. »

« Je voyais mes propres traces s'emplir, s'égaliser et disparaître totalement. Calmement, cette image me signifiait : Oublie tout et recommence. Tu n'es allé nulle part, tu es neuf et tu n'as rien vu, tu es seul, bien que tu vieillisses. C'est le premier jour du monde. »

« J'étais seul et je l'avais toujours été (1). »

Bousculant cette mélancolie – la vôtre aussi, qui retrouve en même temps que Félix le décor de sa première chanson – Léo décide alors que le fils prodigue sera bœuf-man. Ne cherchez pas, ce mot n'existe pas, il l'a inventé : bœuf-man, celui qui mène les bœufs au travail. Car Léo, « en plus de fabriquer son tabac à la maison, fabriquait aussi son vocabulaire ». Apprenez qu'il dit un hale-grâces pour un chapelet et, superbe trouvaille, qu'un téléviseur sera – plus tard – un tête-œil (ou tète-œil ?)

Bœuf-man et glaiseur. Le glaisage consiste à répandre sur les sols sablonneux ou trop fatigués une mince couche de glaise récoltée à des kilomètres de là dans des terrains propices.

« Les habitants de Cap de la Madeleine et Champlain aux prises avec des sols pauvres et arides ont recours à la pratique du glaisage pour les fertiliser [...] Le grand boom du glaisage à Saint-Raymond a lieu entre 1917 et 1923 : quarante-neuf cultivateurs répandent alors sur 170 arpents carrés de terre sablonneuse 51 561 " voyages " de 1 200 livres chacun. On s'approvisionne en argile " molle, onctueuse et sans caillou " le long des rives des rivières Sainte-Anne, Portneuf et Sept Iles (2). »

La famille Leclerc enrichit ainsi son patrimoine. Un hiver entrecoupé de ses longues veillées familiales, rendues obligatoires par la nuit tombant à quatre heures. A ce moment « passe le bateau de la nuit (3) ». On chante des chansons « de France et de Normandie ». Félix joue du violon en tenant l'instrument par les genoux. Les sœurs, elles, jouent sur le piano Lindsay. Fabiola a confectionné

(1 et 3) *Moi mes souliers*, op. cit.
(2) *C'était le printemps*, Jean Provencher, Boréal-Express, Montréal 1980.

pour Félix – à la suite de quel plan faisant urgence ? – un « costume d'espagnol » noir à parements jaunes. Comme autrefois, le garçon entraîne ses sœurs dans des saynètes inventées par lui et qui s'autodétruisent à mesure. Mais surtout, il écrit des chansons et déclare à qui veut l'entendre qu'il sera chanteur. Les parents sont pensifs...

« Le soir, je prenais la guitare et je chantais. Un jour, un voisin est venu m'écouter. Un autre soir, presque tout le village a participé à notre veillée (1). » « A ce moment, je n'étais plus le fils de mon père mais un étranger puissant et, dans son respect pour moi, il y avait de la peur (2). »

J'ai vu le piano, l'autre jour, enfoui sous les photos de famille et les napperons. J'ai tapé trois notes. Il y a bien longtemps qu'il n'a plus été accordé. Nous étions un après-midi de juin. John, vieillard alerte de soixante-quinze ans avait réservé sa journée. D'habitude, il part seul dans le bois, couper, scier et tailler. Ce jour-là, il fit avec nous le tour du propriétaire : une belle ferme québécoise agrandie par des achats successifs, quelques grands arbres sur une pelouse regardant la route et le fleuve, une immense grange blanche dans le fond. Elles y sont, cette fois, les cent vaches ! Et dans le milieu, le fils de John, héritier de son père et de Léo, un gaillard aux yeux bleus qui ressemble à l'oncle Félix. Dans une remise, sur un mur, j'ai vu des affiches avouant que, successivement, les neveux et nièces ont dans leurs vingt ans, marché sur les traces du chanteur : des spectacles à la guitare à Trois-Rivières et dans les environs ! De retour dans la salle commune, j'ai croisé les ombres anciennes de l'épicier Jos Lamontagne, l'ancien voisin et de MacPherson qui fut le héros de Félix. Ils écoutent depuis toujours, inquiets et émerveillés, ce miracle d'un peuple qui chante tout entier dans la seule voix d'un très jeune homme.

(1) *Photo-journal*, 5 avril 1967.
(2) *Moi mes souliers*, op. cit.

Frank MacPherson était un jamaïcain noir, ingénieur chimiste à la Waiagamac, à Trois-Rivières. Il vivait seul près des Leclerc, dans une minuscule maison en terre battue à la mode de chez lui. A Sainte-Marthe, un noir, c'est un noir : on le remarque. Il devint l'ami de la famille. Une amitié de vingt ans et plus. Il portait une affection filiale à Fabiola qu'il appelait « la reine » et devint le confident de Félix pourtant de quinze ans son cadet.

Sa mort fut extraordinaire : un arrêt du cœur, le vendredi saint, table mise, serviette nouée, assis devant son assiette, chien couché au pied. Trois jours après, John force la porte et découvre le maître pétrifié par le froid et l'animal rendu fou. La voisine avait bien vu brûler la lumière mais :« Ils ne sont pas comme nous autres... » Alors Félix mettra MacPherson à la place du héros dans une chanson : il sera l'homme qui n'a pas de famille et va faire péter la « jam ». Et ne reviendra pas. Ring ring! va MacPherson...

MacPherson, dans l'ombre écoute chanter Félix et il l'encourage.

Le dimanche, John attelle ses chiens et, par le traversier fonce courtiser sa blonde. Vous qui traitez un peu vite Félix d'archaïque, rappelez-vous qu'il avait plus de vingt ans lorsque l'usage du traîneau a été rendu obsolète par le déneigement des routes. Et embarquez avec John!

« Le premier chien, le *leader,* éloigné des autres pour couper la tempête, dont le travail n'était pas de tirer mais de guider, obéissait au son que lui criait le maître. Et faut-il ajouter que ce leader-ci était aveugle. [...] En plein centre de l'attelage, parfois, on mettait deux loups, deux vrais loups, capturés jeunes mais restés sauvages. »

« Les chiens de devant les tirent, ceux de derrière les poussent à coups de dents. Le loup n'a pas de galop mais l'amble et l'haleine de vingt chiens réunis. [...] »

« John avait neuf chiens. C'était sa passion. Le traineau, il l'avait fait de ses mains, aidé d'un coureur des bois fanatique de chiens de trait. Chiens d'esquimaux ? Non. Chiens à poil demi-ras, mélange de danois et de terre-neuve, poitrail large, derrière pointu, ça prenait deux heures de course avant qu'ils ne commencent à se fatiguer.

« [...] Vers midi, il prenait le bateau de la traverse et conduisait son attelage entre les roues des voitures comme s'il eût conduit un cheval [...] – J'ai onze vaches le silo est fini, j'ai commencé à bûcher, deux de mes sœurs sont parties, la maison se vide, le père t'attend, si tu voulais venir (1)... »

Pendant ce temps, la famille se rend à la messe. Léo suit. « Le midi, à table, on se moquait du sermon, mon père le premier, ravi de faire enrager ma mère. Et elle, levant d'une seule malédiction le couteau et la fourchette : – Vous irez en enfer longtemps! » Appréciez l'adverbe qui met quand même sa nichée à l'abri des flammes de l'enfer définitif.

Retour à la terre réussi pour le petit citadin. Le gouvernement peut être satisfait. Le gouvernement, oui car il s'occupe activement du problème. C'est même une tradition locale, aussi vivace que les processions de la semaine sainte à Séville. Le 2 mai 1935, le Premier ministre Taschereau a fait voter la « loi pour promouvoir le retour à la terre et la colonisation ».

Faut comprendre. La ville, ça fait peur aux pasteurs, c'est fatal : les troupeaux s'y dispersent. Au rythme où Montréal et Québec grossissent, on peut s'inquiéter. Surtout quand on a une belle forêt déserte à portée de la main et du bras. La ville avec ses vitrines, ses lumières, ses cinés et ses jolies filles, c'est un miroir aux alouettes que chacun rêve de garder pour soi tout seul. Il faudrait que le pleuple retourne à la campagne, il y serait si bien. La campagne convient à la nature profonde de l'homme, vous savez. Et puis, les édiles seraient plus tranquilles, si ces grosses usines pleines d'ouvriers méchants et

(1) *Carcajou,* Félix Leclerc, Robert Laffont, Paris 1973.

ces grosses banlieues pleines de chômeurs fontômatiques étaient remplacées par de coquets ateliers dans de jolis villages fleuris pleins d'habitants dociles. Dans tous les pays du monde, à la même époque, se développe une idéologie qui croit avoir découvert *la* solution.

Ne vous croyez pas plus malins, petits Français. Chez vous, il ne faut pas remonter plus loin que 1968 pour vous voir courir repeupler l'Ardèche au nom de l'éternelle santé. Et vous n'avez pas oublié, je pense, la petite phrase d'Emmanuel Berl, mise avec un certain succès dans la bouche du Maréchal Pétain : « La terre, elle, ne ment pas. »

Du reste, il est vrai que, concrètement, le retour à la terre est – au Québec en tous cas – une solution à la crise..

Les congrès se succèdent pour ravauder les enthousiasmes. Et moi, afin d'en avoir le cœur net et comprendre ce qu'ils ont dans la tête, j'ai décidé de suivre celui que les responsables de l'ACJC convoquent à Nicolet en 1934 (1). L'ACJC, Action catholique de la jeunesse canadienne-française est le plus important mouvement de masse de la première moitié du siècle. « Que faire de nos jeunes ? » est une question lancinante. Félix se la pose en piquant ses bœufs. Tout un tas de bourgeois de vingt à trente ans, des « responsables » qui savent bien, eux, qu'ils resteront avocats, médecins, journalistes ou chanoines, se la posent tout aussi gravement.

La parole est aux orateurs. Ils montent à la tribune. Le propos est successivement...

Confus : « La crise économique, issue d'une crise de l'Homme et de la conscience... »

Fumeux mais marrant : « De même qu'il y a des tempéraments individuels, il y a des vocations et des tempéraments nationaux... Dieu respecte – si on peut dire – le tempérament national jusque dans la personne de ses saints... François de Sales est un Français

(1) *L'Établissement des jeunes au Canada français,* éditions Albert Levesque, Montréal 1934.

authentique. Jeanne d'Arc est française. Ignace de Loyola, Thérèse d'Avila espagnols jusque dans leur mysticisme brûlant et tendre. Catherine de Sienne une « ardente Italienne ». Augustin, un fils d'Afrique. A quoi bon allonger la liste ? » Ah, dommage...

National : « Notre catholicisme est pour nous plus qu'une lutte entre l'âme et le corps... Il est [...] une exigence de notre vie collective et de notre existence distincte comme peuple... »

Futé : « Malgré l'avis de certains économistes, il semble bien que la petite industrie [...] doive être, en bien des cas, une étape vers la grande industrie, celle qui nous permettra d'acquérir le capital et nous rendra économiquement indépendants. »

Brillant, enfin : « Du passé ? Vous prétendez qu'il n'y en a pas chez nous ?... Vous dites qu'il n'y en a pas ? – On va en faire ! »

Comme je trouvais cette dernière intervention superbe, j'ai noté la signature : André Laurendeau. Il sera plus tard fondateur du Bloc national et rédacteur en chef du journal *Le Devoir*. Nous le retrouverons.

L'assemblée, pas de surprise, vote en faveur du retour à la terre et d'une aide vigoureuse à la colonisation. Ce n'est ni la première ni la dernière fois. Après un ultime congrès en 1944, il faudra attendre les années 60 pour que ce thème soit abandonné.

Bon. Il est temps de retourner à la campagne ? Eh bien Félix est déjà sur place ! « Moi, j'aimais surtout le matin, quand, de mon lit, sans ouvrir les yeux, bien au chaud, me parvenaient d'en bas, par bribes, la conversation pacifique des lièvres à table dans l'odeur du café, un mot par-ci par-là, dit avec la voix feutrée, une chaise qu'on avance, la cuillère dans la tasse, le couteau sur la table, le rondin qu'on jette dans le poêle, un rire étouffé, la porte qu'on clenche, la paix, la vie, la vérité (1). »

Vous trouverez que je suis un peu vache d'accoler cette citation

(1) *Moi mes souliers*, op. cit.

aux précédentes, toutes vibrantes de civilisations à naître et habillées de mouvements de capes, comme s'il se moquait pas mal du pays, de la nation, de la race. C'est vrai, je suis vache. Mais, par ailleurs, il faut quand même dire une chose : il s'en moquait.

Il s'en moquait. Mais le démon de partir le travaillait déjà. Partir, écrire, être un artiste. Le retour à la terre figure le repli sur soi avant le bond. Il n'a que vingt-deux ans. Laissez-le donc vieillir. A son rythme qui est celui, lent, d'un jeune Canadien français de l'époque, dans un pays qui, lui-même – il le dira assez! – n'est pas encore « adulte ». Laissez-le vieillir. A son rythme, il nous livrera de grandes beautés. Comme une conscience dont une façade donnerait sur la mer, son âme est close et ouverte sur l'infini, close et ouverte par ses trois lignes énigmatiques et immenses, écrites bien plus tard : « Au début de ma jeunesse, m'étant échappé par la porte de bronze de l'université, je me suis promené cinq ans au bord de la mer, à écouter les dieux visibles et invisibles (1). »

Un autre congrès. Toujours le retour à la terre et la colonisation. Toujours l'ACJC. Cette fois, nous sommes convoqués en 1919, à Chicoutimi (2). Hop. J'y suis.

On prend le bateau régulier Montréal-Québec-Chicoutimi par le Saint-Laurent large comme une mer et le Saguenay, étroit comme un couloir. Pendant ce voyage, nous avons remarqué que « toutes les inscriptions et affiches officielles de la compagnie sur ces bateaux sont exclusivement rédigées en langue anglaise et qu'en particulier, le menu présenté aux congressistes de l'ACJC est en pareille contravention avec les justes réclamations des Canadiens français. Cette infraction à la justice et à la courtoisie est d'autant plus injustifiable que les deux bateaux font leurs parcours respectifs entièrement dans la province de Québec et que les Canadiens

(1) *Rêves à vendre*, op. cit.
(2) *Le Problème de la colonisation au Canada français*, rapport du congrès de l'ACJC, Montréal 1920.

français sont pour une large part, les clients habituels de la compagnie ».

Scandalisés par ce manquement à la loi Lavergne qui oblige les sociétés de transports à libeller les billets dans les deux langues officielles, nous décidons de signer une pétition. On aurait pu tout casser, notez bien : une bande de jeunes étudiants dans un bateau rien qu'à nous, ça aurait eu de l'allure.

Et ça aurait frappé fort. Mais non. Vrais Québécois, doux et parleurs, nous nous sommes contentés de pétitionner.

Le président de la compagnie nous a répondu. Enfin... pas lui : son secrétaire, un monsieur Percy Smith. « [...] Le président me prie de vous remercier, au nom de la compagnie, de l'intérêt que vous portez à la dite compagnie [...] Le président n'avait jamais été informé de cc dont vous vous plaignez dans cette requête [...] La chose sera prise en considération dès la saison prochaine [...]

Je trouvais bien, moi, que ce gars-là maniait l'humour avec un petit air de se foutre de nous. Mais les camarades étaient ravis : « Après cela, me disait un jeune, je n'hésiterai plus jamais à protester. Je me sentais fier, ce jour-là ! »

Ô pauvres Québécois d'alors, si naïfs, si gentils, si peu bagarreurs, si timides, si polis dans votre façon de fonder un pays en vous contentant de noyer l'adversaire sous les couches-culottes et les motions !

La province bouge, pourtant. Et pas vers la campagne. La modernisation des lois suit la modernisation technique et l'urbanisation. Dans ces années 30, cela va même assez vite. Un vent de modernité souffle sur la province. La glace craque, on l'entend. Le budget de l'État provincial est quatre fois plus élevé en 1929 qu'en 1912. « Un État aux ressources et aux fonctions accrues s'apprête déjà à prendre lui-même en charge le destin de la nation (1) » écrit

(1) *Histoire du catholicisme québécois*, op. cit.

Hamelin dans un chapitre qu'il intitule « Les voies de l'avenir » et il parle aussi de « la poussée de la première révolution tranquille ».

Faut rien exagérer. Mais il est vrai que le début des années 30 voit le Québec rattraper son retard. « Jamais n'a-t-on vu une telle effervescence de l'avant-garde intellectuelle (1). »

Hélas, à ce moment-là se profile la silhouette de Maurice Duplessis, leader de l'Union nationale et Premier ministre provincial. Il a été élu sur un programme anti-corruption mais il va personnaliser le retour de l'hiver, la dernière glaciation, la plus terrible, la plus baroque, celle qui solidifie les intérêts du passé et les peurs devant l'avenir. La société politique et culturelle s'enferme dans un langage et des mœurs pétrifiés. Cette saison, les Québécois d'aujourd'hui l'appellent « La grande noirceur ». Oh, la société va évoluer, oui : Duplessis, me dit-on, « donne » l'école de rang : (Une école primaire dans chaque rang, vous vous rendez compte!) Duplessis donne l'électricité (l'électrification des campagnes) Duplessis s'occupe des routes. Duplessis envoie des agronomes dans les campagnes. Duplessis, surtout, appelle les capitaux américains et, conséquemment, donne de l'emploi. Vive Duplessis! A part ça, les intellectuels ont appris à ne pas l'aimer. Ils ont raison. Son nom est symbole de la dernière alliance avec l'Église et la réaction pour que rien ne bouge même si tout fout le camp.

Cet homme-là est madré, populiste, démagogue, tacticien, protecteur. Il sait parler aux foules, carresser les égoïsmes et convertir à son cynisme de conseiller général rad-soc. Le Québec lui doit vingt-cinq ans d'immobilisme. « Mes amis, écrit André Laurendeau (2) regardaient Maurice Duplessis comme l'avorteur du mouvement nationaliste et réformiste de 1935-1936. Ils estimaient perdue pour une génération l'occasion d'accomplir la révolution que nous avions rêvée. »

(1) *Histoire du catholicisme québécois,* op. cit.
(2) *La Crise de la conscription,* André Laurendeau, Éditions du jour, Montréal 1962.

On raconte toutes sortes d'histoires sur Duplessis qui, au physique ressemblait pas mal à Pierre Laval. Il se faisait appeler « Le Chef » et distribuait les voitures officielles et leurs numéros en commençant par le haut : la sienne portait le numéro I. Un jour qu'un député s'étonnait que le budget automobile du gouvernement eût doublé. Duplessis rétorqua : « Eh ! Nous avons deux fois plus d'amis ! » Je tiens de Félix cette anecdote : Vers 1950, le père Legault lui demandant une subvention pour sa troupe de théâtre, le Premier ministre lui donna ce conseil : « Père Legault, ça ne sert à rien, tout ça. Faites donc comme moi : Je n'ai pas lu un livre depuis 1936 ! »

« Il fait placer un crucifix au-dessus du fauteuil du président de l'assemblée. Il fait voter les lois d'assistance aux aveugles et aux mères nécessiteuses dont sont exclues les filles-mères, les séparées, les divorcées (1). » Que fait-on si les filles-mères sont aveugles ?

Il va porter à son point culminant la vieille tradition locale qu'on appelle ici le système du patronage : pots de vin, marchés d'état distribués à des entreprises remplissant la caisse du parti, fraudes en tous genres. Dans ce pays sans carte d'identité ni carte d'électeur, où les bureaux de vote sont dans des domiciles privés, il n'est pas difficile de faire voter les morts. Les veilles d'élections, raconte André Garon, mon oncle responsable libéral de son comté, se baladait avec trois mille dollars en billets de vingt qu'il distribuait contre des promesses de vote. Et Félix : « J'étais à Montréal et je voulais rentrer à Sainte-Marthe. C'était jour d'élection. J'ai téléphoné au parti conservateur et un gars est venu me prendre avec une grosse voiture pour me déposer à la maison... A Sainte-Marthe, il m'est arrivé d'être le seul électeur à voter « Bloc ». On a cru que le postillon (2) était l'auteur du méfait. Il a perdu sa place sur le

(1) *Histoire du catholicisme québécois,* op. cit. Fin 1986, le crucifix est toujours à sa place.
(2) Facteur rural.

champ! A fallu que je rentre de Montréal pour dire au député : « le bloc, c'est moi! » et qu'on lui rende « sa job ».

Duplessis distribue routes et ponts comme on retouche une carte électorale. En 1938, Camillien Houde est battu par la promesse d'un tunnel à Saint-Henri (1). Des représentants d'une ville s'insurgent de rester bloqués sur leur rive, faute de pont. – Fallait voter du bon bord! est la réponse du chef. Le voilà devant ses ouailles, la salle est hostile, il monte à la tribune : « Électeurs! Électrices! É-LEC-TRI-CI-TE! » Éclat de rire général, le message passe, il triomphe.

Avec Duplessis comme patron, la réaction a de beaux restes. Hamelin signale « la collaboration des militants catholiques avec la police se fait plus étroite en ce qui concerne l'activité des communistes, les témoins de Jéhovah, l'observation du dimanche et la moralité publique (2) ». A l'intention des communistes, Duplessis fait voter la « loi du cadenas » qui permet de fermer tout local suspect d'accueillir des réunions bolcheviques. S'appuyant sur les agriculteurs – un tiers de la population, la moitié des sièges; nous connaissons aussi cela, en France – Duplessis gouvernera jusqu'à la guerre. Il s'éclipsera alors et reviendra à la paix jusqu'en 1960. Il porte certainement une lourde responsabilité dans l'apolitisme des Québécois en général et de Félix en particulier. Mais il n'est pas le seul. Après tout, il ne fait que jouer un peu trop longtemps un jeu ancien. Les Canadiens français n'ont jamais eu le pouvoir politique dans son intégralité. Ce pouvoir était à Londres, le voilà à Ottawa. L'État provincial, je l'ai dit, débute vraiment dans les années vingt. La tradition d'une administration corrompue et l'impossibilité pour le peuple d'exercer pleinement sa souveraineté conduit à cette indifférence à l'égard de la politique. Il faudra attendre 1960, la révolution tranquille, Jean Lesage et surtout le Parti québécois pour que l'homme de la rue – et Félix Leclerc – se politisent.

1. *La Crise de la conscription,* op. cit.
2. *Histoire du catholicisme québecois,* op. cit.

Un jour de 1937, Félix reçoit un appel téléphonique de son ancien chef de CHRC, Yvan Desève. Un nouvel émetteur est créé à Trois-Rivières. Il en est le patron. Ça intéresse-t-il Félix ?

– Oui mais à une condition : j'ouvre et je ferme, deux heures chaque fois. Je suis libre dans la journée. Je rentre à la maison pour écrire des pièces.

« ... Pi des pièces révolutionnaires ! Un train dont on débarque tous ceux qui pensent à l'argent, des choses comme ça... Le ton général était : vivez un peu plus ! Brisez vos chaînes ! Mais toujours avec le bon Dieu ; toujours du bon bord ! »

Une première révolte, donc, spontanée, pas théorisée ; un idéalisme plus qu'une révolte. Pas Lénine ; Don Quichotte sur un traîneau à chiens.

Il écrira une trentaine de sketches (1). *La Pinte de sang, Le Verre de rêve, Cimetière de cigarettes, Le Grand Film, Mémoires d'une araignée*... Jamais publiés. « C'était jeune, c'étaient des brouillons nécessaires. J'ai brûlé tout ça. »

Installée au troisième étage – deuxième pour les Français – du château de Blois, la station qui porte le beau nom de CHLN, appartient à un politicien libéral, Jacob Nicol. Elle est couplée avec le quotidien local *Le Nouvelliste*. Ce Nicol possède aussi deux journaux à Québec et un à Sherbrooke, *La Tribune*, sur lequel il appuie le lancement d'une seconde radio. Radios locales et projets multimédias, déjà...

CHLN est une petite station de rien du tout. Il n'y a pas sept mille récepteurs dans la zone pour une population de cinquante mille habitants. La maison « ne pouvait refuser quelque publicité que ce soit, dans les deux langues (2) ». C'est peut-être en raison de

(1) Des sketches « écrits dans un fougueux élan de patriotisme pour démontrer au peuple canadien le danger grandissant d'une apathie raciale de plus en plus prononcée » (*Bibliographie de Félix Leclerc,* par Marcelle Paquette, École des bibliothécaires, Montréal 1945).

(2) *L'Évolution de la radio au Canada français,* op. cit.

cette petite taille que Félix Leclerc ne fut pas aussi célèbre qu'Orson Welles. Celui-ci, le 30 octobre 1938, sur CBS, dans une adaptation de *La Guerre des mondes* de Wells fait débarquer les Martiens. Félix, lui, et avant l'autre, se contente de brûler la radio et le quartier avec : « On a décidé de faire un test [...] On avait prévenu le chef de la police et des amis à nous ont guetté la réaction. Après l'émission, il est arrivé quelques vieilles qui s'étaient habillées à la hâte, n'importe comment, pour voir brûler le château de Blois. On a su qu'on était écouté (1)! »

« Il n'y avait qu'un seul studio. On répétait la nuit. On jouait une fois par semaine. Je récoltais des acteurs d'occasion dans les bistrots, en ville. » En ville aussi, il commence à chanter. « Le shoeshine boy! le petit cireur de chaussures! »

Parmi ses collègues, il y a Yves Thériault, le futur romancier des amérindiens et des esquimaux (2). Il se souvient « de cette voiture que Félix possédait et qui perdit ses quatre roues d'un seul coup devant le château de Blois. C'était vers deux heures de l'après-midi alors que l'auto était docilement stationnée... ! »

« Nous avions ensemble, le samedi si je ne m'abuse, une émission appelée Ilya et Gomez, où Félix chantait ses chansons sous le nom d'Ilya le chanteur de bohême. Gomez c'était moi. La musique cubaine venait d'apparaître au Québec et je chantais des rumbas, des sõns, des paso-dobles, et quoi encore. »

« Et au fond de la guitare, tout en dedans, collée avec quelle patiente misère, la photo de " Ti-Loup ", une bien belle brune aux " yeux de feu " comme dit le cliché. Hélas, nous n'avons jamais rien pu apprendre de cette fille (3). »

Tout n'est pas perdu des écrits de Félix à cette époque. Il a réussi

(1) A René Homier-Roy, *Nous,* novembre 1975.
(2) Notamment dans deux romans : *Agaguk* et *Ashini.*
(3) Yves Thériault, dans un opuscule du *Mouvement national des Québécois* consacré à Félix Leclerc, janvier 1980.

à publier sa prose dans l'hebdomadaire de Trois-Rivières, *Le Bien Public* du 9 mai 1940. Il s'agit d'une nouvelle intitulée *Michaud.* Michaud aime Diane. Il part bûcher. Diane l'attend : « Dans le carré de chaque maille de son tricot, elle cachait un Ave... quelquefois une larme. » Beaucoup de points de suspensions à travers le texte témoignent d'un tempérament d'écrivain pressé. Les morceaux de phrases volent comme des copeaux. Michaud revient. Il offre à sa blonde un magnifique service de toilette en ivoire. « Je ne sais que faire de ça, dit-elle. » Alors il repart dans le bois. La prochaine fois, je ne rapporterai rien, à part moi! Et Félix signe d'une phrase : « Je suis un arbre de ce pays. »

Félix se considère dorénavant comme un auteur. Mais il se sent isolé. « J'aurais bien voulu, à cet âge, rencontrer des gens qui fassent la même chose. Mais il n'y avait personne. » La même chose, c'est quoi ? Il n'en sait trop rien lui-même. La même chose, c'est probablement vivre avec des préoccupations artistiques, comme ces rôdeurs, n'est-ce pas, de la Contrescarpe, à Paris, qui ne font rien, qui perdent leur temps, qui hésitent, traînent, vont et viennent gravement et qu'on retrouve, vingt ans après, romancier célèbre, metteur en scènc reconnu, écrivain fécond, chanteur et dont l'Histoire dira : quelle chance d'avoir vécu dans ce vivier à vingt ans. Le vivier ou le mouroir, c'est du pareil au même : une antichambre où l'on attend dans l'odeur du tabac et des mondes à venir. Mais une antichambre nécessaire, Félix le sent.

> Ce fut à cette époque où l'on se méfiait de l'homme instruit
> Que le génial Maluron
> comédien
> né au mauvais moment
> au mauvais lieu
> et mauvais milieu

a fait ses trois pas
et a disparu de la terre trifluvienne
pour aller mourir épave à Montréal
Tout a commencé dans la pluie et l'ennui
Regarde comme on est seul!
C'est le commencement du monde! (1)

C'est à cette époque, en effet, que le génial Félix Leclerc, né au mauvais lieu et mauvais milieu alors que la culture québécoise n'existe pas, souhaite exister. Et pour cela, une seule chose à faire : prendre le bus pour Montréal où tout se passe. Tout, c'est-à-dire bien peu, on le verra plus loin.

Yvan Desève qui, décidément, semble bien aimer son poulain et avoir, le premier, deviné ses dispositions, emmène Félix à Montréal. Plus exactement à Radio Canada, rue Sainte-Catherine. Il l'accompagne les deux ou trois premières fois. Puis le jeune homme se débrouille seul. Se débrouiller : vasouiller, errer dans les bureaux et les studios, frapper à des portes, attendre, voir passer la secrétaire très à l'aise et le garçon d'étage sûr de lui, se faire toiser de bas en haut et de haut en bas, avoir l'air d'un habitant, être mal habillé, ne pas avoir le bon accent, être intimidé puis se lever en silence, poliment, sans déranger et courir attraper le bus. A raison d'un voyage tous les deux mois. Pour rien, pour rien, pour rien. Ses textes, sans doute ne sont pas terribles. Pas terribles ? Mais il faut bien débuter! C'est affreux, ce pays sans vie intellectuelle; cette absence de culture et le barrage que les gens en place, ici comme partout, font aux jeunes gens « pas terribles », au lieu, considérant la faiblesse d'ensemble de la production, d'encourager les talents, de fouiller, de susciter, d'agiter...

(1) *Rêves à vendre*, op. cit.

C'est jour de semaine qu'on pousse portes
Qu'on offre bras, idées, talent
Qu'on s' fait bafouer et qu'on rapporte
Plaies aux épaules, plaies en dedans

« Ma mère disait : – A ton retour tu me réveilleras pour me raconter... »

Mais que raconter ? « Je sentais la voix de l'inconnu ricaner dans mon dos. J'ai connu ça. J'ai connu ça (1). » Quelle détresse dans le doublement de la dernière phrase, vingt-cinq ans après...

« La dernière fois, j'étais dans le bureau d'un chef. Je lui ai lancé : – Ça fait un an et demi que je viens ici. Il est onze heures. Mon bus est à sept heures du soir. J'attendrai à l'église en face parce que je n'ai pas un sou. J'aurais de la dynamite, je vous ferais sauter et moi avec. »

« Je sors. A ce moment, une jeune fille vient vers moi... »

C'est la grâce au bon Dieu qui repasse. Elle se nomme Mireille Bastien. Elle n'est qu'une secrétaire. Mais elle a des yeux. Et un cœur.

– Ça fait des mois que je vous observe. Vous ne frappez pas à la bonne porte. Suivez-moi.

« Elle me conduit dans les étages. Un grand bureau où une vingtaine de personnes circulent en tout sens, comme dans un bassin. Et là, tout d'un coup, *je me vois*. Même taille, même cheveux, même âge, même allure : Guy Mauffette! »

Mauffette est un des jeunes réalisateurs de Radio Canada. Mieux que ça, il est un peu le chou-chou de la maison, le jeune homme riche de tous les talents à qui on confie les entreprises originales et dont on accepte les coups de passion. Fils d'un médecin montréalais, il a débuté comme comédien à dix-sept ans. A vingt-trois ans en

(1) A Jacques Guay, *Le Magazine MacLean*, juillet 1967.

1937, il est réalisateur. De 1939 à 1944, il réalise *Un homme et son péché* d'après le best-seller de Claude-Henri Grignon. Tous les Québécois se souviennent de ce « radio-roman ». Mauffette sera une (la ?) grande vedette de la radio durant vingt ans et plus. De l'avis général, la chanson québécoise n'existerait pas sans lui. Surtout, il sera le frère de Félix, son jumeau, son mentor, son amitié profonde, son ennemi juré, son mal et sa tendresse. Accessoirement, il sera aussi son beau-frère.

Les voici face à face, Félix sous forme d'un campagnard mal fringué.

« Sans préambule, Félix laisse tomber sur la table la liasse de ses textes et, les poings sur les hanches (1), il fait simplement :

– J' retourne-t-y à Sainte-Marthe ou ben j' reste-t-y ? »

(1) Émile Legault, *Confidences,* Fidès, Montréal 1960. A y regarder de plus près, la posture habituelle de Félix est plutôt : tête en arrière, un poing sur la hanche...

VI. Une petite révolution

– On a passé vingt-quatre heures sans se quitter.

Ils ont passé une décennie sans se quitter. Et ils sont toujours intimement liés, malgré les séparations...

Mauffette traîne Leclerc partout où il va. Voici une scène racontée par le réalisateur Lucien Thériault (1).

– Bonjour Thériault... Regarde, tu vas rire...

– Bonjour Guy... En effet, on dirait ton frère...

– N'est-ce pas que nous nous ressemblons comme deux frères? Nous venons de faire connaissance : c'est Félix Leclerc. Il nous soumet un sketch pour la radio; très intéressant. Lis-le, tu me diras ce que tu en penses.

Littéralement imposé par Guy Mauffette, Félix est engagé à Radio Canada comme auteur. Il découvre un autre monde, très âpre, dans lequel il va évoluer comme à son habitude, en se gardant à part, afin de se protéger.

Radio Canada est une grosse boîte. Dix studios à Montréal; cent soixante employés pour le réseau français. Car la société est bilingue,

(1) *Bibliographie de Félix Leclerc*, op. cit.

étant sous la juridication de « la Couronne ». Depuis 1937, elle se nomme « Corporation canadienne de radiodiffusion »; ce qui donne les initiales CBC (1). La chaîne française porte le nom de CBF à Montréal et, on ne sait pourquoi, CBV à Québec. Alors on dit « Radio Canada ».

Bilingue à fond. Deux langues égales, quoique l'une des deux soit plus égale que l'autre. Par exemple, le conseil de régence est constitué de neuf membres dont trois « Québécois » parmi lesquels un anglophone. Ça vous fait sept anglophones! Autre exemple : A partir de 1944, la société publie un journal interne, « Radio-staff magazine ». La revue est rédigée dans les deux langues : pour quatre pages en anglais, il y en a une en français. Mais tout le monde trouve ça normal.

Il ne faut pas non plus se faire d'illusion sur l'ouverture d'esprit des patrons. Quoique Duplessis n'ait jamais régné sur Radio Canada, la censure, elle, règne. Suivez donc cette conférence radiodiffusée de Philippe Hamel, le 18 janvier 1937 (2) : « Monsieur Frigon, (gérant-général-adjoint de CBC) m'a défendu de vous parler de l'achat des professeurs par le trust de l'électricité. Je me soumets... J'aurais voulu vous entretenir des contributions du trust aux caisses électorales. Ce passage a été censuré. »

Choquant. Mais pas pour les Français qui en manière de censure radiodiffusée, ont connu mieux. Et pas avant-guerre...

A part la censure, la visite de Radio Canada est riche d'enseignements. J'y trouve avec quarante ans d'écart et avec surprise quelques-uns des thèmes qui agitent notre fin de siècle. Les ressources de la maison viennent aux trois quarts du « permis annuel » que nous appellerions, nous Français, la redevance. Pour le reste, les patronages commerciaux sont admis à condition que la

(1) Canadian Broadcasting Corporation. Personne n'a jamais dit « CCR ». Tel est le bilinguisme.
(2) *L'Évolution de la radio au Canada français*, op. cit.

« réclame » n'occupe pas plus de dix pour cent du temps d'antenne. Et « pas plus de deux minutes par heure d'émission la diffusion d'annonces-éclair ». La défense de la production ou de la création vivante semble être prise en compte, puisque la diffusion des disques est interdite entre dix-neuf heures trente et vingt-trois heures. Tout cela est très actuel. Excepté la présence permanente d'un orchestre de variétés.

Avant tout, il faut à Félix un logement. Mireille Bastien habite la pension Archambault, rue Drummond, à deux pas de la station, au-dessus d'un restaurant chinois. Les jeunes gens de la radio y dînent tous les midis. Plusieurs chambres sont louées à des musiciens américains qui jouent dans les boîtes de Montréal. On est entre soi. Félix s'y installe. Et là, naturellement, comme dans les histoires, il croise la compagne de chambre de Mireille. Elle est blonde, elle est jolie, elle est secrétaire au service publicité de Radio Canada, elle se nomme Andrée Vien. Son père a été tué en Europe pendant la Première Guerre mondiale et elle a été élevée par son oncle, le politicien libéral Thomas Vien. Ancien député fédéral de Lotbinière, député d'Outremont, le quartier chic francophone de Montréal, vice-président de la chambre des communes, Thomas Vien sera nommé sénateur en 1942 et présidera le Sénat de 1943 à 1945. Avant que j'aie fini de lire sa carte de visite, Félix court déjà avec sa blonde !

Les restaurants chinois sont utiles : dans les odeurs pourtant bien peu évanescentes de la cuisine orientale naît l'amour.

Montréal, pour les balades d'amoureux, n'offre pas les attraits de la vieille capitale. Le centre-ville de Québec est européen : des remparts, des petites rues qui tournent en montant, de vieilles maisons qui se reluquent... Montréal est une cité américaine : une plaine bien plate, dans laquelle le Saint-Laurent, juste grossi de l'Outaouais, lâche mollement des bras immenses. Parmi d'autres, une grande île dessine un triangle dont la base fait une vingtaine de kilomètres. Un drôle de chapeau en feutre cabossé est posé au milieu. Autour du feutre, occupé par un parc et un cimetière, il y a une grille, une désespérante grille : des rues coupent d'autres rues à angle droit, interminablement. Des petites maisons de briques, bien alignées sur des kilomètres, des rues larges, toutes identiques... Il n'y a que dans le centre, vers la place d'armes et l'Hôtel de Ville que subsistent quelques vestiges du régime français, mêlés aux constructions vaniteuses du capitalisme anglo-américain, point toutes laides d'ailleurs. Avec les grands immeubles en verre et béton des années 60, cela donne, dans des rues où souffle un vent démesuré comme l'argent yankee, un quartier des affaires sinistre à la fois et beau dans sa grandiloquence. Les remparts ont été démolis en 1804 pour libérer ce cadeau aux conquérants. On est découragé de s'approcher du fleuve qui semble inaccessible, là-bas, canalisé au fin fond des zones industrielles. Tout au plus, les nouveaux amoureux pourront-ils, après un verre « sur Saint-Denis », prendre le « petit char » (le tramway) du dimanche, sans vitres, et monter refaire le coup du baiser au belvédère du Mont Royal. La promenade à travers le cimetière est charmante.

Les Montréalais trouvent leur ville formidable. Moi aussi, à la réflexion. Mais pour Québec, je n'ai pas eu à réfléchir. Elle est vivante, bien plus que Québec, soit. Elle est affairée, affairiste, dure, parcourue de Chinois, de Grecs, d'Italiens, d'Américains, de Juifs ; il reste même un groupe de Canadiens français, je les ai vus dans l'est. Cette ville cosmopolite excite les lecteurs de polars et les cinéphiles qui se prennent pour Marlowe ou Bogart. Moi aussi, à la réflexion. Surtout Bogart.

Autour de la pension Archambault, une bande se crée : Andrée et sa cousine Louise, vite fiancée à Mauffette ; le frère d'Andrée, Yves ; Mireille Bastien ; les filles de Mme Archambault. Puis amis et comparses en cercles de plus en plus larges. Comme cet employé de l'embaumeur Ferron, un Desjardins, qui trouvera malin d'offrir à

Félix un cercueil d'enfant en ciment, couvercle compris. L'engin, transporté à Sainte-Marthe, sera installé au premier étage, dans la chambre de l'heureux récipiendaire où il servira à entreposer les manuscrits : Le maître n'est pas superstitieux.

– ...Et quelle misère noire on a eu pour monter ça là-haut! conclut John.

Félix se lie aussi avec Dulude, un copain à Mauffette. Pierre Dulude, autre pionnier de la radio et qui restera longtemps l'ami intime du chanteur, est réalisateur à CKVL, radio privée. « On y diffusait quinze heures de chanson française par jour! Attention : pas québécoise; française! » De son vrai nom Huet, Dulude est simplement le rejeton d'une lignée originaire Du Lude, dans la Sarthe. Toujours la soif d'Histoire... « En raison de la guerre, les disques n'arrivaient plus. Dulude allait traîner au port et rapportait des disques français soutirés à des marins. On écoutait ça et on pleurait de joie. Grâce à lui, on savait qu'ils n'étaient pas morts! Arrivait Trenet, l'oiseau blanc qui passe à travers les balles! » Toujours lyrique, mon Félix...

Entre garçons et filles, les rapports sont évidemment placés sous le signe d'une franche camaderie, selon les canons du temps. Le bon Dieu et ses vicaires sont archiprésents et ce joli monde est archicatholique. Cependant, « on faisait des désobéissances heureuses », veut bien confesser Félix sans accepter de préciser ce qu'il entend par là. Il y a du bonheur dans l'air. Chaque être humain, n'est-ce pas, sélectionne dans le gros paquet d'années qui va de seize à trente ans, grosse pelote d'angoisse, de déserts, de piétinements, les quelques mois où il a connu un vrai temps de printemps. Il appellera ça « ma jeunesse » et tentera d'oublier le reste. Pour Félix, voilà la jeunesse.

Il est engagé pour produire douze textes par an. Cette série prend pour titre la devise de la Province, « Je me souviens. » Il doit y décrire et y mettre en valeur les vieilles traditions et les problèmes sociaux. Les réalisateurs, outre Mauffette, sont Paul Leduc, Judith

Jasmin et Roger Daveluy. Un orchestre, dirigé par Henri Gratton crée des ambiances et des ponctuations musicales. Les comédiens qui, par la suite entreront dans le Panthéon des vedettes québécoises, ont nom Pierre Dagenais, Juliette Huot, François Bertrand, Fred Barry, Ginette Letondal, François Rozet (« Un Français, bloqué en Amérique par la guerre, un maître pour moi »). La première émission est diffusée le 20 février 1941. Il y en aura trente-huit jusqu'en avril 1945. Dans l'une des dernières, on trouve au générique le nom de Monique Leyrac. Et puis, il y a Janine Sutto.

« Janine, c'est ma sœur. J'avais tout un tas de sœurs : les quatre plus belles filles de la terre, Janine, Yvette Brind'amour, Huguette Oligny, Muriel Guilbault. »

Pour autant, Félix n'est pas accueilli comme le messie : « Je venais de la campagne. J'étais rejeté. C'est Mauffette qui m'imposait. » Et comme les commandes de Radio Canada ne lui suffisent pas pour vivre, il fait aussi le comédien.

Notamment pour le réalisateur Henri Deyglun, un autre Français, qui raconte ainsi leur rencontre :

– Un jour, Guy Mauffette m'amène Félix à la maison. Très timide, à ce moment-là... Il me fait lire quelques contes. Je suis émerveillé. Des dialogues de cigarettes dans un cendrier, par exemple... Mauffette me dit : Il n'a absolument rien; vous ne pourriez pas lui trouver quelque chose, un rôle dans une série ? – J'ai une série qui commence – *Les Secrets du docteur Morange*... Je lui ai donné le rôle du jeune premier, Robert, qu'il a tenu pendant un an. Dans *Vie de famille,* je lui ai donné un rôle de Russe qu'il a tenu pendant des semaines (1).

« Deux, trois émissions par semaine; ça me faisait soixante dollars à la fin du mois. Dans l'une d'elle, je jouais le rôle d'un homme qui dormait dans une diligence : un ronflement de temps en temps; je fus très bon. Et j'ai gagné dix-huit piastres! ».

(1) Henry Deyglun, à Radio Canada, le 6 mars 1971.

Heureusement, le public accueille bien ses créations. Et en quelques mois, il impose sa personnalité. Dans la maison d'abord. Écoutez-moi ça : « Quand on jouait un de ses textes, une atmosphère toute particulière envahissait les studios. Des comédiens entraînés à la production à la chaîne, retrouvaient spontanément leur ferveur : " Ce soir, on joue du Leclerc. " Tous savaient, et cela se sentait, que Félix avait " souffert " ses textes en les évrivant. Il ne fallait pas profaner (1). »

Voilà. Un soir de janvier où les moins quarante cernent l'Amérique du Nord comme un bateau arrêté contre le Pôle, ou un soir de novembre enfoui sous la mauvaise pluie ou la « slush », cette gadoue de neige fondue, ou bien un soir d'été à la lourde chaleur moite quand on entend toutes les radios des voisins sur le perron, vous vous asseyez le long du poste. Il est neuf heures. Vous tournez le bouton et vous entendez la voix :

« Quelque part en Abitibi, bien loin, ce soir, dans le nord, plus loin que la tempête de neige, plus loin que la dernière paroisse du dernier diocèse, dans l'éclaircie d'une forêt perdue où il n'y a ni téléphone, ni voisins, ni radio, ni restautant, brûle une lampe à huile, dans une cabane de bois rond. »

Attention, les Français, ne vous méprenez pas, il ne s'agit pas de *Ma cabane au Canada.* Ou plutôt oui, une cabane au Canada; mais une vraie. Une vraie.

« Là, demeure un capitaine sans navire, ni marins, ni océan, ni cordages, ni passagers, ni galons. »

« Un jeune capitaine qui s'appelle dans la page agricole : un colon. Capitaine de la terre. Un défricheur, qui a le courage de tous les marins de la mer. [...] »

« Ses voiles : la tête des grands arbres. »

« Ses passagers : la misère, le froid, la solitude [...] »

(1) *Confidences,* op. cit.

« Et ses grades : des trous plein les manches de son gilet de laine. »

Vous imaginez le silence qui se fait dans les maisons à l'heure du chapelet quotidien : Le pays qui surgit, comme un cavalier, comme un orage. Vous imaginez comment ce gars-là tape en plein dans le mille au cœur des gens en leur mettant leur histoire et leur fantasme dans les oreilles.

« Vingt-six ans. Seul avec la forêt, la neige, l'attente sur mon lot de rescapé comme un radeau de naufragé... J'ai vingt-six ans, deux paires de salopettes, trois gilets que ma mère m'a tricotés, l'habit de noces de mon frère aîné, des vêtements seconde-main... Un prêtre m'a donné l'adresse ici, dix dollars et l'itinéraire. Le gouvernement un billet pour me rendre et me voilà. »

Le pays, en rafale, secoue la porte. La voix parle encore; « J'étais jaloux des premiers qui avaient bâti le pays. Ça peut paraître drôle ? Mon grand-père a été pionnier dans Lotbinière, mon père a jeunessé dans les forêts de la Mauricie, deux de mes oncles ont été des pionniers du lac Saint-Jean. J'avais ça dans moi, dans le sang, j'étais jaloux des autres... »

Là, les échines frisonnent pour de bon. Et ça continue. Il parle de dépassement de soi, de se battre avec la tragédie de vivre, d'accepter le difficile. Et vous, vous allez vous coucher là-dessus; trois siècles de pionniérisme vous tiennent les yeux grands ouverts.

Un mois plus tard, même heure, ça recommence. Écoutez encore la voix : c'est la guerre; des milliers de jeunes gens pataugent dans un ailleurs de sang et d'effroi. Et à la radio vous entendez :

– « Un ouvrier du bord de la mer m'a dit, lui aussi, que vous attendiez quelqu'un. Quel enfant ?

– Le nôtre, l'enfant de la paroisse.

[...]

– Où est-il parti, cet enfant ?

– L'autre côté de la mer.

– Pourquoi ?

– Pour aider à tuer la pieuvre.

– La guerre ?

[...] Celui du village, avec sa voix douce dit :

– On les accompagne avec notre esprit.

[...]

– Par ici, on dit que c'est un fléau de Dieu, une chose épouvantable, un châtiment mais en même temps une grande médication, un retour, dans le fond de nos âmes, à l'amour, un acte d'humilité en face de notre faiblesse, une occasion d'héroïsme et, à cause de toute la pourriture, à travers tous les sacrifices, une terre à germer des saints. »

Ces choses sont dites sur un ton simple. Ce doit être ce qui fonde le silence et séduit : ce mélange de lyrisme et de spontanéité; ce style tellement quotidien, tellement différent des prêches radiophoniques alors en vogue! L'habit est cousu de mots d'ici mais qui n'interviennent que pour donner du sens, jamais pour faire couleur locale, jamais pour faire crédible. Félix parle de lui, cela se sent; il ne se préoccupe nullement de sa crédibilité! Il parle « d'une couple » puisque l'usage le veut. Il dit « j'ai quelques souvenirs de même » : j'ai quelques souvenirs comme ça. Il dit « Ça prenait une fille décidée » : il fallait une fille décidée. Vous le surprendriez en l'accusant de passéisme ou de folklorisme. Il écrit en québécois! Il ne se pose pas le problème du québécois. D'ailleurs, il n'y a rien d'archaïque dans ces tournures que vous entendrez dans les plus jolies bouches de la télévision ou les plus savantes de l'université montréalaise d'aujourd'hui.

Je sais bien. Ces contes poétiques sont bâtis sur une trame qui est leur faiblesse : une idéologie catholique dont Félix se considère comme un militant. On y assimile sans nuance ni remords le passé et les traditions rurales au bien; et la ville, le confort, le « plaisir », les « mauvais philosophes » et la liberté intellectuelle au mal. « J'étais un écrivain catholique... » admet mon vieux Félix, ce soir, dans la maison silencieuse de Jobin... « J'étais un écrivain catholique. » Son regard se perd et cherche dans un passé de cinquante ans. Et, comme pour s'excuser, se parlant à lui-même, cette phrase, comme un refrain, qui revient, qui reviendra : « Qui avait vu autre chose ? »

« Disons pas un mot. Si on n'est pas dehors à travailler, à sauver ceux que le tonnerre frappe, le moins qu'on peut faire c'est de rester tranquille. C'est pas encore l'heure de rire. Non. Faut mériter de rire, de s'amuser. Endurons le coup de poing parce qu'il vient d'en haut. Revanchons-nous pas. Ça sert à rien. Humilions-nous si on veut que la poignée de main vienne au plus vite. »

« Dans le fin fond de nous autres, franchement, les yeux dans la lumière, on mérite l'orage (1). »

Un bon nombre de ces textes tomberont au fil des années, comme des branches mortes. Mais il restera dans l'arbre sonore beaucoup de belles choses, des histoires simples comme l'air qu'on respire, des contes voués à l'éternité longue des jardins et des meubles; ceux où le moraliste aura su se faire discret.

Eh bien, avec ses histoires de pionniers et d'habitants, Félix est en train de se composer un public. Ça ne fait aucun doute. « Trois dramaturges canadiens français se sont particulièrement signalés : Robert Choquette [...] Claude Grignon [...] et Félix Leclerc, un nouveau venu qui promet beaucoup. » lit-on dans un fascicule édité par Radio Canada en 1941.

Quarante-cinq ans après, il est difficile de mesurer sa notoriété de l'époque. Certains le présentent rétrospectivement comme une vedette. D'autres relativisent en parlant de « succès ». La lecture de la presse va nous éclairer. J'ai choisi dans ce qui a paru plus tard, lorsqu'il a édité ses contes radiophoniques. Voici ce qu'écrivait Roger Duhamel, dans *Le Devoir*, le 11 décembre 1943 : « Félix Leclerc a acquis ses titres à la notoriété par la radio. Dès ses

(1) *Adagio,* op. cit.

premières émissions, le public radiophile s'est rendu compte qu'il avait en lui un véritable créateur et non plus un de ces multiples fabricants mercantiles qui encombrent les ondes de leurs détestables mélodrames. Chaque texte de ce jeune écrivain portait la marque d'un talent robuste, original, ennemi de toutes les conventions. »

« Ce qui me frappait souvent, c'était un sentiment très vif de la poésie, d'une poésie diffuse dans les êtres et les choses et jusque dans les faits les plus simples comme les plus minimes de la vie quotidienne. Leclerc se montrait toujours exigeant envers lui-même, soucieux d'atteindre à une formule d'art qui lui fût personnelle. Le plus souvent, la faveur des dieux récompensait sa belle conscience professionnelle, il atteignait comme en se jouant aux plus hauts sommets de l'émotion et purifiait nos ondes de son lyrisme sincère et dégagé de tout procédé. »

... Ce n'est pas si mal, pour un débutant. Voici l'avis que donnera en 1949 le critique Gilles Marcotte – qui pourtant ne fut pas toujours tendre avec Félix : « Félix Leclerc, à ses débuts, semblait devoir apporter quelque chose de nouveau dans le petit patelin de la littérature canadienne. Il y avait dans ses sketches radiophoniques une fraîcheur de regard, une amitié avec la nature qui faisaient leur petite révolution... »

Une petite révolution, ce n'est pas si mal, pour un débutant... Et le même Marcotte écrira encore, dans *Le Devoir,* en 1951 : « Il y eut, voilà dix ans peut-être, une *vérité* Leclerc à laquelle toute une jeunesse – votre serviteur en était – s'accrocha comme à une bouée de sauvetage. Une pureté, une joie, un goût de la vie inconnus faisaient intrusion dans une littérature sclérosée et semblaient devoir en faire éclater les cadres. Aucun écrivain, certes, ne fit lever autant d'espoirs parmi les jeunes d'hier. » Pas si mal...

Voici enfin, toujours dans *Le Devoir*, en 1944, l'avis de Clément Marchand : « Écrivain radiophonique presqu'aussi connu que M. Grignon lui-même bien avant de paraître en librairie, il était porté aux nues par des milliers d'auditeurs parce qu'il introduisait dans notre radiophonie une sensibilité nouvelle. »

Eh! bien, ce n'est pas si mal, pour un débutant.

Félix est donc reconnu comme auteur. Et talentueux. Et s'il n'est pas une vedette, il est entouré d'un début de notoriété flatteur. Il gagne sa vie. Il écrit une – belle – émission sur le centenaire de sir Wilfrid Laurier, ancien Premier ministre fédéral (le 21 novembre 1941). Le 22 décembre 1940, un « spécial Noël », *L'Homme Dieu* lui a valu une carte de félicitation de l'archevêque de Québec, le cardinal Villeneuve. J'imagine la fierté de Fabiola. Ce n'est pas si mal, pour un débutant.

Bien sûr il reste le même : aller et retour de Sainte-Marthe à Montréal. Il n'est ni un citadin ni un intellectuel. Il voit bien que ses amis sont beaucoup plus ouverts que lui, plus éveillés, plus contestataires, plus assoiffés d'un nouveau désordre à venir, à chercher, à créer. Eux souffrent des pesanteurs de cette société, de la prise en main de toute chose par le clergé; ils ont le souffle court, ils voudraient de l'air. Mais lui, l'air, il le trouve dans son monde qui est à la campagne et qui est à l'intérieur de lui. Il est libre, follement libre à force d'être personnel :

– Les Montréalais, les lois les brimaient. Ils étaient des petits-bourgeois. Mais moi, j'étais libre; moi j'étais un habitant; quand ça n'allait pas, j'avais Sainte-Marthe et la nature. Et puis, j'étais très chrétien; ça m'empêchait de voir clair. Les intellectuels? J'étais pas avec eux. Ah, ça devait être merveilleux, leur bande, dans la cave à complots... Un jour, Muriel Guilbault qui essayait de me convertir, me faire lâcher tout ça, me dit : « On va avoir une grande visite, un grand écrivain de passage, viens-tu?

– Ça m'intéresse pas.

C'était Saint-Exupéry. »

Saint-Ex, de passage, venant des USA. Oui, parce que, d'autre part, c'est la guerre.

VII. « Speak white! »

Un jour de 1972, dans un amphithéâtre parisien, une centaine de jeunes Québécois sont réunis pour entendre une conférence sur la technologie des transports et des communications dans Paris et sa région. L'un d'eux demande la parole et, rouge de confusion, tragique jusque dans sa bouche en bois, devant ses compatriotes médusés, il interpelle l'orateur :

– Pourriez-vous m'expliquer pourquoi vous nous avez abandonnés en 1760 ?

Le gag flatte les Français, et leur nationalisme pépère. Il les conforte dans leur illusion tranquille : nous sommes une grande nation, éternelle et tout, le monde entier nous doit quelque chose et les pauvres cousins, là-bas, ils ne se remettent pas de nous avoir perdu, c'est bien normal, où sont mes pantoufles ?

En réalité, cette anecdote, outre sa valeur documentaire pour décrire « l'inconscient collectif », montre quel attachement les Québécois, cernés par les Anglais, d'abord, par les Américains ensuite, portent à leur culture. J'ai dit *leur* culture. Pas la nôtre : la leur. Ou plutôt, la nôtre à tous. Et s'ils aiment la France, c'est ni plus ni moins que nous : ne sont-ils pas la France jusqu'au XVIIIe siècle ? Pourquoi nous monopoliserions l'Histoire ?

En 1855, un bateau battant pavillon tricolore remonte le Saint-Laurent. Le premier depuis la conquête. Paul-Henry de Belveze est envoyé par Napoléon III pour ouvrir des relations diplomatiques. « Les populations accouraient à cette nouvelle en s'exclamant : voilà nos gens revenus (1). » Frisson sur les échines hexagonales.

En 1870, on aime encore la France : A Sedan, l'empereur Guillaume a vaincu. L'armée française se rend. « Ce soir-là, [...] les bureaux de *L'Événement* étaient restés ouverts. Une foule énorme, silencieuse, l'encombrait et faisait queue à la porte [...] Les uns – dit un témoin oculaire – étaient consternés et comme foudroyés dans leur plus chère affection. Les autres riaient aux éclats de la naïveté de ceux qui ajoutaient foi à la dépêche du roi Guillaume; ils se grisaient de gaieté pour ne pas laisser accès au désespoir [...] On resta longtemps, pleurant en silence, entourant le représentant de la France de la sympathie la plus vive, du respect le plus profond (2). » Nouveau frisson.

1914. Les Canadiens français pensent que cette guerre est celle de l'Empire britannique, pas la leur.

Il n'y a que quatre mille hommes sous les drapeaux du Canada. On engage des volontaires et, à la fin de 1916, l'armée est forte de plus de quatre cent mille hommes. Mais seulement quatre et demi pour cent des enrôlés sont francophones. Or, vers avril 1917, la viande fraîche commence à manquer. S'ouvre alors un débat national sur la conscription. Nous sommes tous les fidèles sujet d'Albion, dit l'un. Mais la guerre europénne paraît bien loin à l'autre, l'habitant de Limoilou. Il se demande ce qu'il a à défendre : au moment où on lui suggère de faire allégeance à la fédération, la province d'Ontario supprime l'enseignement en français dans les écoles! Les gens de Limoilou refusent carrément la conscription.

La loi est pourtant votée en août 1917. Émeutes à Québec. Les

(1 et 2) *Histoire de la littérature canadienne française,* Gérard Tougas, PUF, Paris 1960.

officiers commandant la troupe aboient en anglais sur la foule. Quatre morts, tués par les mitrailleuses de l'armée canadienne, des dizaines de blessés. Bien entendu, l'Église et la presse condamnent les émeutiers et réclament le rétablissement de l'ordre.

En France où, depuis 1789, on a dix mille tués comme rien pour la moindre augmentation du prix des tickets de quai, quatre morts, ça ne compte pas. Mais ici, les tués font un de ces boucans! La dernière fusillade remonte à Papineau en 1837-1838. La dernière exécution pour raisons politiques, celle de Riel, date de 1835. Ils ne sont pas perdus dans la masse, les morts; on s'en souvient!

A ce moment, sort de l'anonymat de l'Assemblée législative où il somnolait depuis cent pages, l'ancien amoureux de Fabiola Leclerc, souvenez-vous, ce Napoléon Francœur, « sérieux comme un livre » qui n'avait aucune chance contre Léo. Il va faire preuve d'un humour tout britannique. Il annonce qu'il va déposer un projet de loi : « La province de Québec serait disposée à accepter la rupture du pacte fédératif de 1867, si, dans les autres provinces, on croit qu'elle est un obstacle à l'union, au progrès et au développement du Canada. » Autrement dit : si vous trouvez qu'on n'est pas des bons Canadiens, virez-nous! Hélas, il n'ira pas jusqu'au bout de sa provocation – qui fit quand même la une des journaux – et il la retirera. Dommage, il aurait peut-être gagné le cœur de la belle. Allons, il a sa photo dans les livres d'Histoire!

La conscription sera appliquée à compter de décembre 1917. Des paumés, des chômeurs, des alcooliques pour boucher les trous dans les rangs. La paix fera sortir du bois des milliers de conscrits. La guerre aura fait soixante mille tués. Autant de fois toutes les larmes du monde.

Arrive 1939. Le 3 septembre, Angleterre et France déclarent la guerre à l'Allemagne. Radio Canada se lance à fond dans l'action psychologique. Dans les quatre semaines précédant le conflit, elle diffuse sur le sujet cent soixante-cinq émissions différentes et, entre mars 39 et mars 41, les « informations » passent de dix à vingt pour cent des programmes. Sans compter le « radio-théâtre » qui monte des dramatiques « destinées à souligner la gravité de l'heure et à raffermir les courages et la volonté de vaincre (1). » Félix se souvient vaguement avoir joué là-dedans. Les titres parlent tous seuls : *A la gloire de la marine, En l'honneur de la France, Par le travail vers la victoire,* etc. Félix se souvient, tout aussi vaguement, avoir écrit quelque chose... Une histoire d'oiseau espion... Bref, à part ce détail enfoui, il n'a aucun souvenir précis de la déclaration de guerre qui fait naître partout des assemblées, des articles de presse, des discours sur le ton de « nous ne partirons pas ». Il a même jeté sur le papier une « lettre au ministre de la guerre » publiée plus tard (lettre que je n'envoyai jamais : Mon cher ami... Je préfèrerais rester ici dans l'ennui et la vie ordinaire... Rester ici, bêtement, à l'arrière, sans avancement (2)...)

Vous êtes choqués ? Oui, il est un peu choquant, cet abstentionnisme vu de loin. Mais il est celui du peuple tout entier. Le peuple aime la France mais il ne veut pas partir.

Un jour, Félix sort de Radio Canada. « Au coin de la rue Dummond, je vois une bande de comédiens en larmes ; je m'approche : – La France est occupée. Jusque-là, on se moquait des Anglais à qui on faisait dire : Nous nous battrons jusqu'au dernier Français. » Mais soudain tout change. « Ce qui m'a le plus étonné, écrira André Laurendeau (3), c'est la douleur morne des foules montréalaises. Je ne croyais pas que, pour elles, la France eût cette réalité. Or, durant quelques jours, quelques semaines, elles auront l'air de porter le deuil. »

Janine Sutto : – On disait : La France est impie, c'est pour ça qu'elle est tombée...

(1) Fascicule CBC 1941. *(Réseau français, cinq années de progrès, 1936-1941).*
(2) *Moi mes souliers,* op. cit.
(3) *La Crise de la conscription,* op. cit.

Le Premier ministre fédéral a promis dès juin 40 que le gouvernement ne présenterait pas de mesure de conscription pour le service outre-mer. Présomptueux. Il a parlé trop vite : le 22 janvier 42, il doit annoncer un plébiscite sur la question.

L'opinion n'a guère changé depuis la Première Guerre. Comme à cette époque, l'habitant « sent qu'il possède une seule patrie, que seul ce coin de terre lui appartient. Sentiment de pauvres, si l'on veut. Sentiment d'un peuple agricole un peu fermé sur lui-même qui connaît sa propre faiblesse et doit économiser ses forces car il ne trouvera personne sur terre pour l'aider (1) ».

Encore un coup, les Québécois ne veulent pas du tout entendre parler de servir le roi. Servir le roi ? Les Français scandalisés se lèvent d'un bond : il ne s'agissait pas du service du roi d'Angleterre! Mais de la lutte contre la barbarie. Eh oui, ils ont raison, les Français. Pour une fois, dans leur Histoire qu'ils ont le bon droit de leur côté, ils peuvent bondir... Quoiqu'eux-mêmes, en 39, n'aient pas bondi ni montré un fort empressement à chanter des « A Berlin! » Et, malgré les efforts de Roosevelt, il faudra Pearl Harbour, à la fin 41 pour que les Américains s'éveillent...

Le 27 avril, le plébiscite est un animal à deux têtes. A 71,2 %, les Québécois refusent la conscription. Les autres provinces l'acceptent à 80 %! Les Québécois ont voté contre le gouvernement provincial, les partis politiques et la hiérarchie catholique. On n'a jamais vu un peuple se séparer si nettement de ses élites! « On se disait entre soi que le cardinal suivait la tradition britannisante de la hiérarchie québécoise (2). » Seul à épouser l'opinion populaire, le maire de Montréal, opposé à la conscription restera quatre ans en prison à Halifax.

Pour la durée de la guerre, il y aura six cent dix-huit mille soldats canadiens envoyés outre-mer. Les premiers conscrits n'arriveront sur

(1 et 2) *La crise de la conscription*, op. cit.

le champ de bataille qu'en novembre 44. Mais le débat aura empoisonné l'atmosphère. Le Canada est, plus que jamais, constitué de deux peuples étrangers. Et les élites auront été écartelées : D'un côté, la défense des démocraties, avec ce que cela représente : l'idée de progrès mais aussi le fédéralisme. Et de l'autre côté, la solidarité avec la nation québécoise, seule dans son île.

Félix : « 1940. J'arrive à Montréal. C'est la guerre mondiale. " Speak white, there's a war going on ", se fait-on dire par les commerçants... »

« Pas de conscription ? Mais oui, une conscription : des barges pleines de soldats canadiens français débarquent à Dieppe. Ils ont cet honneur. C'est une boucherie sans nom (1). »

La croyance est, en effet, profondément ancrée ici que les francophones ont été systématiquement mis en première ligne par le commandement. Sur les quarante-deux mille morts de la guerre, la part des parlants français n'est pas donnée par l'armée. Les historiens ne feront jamais parler ceux qui se sont tus pour toujours. On ne sait pas si Félix – et avec lui le Québécois moyen – exagère.

Quant à la conscription insidieuse, *Bonheur d'occasion,* de Gabrielle Roy, a montré comment la misère et la propagande transforment des chômeurs en volontaires. Montréal était une ville sinistrée par la crise. Le désespoir emplit les barges de débarquement.

Et ce « speak white ! » « Parlez blanc ! » « Parlez civilisé ! » Oui, ce propos méprisant : « Quand j'étais enfant, j'ai entendu un commerçant répondre cela à ma mère », témoigne le chanteur Claude Léveillée. Parmi tant d'autres ! Soyez pas retardataire, parlez blanc ! Soyez pas péquenot, parlez blanc ! Sortez de votre brousse, parlez blanc ! Parlez propre, les crasseux !

(1) *Rêves à vendre,* op. cit.

Voici une petite histoire. Félix se promenait avec un ami quand « il passa près de deux Anglaises qui les entendirent parler français. C'était vers 1940. L'une des dames dit alors à sa compagne : – They dare to speak french! » Ils osent parler français (1). Il saura désormais qu'être canadien français, c'est être méprisé.

Félix fera-t-il la guerre? « J'aurais aimé ça, partir en Afrique du Nord comme journaliste. Quelques-uns de mes copains l'ont fait : René Le Cavalier, François Bertrand... Mais à la visite médicale, j'ai été réformé. Classé E, à cause d'une pointe au poumon. » Félix est quelquefois dans l'Histoire; d'autrefois, il passe à côté. Souvent... Je ne peux m'empêcher de penser que ces années de guerre l'auraient définitivement transformé. Le temps perdu pour l'écrivain catholique aurait été gagné par un homme. Ah! Une bonne guerre...

Parlez donc civilisé! Pas facile. Le Canada français, depuis trois siècles est un silence; une absence de culture. Les mots viennent d'ailleurs, les exemples à suivre, les beautés à admirer, les systèmes de valeurs. « Tout se réglait plus haut, en dehors d'eux et bien souvent contre eux. La langue de l'Église, onctueuse et résignée s'élevait pour dire que les choses importantes seraient réglées après la mort. La langue de l'administration et de la politique, lointaine et contraignante s'élevait pour dire que les choses importantes seraient réglées par les Anglais. Faut-il ajouter que la langue de l'argent, des grosses affaires et de la grande politique parlait anglais. Le Canayen se repliait sur la vie privée tandis que le " parler en termes " faisait carrière dans la vie publique (2). »

Et la langue de l'art, c'était le français : celui de France. Les œuvres, les écrits, les idées viennent de Paris. Le « mot hideux de province », selon l'expression d'André Malraux, il faut aussi l'ap-

(1) *Bibliographie de Félix Leclerc,* op. cit.

(2) *Les Québécois,* Marcel Rioux, Le Seuil, Paris 1974, « Parler en tarmes » : Parler pointu, instruit, distingué.

pliquer à la belle province. Malgré la coquetterie des Québécois d'aujourd'hui qui prétendent – mais sans trop insister – « qu'il y avait tout de même quelque chose », il est certain, tous les historiens l'écrivent à longueur de pages, qu'il n'y avait rien. Et Félix peut ramasser la situation dans une image : « De temps en temps, un coin du dortoir s'éveillait. »

Je vous invite à une visite rapide du dortoir aujourd'hui dévasté, abandonné, ouvert à tous vents et où ont couru, hurlé, chahuté les pensionnaires encore timides des années 50, les potaches exaltés des années 60 et les indépendantistes débridés des années 70.

Quelques pas dans l'histoire de la littérature, pour commencer. « Aux alentours de 1850, une première pléïade d'écrivains (1)... » Selon Gérard Tougas, tout commence vers la moitié du XIXe siècle : « C'est en 1837 que paraît le premier roman canadien (2). » Mais *Maria Chapdelaine,* qui paraît en 1914, est « l'œuvre d'art que l'on souhaitait depuis un demi-siècle (3) ». Ça n'en finit pas de démarrer. Et ça démarre encore en 1945 : « Il aura fallu un siècle de tâtonnements avant d'en arriver à *Bonheur d'occasion* qui donna le signal de départ à la première génération de romanciers canadiens (4) ». Bon; mais ça démarre tout de même.

Dans la revue *Europe* (5), Réjean Robidoux, de l'université de Toronto, estime que « c'est aux abords de la deuxième guerre mondiale que se situe le seuil où la longue et médiocre préhistoire du roman canadien français débouche enfin. » Y sommes-nous ? Pas sûr : Maurice Blain, dans la revue *Esprit,* en 1952 (6) écrit que le roman québécois « présente tous les caractères de l'adolescence littéraire mais aussi tous les signes d'un progrès irrépressible vers la conquête de la maturité ». Alors, ça vient ?

Pas sûr. Une génération après les débuts de Félix, le poète Gaston

(1, 2, 3 et 4) *Histoire de la littérature canadienne française,* op. cit.
(5) Revue *Europe,* Paris, février 1969, *Littérature du Québec.*
(6) Revue *Esprit,* Paris, août-septembre 1952, *Le Canada français.*

Miron écrit : « La littérature, ici, c'est une conviction, existera collectivement et non plus à l'état individuel le jour où elle prendra place parmi les littératures nationales, le jour où elle sera québécoise (1). » Elle ne l'est donc pas ? Il faut croire que non.

Dans le dortoir où rôdent des petits génies avortés, somnambules aux mains tendues qui, de temps à autre produisent un cri, il y a un jeune homme qui construit, tout seul, un pays dans sa tête. Il rêve, lui aussi, mais ses yeux grands ouverts lui apportent les visions de pays qui manquent aux autres. Eux sont des intellectuels, des fils de bourgeois; lui est un gars de la campagne. Ils sont nourris de livres et savent écrire; lui admet qu'il a peu lu et ne sait que conter. Il est fils de colon; ils rêvent de Paris. Il rêve d'égaler son père; ils pensent qualité littéraire. Il piège les mots qui passent, il fait tomber des arbres, il marche dans des lacis de phrases, il ne sait où il va; il marche, il cherche un pays; il se cherche. Bien sûr, lui manquera toujours cette dimension urbaine. Dimension urbaine! Quel paradoxe qui veut que l'espace soit un handicap... On peut le considérer comme un dinosaure : le dernier colon, le dernier pionnier, le dernier vrai Québécois. On peut dire aussi qu'il est le premier Québécois et que son message tient en quelques mots d'une fable qui, à travers l'image de l'arbre, de la rivière, du colon, est une provocation à tous les jeunes gens : J'ai deux montagnes à traverser... deux rivières à boire... une ville à faire avant la nuit... Un pays.

« Ils sont un peuple sans Histoire et sans littérature », concluait un peu tôt lord Durham, dans un célèbre rapport à la reine, en 1839. Ils sont peu nombreux, ils n'ont pas d'élites, ils devraient mourir d'asphyxie! C'est la thèse, très pacifique, de lord Durham : noyons-les sous les immigrants. Eh bien, ce sont eux qui vont noyer les immigrants. Ils rentrent dans le bois, ils se multiplient, ils se taisent, ils rentrent dans l'ignorance : « Notre ignorance nous a sauvé de

(1) *L'homme rapaillé,* Presses de l'université de Montréal 1970.

l'assimilation. » Mais arrive le temps où il faut créer le pays. Le pays, c'est-à-dire la culture.

Paradoxe stupéfiant. Ce peuple, au bord de l'Histoire, ce dortoir en attente du baiser d'un prince qui n'en finit pas de somnoler, de s'éveiller, de somnoler! Ce moribond qui n'en finit pas de naître! Et qui vit à force de naître. Et qui inspire cette phrase stupéfiante au grand historien du siècle, l'Anglais Arnold Toynbee : « Je prédirais volontiers qu'il y a de l'avenir dans le vieux monde pour les Chinois et dans l'île d'Amérique du Nord pour les Canadiens. Quelque soit l'avenir de l'humanité en Amérique du Nord, je suis pour ainsi dire sûr que ces Canadiens de langue française, en tout état de cause, seront encore présents au dénouement de l'aventure (1). » Quel compliment en forme de drapeau!

Paradoxe stupéfiant : Ce peuple qui ne vit que de naître, cette bouche cherchant l'air...

Examinons l'Histoire de l'édition. « Les livres que nous lisions, dès le premier, étaient tous – presque tous – des livres français et on pouvait arriver à l'âge d'homme sans avoir lu un seul ouvrage canadien (2). » La belle librairie Garneau qui trône à Québec, en haut de la côte de la Fabrique, comme un reposoir, depuis 1844, ne doit pas faire illusion : « En 1939, le public restait trop restreint pour permettre aux rares maisons d'édition canadiennes d'envisager avec confiance la publication d'un manuscrit, fût-il marqué du sceau du génie (3). » Difficile, dans ces conditions de percer...

En 1939, les éditeurs locaux publient deux cent soixante-neuf titres en français dont un quart d'ouvrages religieux. La guerre va tout bousculer. La France, à son tour, est bloquée par les glaces. Les bouquins n'arrivent plus. Alors les éditeurs se jettent à l'eau. Des classiques d'abord, puis des œuvres indigènes. En 1943, cinq cent

(1) *La Civilisation à l'épreuve,* Arnold Toynbee, Paris 1951.
(2) *Le Compositeur canadien,* J. Rudel Tessier, janvier 1966.
(3) *Histoire de la littérature canadienne française,* op. cit.

seize titres! Puis, en vingt ans, la courbe démographique aidant, ils rattraperont leur retard statistique : mille cent titres en 1961. (La France, dix fois plus peuplée, publie alors onze mille titres mais le chiffre québécois représente beaucoup plus de risques financiers et demande plus de dynamisme.)

En attendant 1961, le dortoir roupille, protégé par « l'Index », c'est-à-dire la liste des livres déconseillés par la Sainte Église, liste dressée – c'est le cas de le dire – en permanence dans le fameux manuel de l'abbé Bethléem dont on ignore s'il les a tous lus, tel un père Gaucher goûtant son élixir. Je l'espère pour lui. Il aura ainsi traversé les tentations de la vie en profitant quand même du paysage. Voici le témoignage d'un libraire des années 50 (1) : « Les auteurs français les plus lus au Canada sont Daniel-Rops, Claudel, Van der Meersch, Péguy, Mounier, Thibon et quelques autres dont le nom, à cause de leur caractère audacieux, doit être omis par prudence ». Effrayant.

Et voici le statut des intellectuels décrit par Guy Blain (2) : « Les uns sont ouvertement incroyants mais ils ne sont guère loquaces. Ils vivent en clans et s'expriment en de rares manifestes que personne ne court le risque d'imprimer. Personne, ici, ne vit ni ne pense isolément : dérange-t-il l'ordre établi et qu'il se sente seul, un intellectuel s'exile ».

En 1950! Difficile, en effet, de faire du motocross au milieu des cierges. Ces gars-là, ce sont les habitués de « la cave à complots » dont me parlait Félix. Je suis sûr que cette cave est sa nostalgie. Si c'était à refaire, il éviterait d'être un « écrivain catholique »... Oui mais... « qui avait vu autre chose ? » Comment être différent lorsqu'on est un fils de colon, fils de paysan, « sortant du bois » ? Peut-on échapper ? s'échapper de sa destinée ?

Cette société est grillagée d'index qui proscrivent, d'un doigt

(1 et 2) Cité par D'Iberville-Fortier, *Esprit*, op. cit.

définitif, toutes les différences : « Vers 1950, j'autocensurais « maîtresse » et « amant » dans *La Reine morte* de Montherlant, avoue Jean-Louis Roux, aujourd'hui directeur de l'École nationale de Théâtre. Ma troupe, le TNM, était installée au Gesù, propriété des jésuites. On devait soumettre notre répertoire à leur agrément. Ils ont refusé *La Puissance et la gloire* de Graham Greene et *L'Opéra de quat'sous* de Brecht. Le film *Les Enfants du paradis* a été interdit par Duplessis. Et puis, vous savez, on prenait la scène du mariage à la fin du film pour la monter au début! Comme ça, les scènes d'amour étaient présentables... »

L'Église se bat avec son doigt : elle contrôle trois cents salles de cinéma et, de 51 à 56, elle distribue même en exclusivité Métrogoldwyn et Ranks. Elle n'est pas prête à lâcher son pouvoir.

Et puisqu'on est au cinéma, sachez aussi qu'il faudra attendre 1946 et les accords Blum-Byrnes (le plan Marshall) pour que les Québécois puissent voir du cinéma doublé en français!

Aculturation. Le « A » est privatif. Ce mot a dû être inventé pour le Québec. A vrai dire, il convient à tous les peuples colonisés. Aculturation. Il faut encore et toujours en revenir au système scolaire. « Pour l'année académique 1933-1934, l'université de Montréal, en faisant des miracles d'économie, avait réduit ses dépenses à 416 678 dollars... Pour la même année, l'université MacGill avait un budget de 2 577 932 dollars (2) ». Les enfants de la bourgeoisie anglophone recevaient donc six fois plus d'argent pour une population six fois moindre, à l'époque.

Aculturation. « Je me souviens d'une réunion du conseil des ministres en 1964 [...] C'était une prise de conscience absolument terrible : les deux tiers sinon les trois quarts des adultes franco-

(1) *Histoire du catholicisme québécois*, tome 2, op. cit.
(2) *La Question du Québec*, Marcel Rioux, Seghers, Paris 1969.

phones québécois n'avaient pas terminé leur école primaire (1). »

Et moi, j'irai chercher des preuves de l'aculturation jusque dans la pratique de l'héroïsme internationaliste : « Tim Buck, le leader du parti communiste recruta le bataillon Mackenzie-Papineau pour appuyer les républicains espagnols. Environ (sic) 1 239 Canadiens s'enrolèrent dont une trentaine de Canadiens français seulement (2). » Salut aux trente, plus héroïques encore d'avoir été orphelins...

La conclusion, je l'emprunte encore a Jean Hamelin, terrible : « La vaste entreprise d'aculturation que l'Église a amorcé au siècle dernier a réussi (3). »

Et maintenant, parlez donc civilisé. Speak white, please.

On ne peut mettre en date, en citation ni en chiffres l'essentiel. L'aculturation, c'est surtout la honte du colonisé à l'égard de sa culture, de ses valeurs, de sa langue. Cette honte court comme l'air dans toute la société québécoise, ce manque de confiance en soi, cette mentalité de perdant, cette crainte. Ce n'est pas rien ce symbole : le saint-patron du Québec, c'est Saint Jean-Baptiste, le pasteur, suivi de son mouton.

La langue, j'ai dit, oui. Car il y a toujours des collabos fringants qui vous traitent de ringard parce que vous ne parlez pas anglais, parce que vous vous complaisez dans des histoires passéistes, parce que vous ne chantez pas la musique de votre temps... On rit ici, en racontant qu'il était de bon ton, autour de la guerre, de parler québécois avec l'accent anglais : « J'ahuive de Monthuéal... » Et souvenez-vous que l'enseigne de Léo Leclerc, à La Tuque, était en anglais.

– Quand j'étais jeune, me dit Gaston Miron, le français n'était pas la langue de la promotion sociale! Juste après guerre, on parlait

(1) René Levesque, *l'Actualité*, octobre 85.
(2 et 3) *Histoire du catholicisme français*, tome 2, op. cit.

de « lausy French » (Français pouilleux). Dans l'avion, j'exigeais de me faire servir en français, on détournait la tête; j'étais noté provocateur. Quand j'étais enfant, dans mon costume neuf : « Tu es beau comme un petit Anglais. »

Alors, on laisse la culture française sombrer ? On l'abandonne à sa dégénérescence ? On accepte enfin de parler civilisé ?

Venons-en au théâtre. Le théâtre, comme le reste, cela n'existe pas. C'est dommage parce que – souvenez-vous d'*Iphigénie* – Félix est fasciné par cet art. Il donnerait n'importe quoi, dira plus tard le père Legault, pour avoir sa troupe à lui. Malheureusement, le théâtre, cela n'existe pas.

« Ne nous attardons pas au théâtre canadien, explique Tougas (1) il a été jusqu'à l'époque contemporainc au-dessous du médiocre. Il ne pouvait sans doute pas en être autrement car le théâtre a besoin d'un public raffiné... Sarah Bernardt qui vint jouer six fois à Montréal entre 1880 et 1916 conclut que les Canadiens n'étaient pas mûrs pour le théâtre. » Il est vrai que l'index de monseigneur Bruchési avait chassé les spectateurs. Et que les propos de l'actrice, plutôt directs, ne lui ont pas attiré la sympathie. Le journal *L'Événement* du 4 décembre 1905 lui fait dire : « Vous avez un beau pays mais c'est tout. Depuis vingt-cinq ans, l'agriculture, peut-être à prospéré mais le reste ? Vous n'avez pas de peintres, vous n'avez pas de littérateurs, vous n'avez pas de sculpteurs, vous n'avez pas de poètes... Fréchette, peut-être et un autre jeune... Mais, sacristi, vous n'avez pas d'hommes, vous n'avez pas d'hommes... » Toujours le même refrain : pas de classe moyenne, pas de bourgeoisie éclairée, pas d'intellectuels, pas de culture!

« Avant la guerre, il n'existait au Canada, tant français qu'anglais, aucune compagnie de calibre professionnel, aucun répertoire qui put être joué continûment. Le théâtre classique français était

(1) *Histoire de la littérature canadienne française*, op. cit.

abandonné aux séances de fin d'année des collèges. Le théâtre étranger était presque entièrement ignoré. Seul avait le droit de cité un théâtre parisien de boulevard d'une qualité discutable, joué de façon tout aussi discutable par des comédiens qui gagnaient principalement leur vie à la radio (1). »

Et maintenant, une balade en bateau. Pour que Félix rencontre le théâtre, il nous faut faire un détour par la France.

Après la Première Guerre mondiale, le théâtre parisien vole bas. Très bas : « Désolant, obsédé par le cœur et la fesse bourgeoise, poisseux de sentiments et d'émotions [...] La clientèle, quand elle voulait seulement s'élever, avait Rostand et c'est tout dire (2). » Contre ce « bloc de succès », ni Jules Renard, ni Romain Rolland, ni Antoine, ni Gémier, ni Jarry n'ont prévalu : « Affluence et recettes les ont boudés (3). »

Mais voilà qu'au fond de la salle apparaît un de ces fous comme il en naît périodiquement dans l'histoire de l'art dramatique, un de ces excités du retour aux sources, de ces sabreurs du spectaculaire, de ces contempteurs du flon-flon, du stuc, du décor réaliste, du luxe et des tenues de soirées, un de ces petits frères des pauvres de la beauté qui transforment le théâtre en abbaye et la loge en cellule avec pour toute religion l'essentiel : Jacques Copeau, moine comédien, comme il y a des moines soldats. Il dénonce « L'accaparement des théâtres par une poignée d'amuseurs à la solde des marchands éhontés... Partout le même esprit de cabotinage et de spéculation, la même bassesse, le même bluff, la surenchère de toute sorte et l'exhibitionnisme [...] parasitant un art qui se meurt [...] Une critique de plus en plus consentante, un goût public de plus en plus égaré. Voilà ce qui nous indigne et nous soulève (4). »

Copeau crée le théâtre du Vieux Colombier. Il est appuyé par la

(1) *Le Théâtre au Canada français*, Jean Hamelin, ministère des Affaires culturelles, Québec 1964.
(2, 3 et 4) *Histoire d'une famille théâtrale*, Hubert Gignoux, Éditions de l'aire, Lausanne 1984.

bande de la NRF naissante : Gallimard, Claudel, Benda, Fargue, Valery, Romain, Martin du Gard. Ça marche. Une nouvelle clientèle se forme, fervente : des jeunes, des intellectuels, des bourgeois éclairés. Tant il est vrai que, dans ce vieux pays, ce n'est pas l'aculturation qui pose problème, mais une culture trop sûre d'elle-même qui s'abandonne et se pervertit, comme trop gavée de richesses et à qui il ne reste plus, en guise d'euphorisant, que d'essayer la volupté des sucreries. Puis un jour elle doit se mettre au régime.

Un soir d'avril 1920, un autre illuminé, Léon Chancerel, entre dans la loge de Copeau. Encore un pour qui l'art est « un moyen de s'élever et d'exprimer l'élan des âmes (1). »

« Ah, la belle leçon de simplicité que cette loge exiguë, unie, sans autre meuble ou bibelot que d'utilité professionnelle... C'est le seul théâtre de Paris où l'on puisse mener son âme sans qu'elle ait honte d'être là (2). »

Je ne suis pas loin de Félix. Toutes ces âmes en balade, la sienne est au milieu. Ceux qui auront un jour visité sa loge à l'issue d'un spectacle l'auront reconnue dans la description de Chancerel. Elle ne ressemble pas à celles, encombrées de photos, fétiches, télégrammes, ex-votos, tours Eiffel, souvenirs de l'Alcazar, sorties de bain, machines à café, champagne et postes de télévision qui sont le petit chez-soi des stars à sa mémère. Pour Félix, la loge est un outil de travail, simplement. Et sa conception de la chanson tiendra toute sa vie en un phrase : « Je ne suis pas un chanteur, je suis un homme qui chante. » Au fond, une morale comme celle de Copeau.

Quelques années après l'aventure du Vieux Colombier, Chancerel va tenter de reprendre le flambeau tombé des mains de Copeau. Le renouveau est du côté de la jeunesse. Il faut prendre la jeunesse où elle est : dans les mouvements d'action catholique. Chancerel opte

(1 et 2) *Histoire d'une famille théâtrale*, op. cit.

pour le scoutisme. Tandis que, pas loin, d'autres, aussi idéalistes mais de filiation laïque et socialisante vont créer le groupe Octobre (Les frères Prévert, Raymond Bussière, Maurice Baquet, Mouloudji, Francis Lemarque, etc.), Chancerel invente les « Comédiens-Routiers » : de très jeunes scouts qui, dès 1936 vont jouer, d'abord pour d'autres scouts puis, se professionnalisant, essaimeront jusque dans les années 60. Ils vont lancer un répertoire nouveau, fait de pièces courtes, de « saynettes », de « jeux scéniques », de récitatifs à plusieurs voix, un répertoire simple et facile à monter. Et pour les jeunes, une pédagogie. Passeront là Hubert Gignoux, actuel sociétaire de la Comédie-Française, Olivier Hussenot, Bernard La Jarrige, le marionnettiste Yves Joly et... quelques chanteurs : Jacques Douai, deux des Fères Jacques, le Suisse Gilles, auteur des *Trois cloches*. Quant à moi, je puis témoigner que, jeune scout, vers 1960, j'assistai dans une salle paroissiale de Rennes à des représentations montées par de tardifs héritiers des Comédiens-Routiers. Les éditions Billaudot me fournissaient les textes (« Comme elle allait à la rivière/à la rivière la jolie/à la rivière à laver. ») Influence durable, par conséquent. Il faudrait expliquer aux historiens de la chanson que cet art est moins marqué par l'histoire du show-business que par l'influence souterraine du mouvement associatif depuis les Comédiens-Routiers jusqu'aux maisons de jeunes et de la culture des années 70.

Ce soc de charrue, conduit par Léon Chancerel rencontrera avant-guerre celui d'Henri Ghéon, autre animateur du théâtre populaire chrétien. Félix : J'ai rencontré Ghéon; j'ai même écrit un article sur lui dans les *Cahiers des Compagnons* (1)...

Voilà. Parmi les disciples enthousiastes de Chancerel et Ghéon, il y a un jeune curé canadien, l'abbé Legault, religieux de l'ordre de Sainte-Croix. – Pour le père Legault, s'exclame Félix cinquante ans

(1) *Les Cahiers des Compagnons*, Montréal, janvier-février 1945. Il s'agit d'une « revue d'art dramatique » de belle tenue qui vécut deux ans.

plus tard à la seule évocation du nom du maître, Léon Chancerel, c'était le bon Dieu!

En septembre 1937, le père Legault fonde les Compagnons de Saint-Laurent : une bande de comédiens amateurs très jeunes; ils ont tous moins de trente ans.

Jean-Louis Roux assure qu'il « parvient à inquiéter les comédiens professionnels les plus endurcis qui ne voyaient jusqu'alors de salut que dans le théâtre de boulevard (1). » Hamelin lui attribue le qualificatif de « véritable pionnier de la renaissance théâtrale » et à son théâtre celui de « centre de rayonnement et foyer de vie culturelle dont l'influence fut considérable sur la formation d'une nouvelle élite canadienne française (2) ».

Il va mettre au monde – j'allais dire porter sur les fonds baptismaux, il y a un peu de ça – une génération de comédiens et fondateurs de troupes : Jean-Louis Roux, Yvette Brind'amour, Thérèse Cadorette, Georges Groulx, Jean Gascon. Et, bien sûr, Félix Leclerc.

Pas comme comédien! Comme comparse seulement, puis auteur. Et par l'intermédiaire de Mauffette, forcément. C'est lui qui entraîne son nouvel ami chez les Compagnons. Une grande maison au coin de Saint-Viateur et Outremont. On y travaille le théâtre, on y vit, on y chante, on y rit, on y prie.

(1) Revue *Europe*, op. cit.
(2) *Le Théâtre au Canada français*, op. cit.

VIII. « J'haïs ça chanter »

« J'ai lié connaissance avec Félix Leclerc dans mon petit bureau des Compagnons, rue Mont-Royal-est : un grand maigrelet d'échevelé qui avait l'air de se chercher [...] Un tourmenté du beau tourment qui avait quelque chose à dire et *qui cherchait une tribune*. » La scène se passe chez le père Legault, dans les premiers jours de la rencontre avec Mauffette. Félix entre à peine – et avec peine – à Radio Canada. – Tu n'as pas un ami qui pourrait te pistonner ? – J'ai un copain au secrétariat particulier de MacKenzie King (1)... – Demande lui de plaider ta cause auprès du Premier ministre.

Ça fonctionne comme ça, à l'époque. Piston, népotisme, clientélisme. Le maire Filion raconte ses débuts : « En 1934, la fonction publique n'existait pas. On entrait à l'emploi du gouvernement par faveur. C'est par relations que j'y suis parvenu. »

Réponse de Félix : « Jamais. Je ne veux solliciter aucun appui officiel. Je voudrais arriver à être accepté pour ce que j'apporte [...]

(1) Le Premier ministre fédéral. Le copain en question c'est le sénateur Vien.

Je voudrais qu'un jour ma mère soit heureuse de son gars, à cause de son gars tout seul (1). »

Beau sentiment. Pas un révolutionnaire, Félix ; il va pas changer le monde, non ; il va simplement – tourmenté du beau tourment – tenter de vivre avec honneur. Simplement.

Au passage, l'abbé qui, par la suite, a longuement pratiqué le personnage, en livre ce portrait moral : « Le comique impénitent qu'il y a en lui, cet aspect irrésistible de sa personnalité que l'on ne peut soupçonner si l'on n'a pas le bonheur d'entrer dans son intimité, son humour souriant, son bon sens de terrien, c'est son père. Sa mère lui a donné sa dimension spirituelle, la santé de son âme. »

Voilà donc le jeune homme dans la bande à Legault. Andrée et sa cousine son entraînées dans le sillage. Et Yves, le frère d'Andrée.

« Nous courions donc les fêtes et les occasions pour jouer la comédie ancienne dans les salles de quartier. Il avait compris, presque seul contre tous, que le comédien, en jouant la comédie glorifie Dieu autant que le curé qui exerce son ministère [...] Il voulait que l'artiste ait droit de cité autant que l'avocat ou l'industriel. Ce qui lui crevait le cœur, c'était l'ignorance de l'autorité qui ne voyait ni l'utilité, ni la nécessité de l'artiste, le gaspillage des talents égarés par erreur dans des vocations où ils n'avaient rien à faire et le minable idéal des compilateurs d'écus. Il savait de longue date qu'un pays sans artiste est un pays sans esprit. [...] Si aujourd'hui quelques poètes sont hantés par une dramaturgie nationale, les comédiens par des rôles d'expression universelle canadienne et une partie de la population par la hâte de se voir reconnue et applaudie à l'étranger, nous lui devons, dans les premiers labours, les premières semences (2). »

A part dc d'ça, comme on dit, le père Legault n'est pas facile à vivre. Certes il « possédait le don de créer la ferveur et l'enthousias-

(1) *Confidences*, op. cit.
(2) *Moi mes souliers*, op. cit.

me » comme dit Jean-Louis Roux (1). Mais il est aussi autoritaire et dogmatique. Il faut avoir l'esprit ou sinon... Et puis ses talents de metteur en scène sont controversés. Certains le trouvent un peu « patronage ». Et surtout, comme me le confiera un ancien Compagnon, « ça a duré longtemps, le clergé... »

Oui mais, il y a cette morale du théâtre : « Le théâtre n'est pas la chasse gardée du génie. Il est un métier, un métier dur, exigeant, laborieux, où entre sans doute plus d'intuition que de technique, plus d'inspiration que de dissertation. Mais un métier à taille d'homme où peuvent accéder les mordus, les obstinés de poésie, sans pour autant être justifiés de jouer les phénomènes. » Et à Jean Gascon, il déclare durement : « Tu sais, mon vieux, tu es pourri de talent. Tu as à porté de mains des tas de succès faciles mais flatteurs. Es-tu prêt à embarquer dans notre affaire ? Ce sera dur : l'anonymat, la vie d'équipe, le service d'un répertoire exigeant. Des années d'austérité en perspective. Mais aussi la satisfaction de faire quelque chose de profond, de constructif (2). » L'anonymat, oui, car les noms des comédiens n'apparaissent ni sur les affiches ni sur les photos que publient « Les Cahiers des Compagnons ».

En attendant, le beau tourmenté est embarqué, ravi, enlevé dans la folie d'un curé de huit ans son aîné. Il aime cette exigence, cette hauteur de vue. Après tout, ceux qui ont vu Félix Leclerc entrer en scène, à soixante ans, avec sa chasuble en laine n'ont-ils pas eu l'impression de voir une sorte de moine chanteur ? Eh bien, sa façon d'être en scène, c'est l'éthique du père Legault, l'éthique de Chancerel, l'éthique de Jacques Copeau...

Il joue de temps à autre. Mais il n'aime guère ça. Il a choisi sa voie, n'oubliez pas : il est écrivain.

Chanteur ? Ce n'est pas son affaire. « Guy Mauffette me faisait chanter mais avec peine et misère; chanter, ça m'intéressait pas. »

(1) *Lettres québécoises*, op. cit.
(2) *Confidences*, op. cit.

– J'haïs ça, chanter; gémit-il à la belle Janine. Exagère-t-il ? Je ne crois pas. Il y a dans l'exercice du métier, dans l'acte de se montrer en public, de se livrer aux regards, une violence qui secoue ce timide. Dans la troupe, il se contente de vivre avec les autres, jouer les utilités. Quand il faut chanter, dans l'une des innombrables veillées qui font les beaux soirs de la maison des compagnons, il y va de « sa voix de bœuf » (voix de beû) comme dit Dulude. « Et ce qui surprenait les gens, c'est qu'en plus, il sifflait dans ses chansons. »

– Certains l'admiraient, d'autres le regardaient avec condescendance. Si vous m'aviez dit à ce moment-là qu'il deviendrait une vedette, je ne vous aurais pas cru, avoue Jean-Louis Roux.

Il est un *écrivain*. Et, comme son rêve est d'écrire du théâtre, il observe. « Il avait alors l'air de piétiner derrière nous, nous enviant, sans doute, de traverser allègrement les terres généreuses de la comédie (1). » Pour le moment, voilà toute sa façon de défricher : observer, écouter, suivre le père Legault.

« Dans ce pays du Nouveau Monde où le théâtre est aussi peu connu que la culture du riz, il est bien difficile de ne pas être pionnier malgré soi, dans n'importe quel domaine où vous lancez vos énergies. Lui, c'était le théâtre et moi de le regarder faire et de m'instruire. Avec une dizaine d'autres mordus, je l'ai suivi dans ses déménagements à travers la ville, de sous-sols en maisons de rapports, de greniers en salles publiques, de caves en roulottes, jusqu'au bout d'un champ de patates situé près d'un lac, à trente milles de la cité (2). »

Le champ de patates, nous en reparlerons plus tard. Aujourd'hui, nous baignons dans les fleurs : ce 1er juillet 1942, à Notre-Dame-de-Montréal, le père Legault chante la messe de mariage pour Félix et Andrée. J'imagine l'émotion de Léo et Fabiola, mariant leur gars

(1) *Confidences*, op. cit.
(2) *Moi mes souliers*, op. cit.

à la fille adoptive du sénateur. Vous m'accorderez bien une place dans la nef...

La mariée est jolie, intelligente sans être une intellectuelle, ils s'aiment : le grand efflanqué parleur à la voix suraiguë, la petite blonde distinguée à la voix grave. Drôle d'attelage. Ils s'aiment. Sur le parvis, ils font face à la Place d'armes. Plusieurs mondes leur rendent leur regard : tous les âges de l'aventure bancaire de Montréal et, au milieu, la statue du gouverneur Maisonneuve dominant quelques Iroquois. Et au dos du socle : « The citizens of Montréal – grateful – 1895. » Allons! pas de politique le jour du mariage...

Félix est accueilli « comme un fils » par le sénateur. Quelle atmosphère familiale ?

– C'étaient des bourgeois, bien logés, bien dans leur peau, bien chrétiens, aussi. Pas plus ouverts que nous, pas plus inquiets, pas plus cultivés. Nous étions un peuple sans Histoire et sans histoires. Même la bourgeoisie. Et puis, il n'y avait pas ces séparations de classe, comme en France... »

Cascade de mariages : Mauffette épouse Louise, la fille du sénateur ; Yves, frère d'Andrée prend la Compagnonne Thérèse Cadorette. La maison des Compagnons accueille le monde. On y trouve même un futur ministre, Gérard Pelletier qui, avec sa jeune femme y loge pendant deux ans. Tout va comme dans les jeunesses de nos parents : on s'aimait, on chantait, on riait.

En 1942, les Compagnons investissent « L'Ermitage », une salle de huit cents places. Gascon, Roux, Groulx y jouent *Les Fourberies de Scapin, Le Barbier de Séville, Oedipe-roi* de Cocteau, *Briser la statue* de Gilbert Cesbron. La troupe se professionnalise. « Faute de concurrents, ils accaparent toute l'attention » écrit Hamelin (1). La concurrence se prépare à naître. Dagenais, ayant épousé Janine Sutto lance « L'Équipe ». Le théâtre québécois sort des limbes.

(1) *Le Théâtre au Canada français*, op. cit.

Sitôt marié, Félix entraîne « Dedouche » à la campagne. Pendant un an, ils vivent à Saint-Jovite, perdus dans les Laurentides, à cent kilomètres au nord de Montréal, dans « les pays d'en-haut ». Félix s'y sent bien pour écrire. Une douzaine de dramatiques par an. Mieux payées toutefois : la première série ayant connu un beau succès, la direction le convoque.

« La grande nappe et les gants blancs! Et on m'offre trente-trois émissions, le double de la première saison. On double aussi mon cachet. Je dis non. Étonnement. – Mais ça sera plus facile pour vous! – Justement, c'est pour ça que je lâche. »

Est-il vantard? Je ne crois pas, l'ayant entendu cent fois reconnaître ses faiblesses. A peine est-il enclin à embellir. Pas vantard, juste très menteur...

A Saint-Jovite, il reçoit la visite d'un prêtre de Trois-Rivières, l'abbé Albert Tessier, qui n'est pas encore monseigneur. Vous vous souvenez, celui qui croyait avoir la vocation de journaliste. Il est responsable de mouvements de jeunes. Il a entendu Félix à la radio. Il loue un « camp » à proximité et passe plusieurs jours à lire les textes d'un Leclerc incrédule qui ne se sent pas prêt à publier, qui se considère encore comme un apprenti. Puis il lui annonce son intention : il va l'éditer. Les pieds du Félix s'enfoncent d'un mètre dans le sol.

Une jeune maison d'édition existe à Montréal : Fidès, créée en 1937. Elle est dirigée par un autre ami du père Legault, l'abbé Martin. Tessier s'entendra avec lui : il apportera l'argent. Premier tirage : quatre mille exemplaires, imprimés sur les presses du Bien-Public, à Trois-Rivières. Distribution par Fidès. C'est un fonceur, Albert Tessier. Il cherche un jeune pour parler à tous ces jeunes de la province qui emplissent encore les mouvements d'action catholique, un jeune qui participe à ces nouveaux médias : la radio, le théâtre. Il croit avoir trouvé en Leclerc, l'oiseau qu'il chasse. Et c'est un piège béant qui s'ouvre devant le jeune homme : publié sans avoir suffisamment appris le métier, il va être investi d'une mission, d'un statut, étiqueté écrivain catholique. Les chrétiens vont le faire vivre, oui. Mais ils vont aussi l'empêcher de se libérer. N'y serait-il pas parvenu plus aisément s'il était resté auteur radiophonique ? Le voilà prisonnier dans un cercle infernal : une kyrielle de synonymes : religion, conservatisme, campagne...

Outre sa timidité naturelle et une orgueilleuse conscience de ses limites, Félix, ce jour-là est retenu par une récente expérience qui l'a quelque peu échaudé. Il a, en effet, donné à une revue littéraire une de ses nouvelles intitulée *L'Orage* (1).

Et la première critique est tombée. Jusque-là, il n'avait eu que des louanges pour son travail. Mais chez les littéreux, ici comme en France, il faut savoir prendre les patins. Félix a un peu trop l'air de sortir du bois. Cette critique est dure. Elle ne sera pas la dernière. Par ailleurs, elle fait bien plaisir au biographe car elle est le plus ancien papier d'archive concernant Leclerc retrouvé à ce jour. Elle est signée par Charles A. Lussier (2) « Disons dès le début que nous croyons sincèrement en la probité littéraire de cet auteur... Nous louons à haute voix les rares prosateurs de la radio qui, comme Félix Leclerc, ont la décence d'éviter les artifices désuets... Malgré cette opinion favorable nous nous expliquons mal l'insertions de *L'Orage* dans une revue littéraire. D'excellents textes radiophoniques ne conviennent plus du tout au genre supérieur de la revue... La psychologie élémentaire de *L'Orage*... devient d'une évidence simpliste dans des pages de choix... »

Question de style – le style radio n'est pas construit comme un style écrit ? Affaire de vanité – l'élite intellectuelle n'est pas prêteuse... ? Ou problème de talent ? Quoiqu'il en soit, ces premières flèches ont touché au ventre.

(1) *Adagio*, op. cit.
(2) *Le Quartier Latin*, 22 octobre 1943.

C'est donc avec une certaine appréhension qu'il voit partir l'abbé Tessier, un gros paquet de feuilles sous le bras.

Trois recueils vont paraître coup sur coup en moins de deux ans (43-44). *Adagio, Allegro, Andante.* Une vingtaine de nouvelles dans chaque livraison. Succès public immédiat, sans constestation. « Au delà de mes espérances, un tirage de cinquante mille (1). »

Combien ? Voyons cela d'un peu plus près. J'ai cherché à savoir mais l'avarice des éditeurs quant aux chiffres oblige l'enquêteur à des déductions qui sont autant de contorsions autour de données partielles. Fidès ne fait pas exception à cette règle, cette loi du silence qui semble une loi du milieu. Une démarche officielle en 1986 me rapporte, en plus d'un charmant accueil, quelques feuillets peu bavards. *Adagio* en est à sa vingt-troisième édition (1986). *Allegro* à sa seizième (1982) et *Andante* à sa quatorzième (1976). Parmi les tirages qu'on veut bien me communiquer, je note qu'en 1966, on atteignait quarante mille exemplaires pour *Adagio*, trente-cinq mille pour *Allegro*, vingt-huit mille pour *Andante*.

D'autres pistes : La première édition d'*Adagio* (quatre mille) est épuisée en moins d'un an. Dès 1944, on réimprime cinq mille ouvrages. La même année, le premier tirage pour *Allegro* est de dix mille exemplaires. Même chose pour *Andante* quelques mois après.

Si je suis obligé de diminuer les cinquante mille ventes annoncées pour 1946 d'une petite marge justifiée par le caractère lyrique de mon héros, je dois admettre qu'il a atteint des tirages littéralement extra-ordinaires, si on les compare à la population canadienne française de l'époque (vers 1940, trois millions cinq cent mille francophones) Et puis, le document fourni par Fidès affirme que tous les livres de Leclerc ont été constamment réédités depuis quarante ans. Le dernier que je me suis procuré, dans une librairie de la rue Saint-Jean, à Québec, c'est justement *Adagio.* Félix est, de

(1) A Jacques Dupire, *Notre temps*, 13 avril 1946.

toute évidence, le premier littérateur québécois à avoir pu vivre de sa plume et cela, dès ses premières publications.

Les critiques commencent à paraître. Nous les connaissons déjà. On y loue la probité de l'auteur, son sens de l'image et du lyrisme, on y rappelle l'éclair dans le ciel que furent ses contes radiophoniques, on s'y dit gêné par « trop de facilité », on conseille au jeune écrivain d'apprendre à se maîtriser. Oui à « la verve », « la fraîcheur », non à « la morale naïve », au laisser-aller du style... « Don trop riche qu'il s'agira d'appauvrir, fût-ce en le contraignant au seul bon usage. »

Ces gens-là n'ont jamais tort. Ils voient vos défauts comme le nez au milieu de la figure, c'est pas dur. Selon l'humeur et la mode, on daubera sur vos faiblesses ou on louera vos qualités. Ai-je un vraiment trop gros nez ou est-ce qu'il ne me donne pas un charme exceptionnel ?

En l'occurrence, le nez, c'est la rugosité de l'habitant. Dans le choix des paysages, d'abord : presque toujours la campagne. Et dans le style qui va avec. Ça, ils ne supportent pas. Les écrivains et les journalistes de l'époque font une fixation sur le problème de « la bonne langue ». Ils sentent tellement que leur littérature est en train de naître, ils voient tellement les classes moyennes s'agglutiner autour du carré Saint-Louis à Montréal, pour en faire un possible Saint-Germain-des-Prés, ils se sentent si près d'atteindre enfin le but, ils en tremblent d'impatience, ils sont presque *au niveau des Français*, ils le sentent, oui, alors ils ont tendance à repousser ceux qui ramènent un peu trop le peuple, les paysans, la religion, le passé dans le décor. Le critère, l'effrayant critère les hante : la bonne langue à tout prix. « Les fautes d'usage qui peuvent être charmantes à entendre mais qui deviennent détestables à lire... » « Cette forme douteuse qui nous vaut à l'étranger la réputation non enviable d'ignorer la langue française »... Ils ne supportent pas. Avant de se présenter en public, ils vérifient fébrilement le nœud de cravate. Tiens toi droit, Hyacinthe.

Jacques Allard, dans la revue *Europe* ne parle pas de Félix mais il exprime bien la hantise des auteurs québécois : « La triple difficulté que c'est ici d'écrire [...] Il faut d'abord parler, c'est-à-dire rompre le barrage d'une aliénation séculaire. Il faut ensuite triompher de l'injustesse charriée par le flot populaire (en utilisant les guillemets, les formules genre " comme on dit ") il faut enfin, dans cette lutte contre l'injustesse, éviter la recherche de la justesse obsessive et émasculante incarnée par la norme, le purisme aseptisant (1). » Et le politologue Gérard Bergeron surenchérit : « Au lieu d'être un canal de transmission, la langue québécoise est une entrave [...] Si le Québécois parle correctement le français, c'est toujours en partie contre la langue maternelle qu'on lui a apprise au foyer, dans la rue, à tous les niveaux de l'école. Elle n'est pas tout à fait une " langue étrangère " comme l'anglais mais c'est un peu l'habit des grandes circonstances [...] Parler le moins incorrectement possible le français, au Québec, est une tension mentale quotidienne (2). »

Jusqu'à Gaston Miron qui, longtemps après Félix, laissera échapper cette phrase stupéfiante qui est un défi, un aveu, une plainte : Il ne faut pas cesser « d'écrire en un français de plus en plus correct, voire de classe internationale (3). »

Que pensez-vous de ça, Félix ? Que dites-vous pour votre défense ?

Pour commencer, rien. Ou presque rien. « Je lisais pas les critiques, ça me faisait trop mal. » Plus tard, une concession douloureuse : « Il y a chez moi un excès d'images dans les premiers écrits. Mais je n'ai pas eu de maître. Qui peut dire, ici : Je suis allé à telle école ? Nos grands-pères étaient des coureurs des bois. Si un père avait dit : N'écris pas, tu édites trop tôt, vois un peu le monde,

(1) *Europe* op. cit.

(2) *Le Canada français après deux siècles de patience*, Gérard Bergeron, Le Seuil, Paris 1967. Sur la couverture, sensé représenter le Canada français après deux siècles de patience : Félix Leclerc...

(3) *L'Homme rapaillé*, op. cit.

sors de ta sacristie... Il a fallu le faire tout seul, comme mon père qui traversait la montagne pour aller bâtir (1). »

Un colon, Félix Leclerc ? Oui : ce qu'il défriche à grandes volées d'un « don trop riche », c'est l'écriture. Son fantasme, imiter son père, il l'investit dans les mots. Et là, il y a des villes à construire. Des textes.

Il marche à son pas, sans regarder ce que font les autres. Il ne vient pas de l'élite. C'est pour les gens du peuple qu'il écrit. A eux qu'il veut offrir une terre. Il revendique au fond le droit du plus humble à s'exprimer, à coloniser le langage. Et puis, la discipline n'est pas son fort.

« C'est le type du gamin impossible chez qui l'on découvre un jour un authentique talent de peintre ou de chanteur mais qui veut continuer de peindre ou de chanter comme il l'entend ; pour qui les règles sont bonnes tout au plus à remplir les heures où l'on doit accomplir ce qu'on n'aime pas accomplir... En général, les enfants terribles réussissent moins bien que les enfants sages pour la simple raison que le monde est composé de parents (2)... »

Moi : – Fallait-il être fou pour être Félix ? Ou courageux ? Ou narcissique ?

Gaston Miron : – Non, il fallait être généreux parce qu'il y avait honte à prétendre faire quelque chose de québécois. Dans cette universalité naissante, cela semblait dépassé, régionaliste... »

Coquetterie, humilité, audace, désinvolture, paresse et ardeur mêlées, tel est cet enfant terrible. A son secours, je convoque un autre critique dont la plaidoirie me plaît bien : Celui-là croit que c'est justement son origine populaire qui a sauvé Leclerc : « Il fallait absolument que Félix Leclerc fût canadien et il aurait bien pu ne pas l'être ! Car les hommes instruits de sa génération étaient souvent (très souvent) des exilés de l'intérieur que les livres et une certaine

(1) *Québec français*, mars 1979
(2) André Langevin, *Notre Temps*, 25 octobre 1947.

nostalgie avaient aliénés au profit d'une autre patrie (1). » Cette autre patrie qui aliène, c'est la France, bien sûr...

J'en veux pour preuve la confession livrée par Gaston Miron quelques années plus tard : « A talent égal, écrit-il, on a des chances d'être un moins bon poète dans une situation de dépendance coloniale. J'en témoigne pour l'avoir ressentie existentiellement et concrètement. J'ai trop souffert dans ma tête (2). »

> « Me voici en moi comme un homme dans une maison qui s'est faite en son absence. »
>
> « Je te salue, silence (3). »

Alors pensez un peu au petit paysan débarquant de Sainte-Marthe, vingt ans avant Miron.

Et moi, considérant le raffut, le tapage, le boucan, le désordre où ils se sont tous agités depuis la guerre, à propos de cette affaire de « langue correcte », le joual et tout le tremblement, je ne puis m'empêcher – qu'ils me pardonnent mon audace – de penser que les intellectuels québécois se sont rendus malades avec un faux problème. Faux problème ? J'entends d'ici la réponse de Miron, m'engueulant de sa voix de stentor : « Oui mais il fallait en passer par là ! Se libérer ! »

D'accord. Eh bien, pendant que les autres s'appliquent à en passer par là, Félix est ailleurs. Pendant qu'ils s'émancipent du regard aliénant du tuteur français qui travaille comme lecteur chez Gallimard, Félix joue les enfants terribles tout seul dans son coin, s'amusant à construire un pays de mots qu'il sort de ses poches trouées avec des grâces de cancre. Il transporte son univers avec lui. Il n'emprunte rien à personne et surtout pas les bonnes manières

(1) J. Rudel-Tessier, *Le Compositeur canadien*, janvier 1966.
(2 et 3) *L'homme rapaillé*, op. cit.

littéraires. Il a deux montagnes à traverser et un pays à faire avant la nuit, excusez-le.

Le petit paysan n'a pas peur des gros intellectuels. Il ne demande la permission à personne et avec une incroyable audace, il s'adresse directement au peuple, au pays, à « la race », comme on dit ici. Il lui propose une destinée. Lisez-moi ça et dites-moi si vous ne le trouvez pas un peu gaullien : « Nos hommes sont rares, on a des étincelles en politique, en littérature, en musique, en peinture. Mais des feux clairs qui brillent, des feux de maître, ce qui s'appelle maître insatisfait, chercheur affamé, qui crie juste et droit, qu'aucun vent peut éteindre, on n'en a pas. On a des élèves contents d'eux autres, un petit peu noceurs, sans haleine, faciles à acheter. On a des désirs de beauté gros comme des montagnes mais instables comme des nuages. La vérité : on se décide pas à vieillir parce qu'on se décide pas à s'unir; on est divisés; on est craintifs; on est chacun dans son coin comme des vaincus. Voilà la vérité. Pensez-vous qu'il est trop tard (1) ? »

Pas trop tard pour lui...

Il a trouvé son thème : ce pays est adolescent et il doit devenir adulte. Peu importe que lui, Félix parle comme un adolescent littéraire. D'autres viendront, je pars devant!

« On ne discute pas Félix : on l'accepte ou on ne l'accepte pas. Et le plus ennuyeux pour les bouches fines, c'est qu'il gagne à tout coup (2). » Il est l'écrivain des jeunes de la Provincc, il a des lecteurs par milliers, il a gagné.

Il a quitté Saint-Jovite et le vent. Le voilà à nouveau à Montréal et dans la maison des Compagnons où, dit-il, il reprendra un peu plus tard l'appartement laissé libre par Gérard Pelletier au printemps 1945. Il publie quelques nouvelles dans des revues (*Procès d'une chenille,* dans la *Revue de la JOC* en mai 44; *Le Voleur de*

(1) *Adagio,* op. cit.
(2) *Confidences,* op. cit.

bois, dans la *Revue Dominicaine*, en mai 43; *L'Orage*, dans la revue de la JOC et *la Revue des fermières* en Juin 44; *Cantique*, dans la revue *L'Oratoire*, en mai 45). Il est devenu un écrivain. Écrivain inégal, je l'ai dit, mais qui, dans certains contes comme *Le Soulier dans les labours* ou *Le Hamac dans les voiles* se range parmi les très grands auteurs de contes du monde entier.

De temps à autre, il descend chez Fidès rencontrer le père Martin et son directeur littéraire, l'abbé André Cordeau puis, après 1951, Clément Saint-Germain. « Il était timide et réservé, dit le père Martin. Si nous faisions un lancement pour son livre, il ne venait pas. Il n'était pas copain avec les autres écrivains. Il ne les fréquentait pas. Il se tenait à l'écart. Il venait nous voir rarement. Dans ces occasions, les rapports étaient d'ailleurs cordiaux : il arrivait à onze heures, on dînait et il parlait tout l'après-midi! C'était sensationnel! Ses succès à lui étaient exceptionnels. Il y avait peu d'auteurs publiés et ils avaient bien moins de lecteurs que lui. Ses livres ont beaucoup servi dans les écoles : les professeurs appréciaient sa valeur. »

– Justement... Est-ce que cette vente militante n'a pas un peu faussé le jeu, au début?

– Pas du tout.

Là, le père Martin se tait un moment. Puis, après un silence de chanoine ou de vieil éditeur madré qui sait que sa phrase sera prise en note : « Le succès est au mérite de l'œuvre, sans aucun doute. »

« ... Et après le troisième, les ouvrages se vendant très bien nous sommes montés à Trois-Rivières, Leclerc, Cordeau et moi-même voir l'abbé Tessier pour signer enfin un contrat. »

Félix ne perd pas une minute. Pendant qu'on diffuse une nouvelle série radio, *L'Encan des rêves* (1945), il s'est embarqué dans une autre aventure. Un beau jour, voulant sans doute imiter Jacques Copeau dont la folie douce conduisit sa troupe, les « Copiaux », dans une ferme isolée de Bourgogne où les comédiens périrent d'ennui, d'inanition et de froid aux pieds, le père Legault propose aux siens le grand départ libérateur à la campagne. Il a déniché une maison à Vaudreuil, à l'extrémité de l'île de Montréal; à trente kilomètres à l'ouest du centre-ville, au bord du lac des Deux Montagnes : le fameux champ de patates. Qui veut venir? – Moi! J'ai été le premier à lever la main.

« L'endroit s'appelait Les chenaux. Nous v'la parti avec Dedouche et Martin nouveau-né. Octobre 45. Nous habitons un bungalow à proximité de la maison des Compagnons. Eux vivent en communauté : deux vieilles femmes pour la cuisine, messe et communion chaque matin. De temps à autre, tout le monde descend à Montréal pour jouer au Gesù, une église désaffectée devenue notre théâtre. » Anouilh, Giraudoux, Lorca, Rostand sont au répertoire.

Seulement la nature fait déprimer tous ces rats des villes. « Pas moi. J'étais très bien là. Ils sont partis l'un après l'autre et je suis resté le dernier. J'ai trouvé une location à quelques milles de là. Puis j'ai acheté la maison à l'Anse. J'y suis resté jusqu'en 66. »

Une balade à La Tuque, en compagnie de l'abbé Tessier qui soigne son poulain. Chez le docteur Ringuet, Félix retrouve les amis d'école dont Lucien Filion. Comme il se sent en confiance, le voilà vite assis sur le tapis et racontant son enfance à qui veut. Il n'improvise pas vraiment puisqu'il a déjà entrepris d'écrire *Pieds nus dans l'aube*. Il n'a qu'à lire son texte dans sa tête. Tessier s'extasie et s'inquiète pourtant dans l'oreille de Filion du manque de confiance de Félix envers lui-même.

Le bouquin paraît l'année suivante.

« Ma mère ne l'a pas lu. Elle mourait. Dans son lit, elle l'a pris en main, a inspiré pour s'emplir de l'odeur. Elle a demandé qu'on le mette sur la table de nuit... C'était sa revanche. »

Elle respirait, comme un dernier air frais venu lui rendre un peu de vie. Cet air frais lui revenait de l'enfance distribuée par elle, page après page, à ses onze enfants.

Mais non, Félix, vos souvenirs vous trompent : Votre mère est morte le 17 mars et votre livre est paru en décembre. Vos souvenirs trichent. Mais ça m'est égal : pour la beauté de l'histoire, faites donc vivre votre mère neuf mois encore...

Le livre est un nouveau succès. Félix se souvient encore de l'oncle Aurèle, frère de Léo, pleurant de fierté : – Mon neveu, un écrivain! Et de Léo « se haussant de trois pieds en rentrant à l'église ».

Lui est déjà plus loin. En vacance dans l'île d'Orléans, il a fait connaissance avec Jos Pichette, un fermier de la paroisse Saint-Pierre.

Jos l'habitant du fond de l'île d'Orléans
Attelait ses chevaux un matin de printemps
Parc'que la lumière faisait l'amour au vent
Les chevaux ont pris l'mors aux dents

Jos Pichette habite sur le lot attribué trois siècles avant au premier Leclerc débarqué de France. Invité pour huit jours avec femme et enfant, il va rester huit mois. Pas l'ancêtre, Félix. Mais sans la famille : « Ça plaisait pas trop à ma femme, ici. C'est vrai que c'était un peu... habitant. Alors elle est rentrée à Vaudreuil. Mais Martin a fait ses premiers pas chez Jos. »

Toute seule, oui. Je me rappelle ce que disait d'elle Janine Sutto : « Andrée était toujours très chic, très *carte de mode* »... Le contraste avec son échevelé ne devait pas être facile à vivre. Elle est retournée dans sa jolie maison de Vaudreuil. Mais lui, il ne change pas d'avis. Faut le suivre. Il a opté pour l'île d'Orléans.

Je brise tout ce qu'on me donne
Plus je reçois et moins je donne [...]
Bonheur m'alourdit et m'ennuie

Ne suis pas fait pour ce pays
Avec les loups suis à l'abri [...]
L'amour n'est pas dans tes draps blancs
Auprès des cieux où s'enfatigue
Le vent!

Il s'installe chez Jos pour écrire une longue nouvelle.

– *Le Fou de l'île,* qui se passe ici, en bas, le long du fleuve, sur les battures.

Le Fou de l'île va être un coup dur. D'abord refusé par Fidès, il devra attendre 1958 et une édition française chez Denoël pour être accepté par l'éditeur québécois en 1962. Est-ce injuste ? Un homme débarque un jour sur les battures de l'île, venant d'on ne sait où; il cherche quelque chose, on ne sait quoi; sa quête va de proche en proche inquiéter les habitants, les mobiliser, les transformer... Une fable sur l'ailleurs, sur un ton énigmatique. Et belle. Je ne lui reprocherai que sa longueur. Je suis persuadé qu'allégé de quelques dizaines de pages, ce texte s'imposerait plus facilement. Selon Félix, Fidès l'a refusé en raison de son caractère trop païen. Je le crois volontiers. L'époque n'était pas à l'ouverture. Pas encore. On voit ici combien la situation de l'écrivain était précaire : célèbre, d'accord; mais ne vous éloignez pas trop, notre sainte mère tient la bride. « Cela nous semblait un peu hermétique » explique l'abbé Martin en 1985. Je ne trouve pas. Ils n'ont pas saisi le panthéisme panique de leur poulain. Ils l'ont ramené à son statut, son enclos, sa longe. Me revient ce que disait le journaliste Fernand Séguin : – Félix était beaucoup trop sain pour être catholique *à ce point-là.*

Oui, mais les curés ont une hypothèque sur son talent. Et ils aimeraient bien qu'il ne quitte pas *ce point-là.* L'inconvénient, c'est que le temps passe et qu'il va sur ses trente-cinq ans.

– Et puis c'est à ce moment-là que je suis parti à la découverte de mes origines, que j'ai voulu savoir qui étaient mes ancêtres et que j'ai voulu, à ma manière, perpétuer la tradition ancestrale. Depuis ce temps, je ne peux plus me passer de l'île (1).

L'île d'Orléans est un vaisseau à trois ponts arrêté devant Québec, un grand vaisseau de trente kilomètres de long et six de large. Du bord du Saint-Laurent, trois niveaux successifs, trois murs, sur un kilomètre de profondeur, conduisent à un vaste plateau agricole. Une route circulaire, cloutée de maisons aux toits roses, bleu roi ou vermillons, protège, à l'intérieur, le domaine des oiseaux. Pas une habitation, par les rares chemins de traverse, vous rejoignez l'autre rive. Au nord, on regarde les Laurentides ; au sud, on placote avec les grands transatlantiques descendant de Montréal par le chenal. Sur les battures libérées par les eaux basses, les oies blanches et les outardes font des reflets d'eaux : avril, mai, octobre ; et en février, la neige, au soleil mourant de quatre heures, est « rose comme chair de femme ». A l'ouest, à portée de la main, Québec surveille le passage. La ville tient son île en remorque par une chaîne lâche de promenades dominicales. Les premiers colons d'Amérique se sont installés ici. Pour chaque Québécois soucieux de ses origines, le lieu est sacré, le lieu est magique. Cette barque-là est un très vieil esquif échoué, venu sans escale de l'ancienne France. Vingt ans après, Félix achètera à Pichette une partie du terrain pour y bâtir maison.

Avril 1946. Douze émissions sous le titre « Théâtre dans ma guitare », le lundi soir à vingt heures trente (2). Et au passage, une interview donnée à Jacques Dupire (3) dans laquelle il rêve à ce que pourrait être la radio. « C'est une grande industrie qui a le défaut d'être trop conservatrice. On est loin d'exploiter toutes ses possibilités... Il y manque un laboratoire " spirituel ", un labora-

(1) A Nathalie Petrowski, *Le Devoir*, 9 juillet 1977.
(2) *Le Traversier*, 18 juillet 46. *L'Écriteau* et *Procès d'une chenille*, 17 octobre 46. *Monsieur Scalzo*, 24 octobre 46 etc.
(3) *Notre temps*, 13 avril 1946.

toire où des réalisateurs seraient rémunérés pour penser, pour chercher et pour trouver. Dans le domaine des sons, des bruits... découvrir de nouveaux bruits, créer des atmosphères... Donner une couleur différente à la voix humaine, à la musique. Poétiser la radio, en quelque sorte. Mais on n'a pas le temps... »

Il peut parler, monsieur Leclerc. Il a dorénavant la voix assez posée pour s'octroyer ce droit : en juin 45, *Staff Magasine* (n° 8), la revue de Radio Canada, a publié une photo ainsi légendée : « Les pères de Radio Canada : Marcel Paré, Félix Leclerc, Charles Denoncourt, Ernest Pallascio-Morin, Roger Baulu, Raymond Lemieux, Ernest Hébert, Guy Mauffette, Jean Blandet. »

1947. Au Gesù, où ils sont installés depuis deux ans, les Compagnons créent la seule pièce canadienne qu'ils aient montée : *Maluron,* de Félix Leclerc. C'est aussi la première fois que Félix est joué, si on excepte un acte – *Sanctus* – présenté par la même troupe peu de temps auparavant. Le rideau s'ouvre enfin. Depuis *Iphigénie* et *La Nuit Rouge,* il aurait donné n'importe quoi pour ce bonheur. Pourtant, il reste modeste :

« *Maluron* est une petite pièce sans prétention (1), une première, un commencement. Un cri que j'ai recommencé une vingtaine de fois, par rage, par amour, par défi, par besoin [...] Le théâtre est un tyran d'une exigence inconcevable. On comprendra qu'un enfant qui vient de paraître aux pieds d'un roi si puissant ne peut que balbutier. Mais le roi, qui n'est point sot, laisse vivre les enfants afin qu'un jour son royaume compte de grandes personnes. »

« J'adresse ces lignes aux auteurs, aux promesses d'auteurs, à ceux qui sont obsédés par des têtes, des couleurs, des attitudes. La scène est là. Écrivez. Le théâtre n'est pas une chose réservée aux dieux, c'est le pain du peuple [...] Ne nous flattons point d'écrire des chefs-d'œuvre. Servons le pays. Les chefs-d'œuvre viendront par surcroît. »

(1) Dans le programme de *Maluron.*

Le communiqué de presse, réonéotypé en violet, explique que Maluron, le héros, est un jeune homme qui ne se soumet pas à sa condition et ne se résigne pas à son milieu. Fils de fermier mais qui n'a pas le goût de la terre, Maluron veut faire du théâtre, « chanter pour ceux qui n'ont pas de voix, rire pour ceux qui ont toujours de la peine ». Une troupe de cinéma vient tourner les extérieurs d'un film sur la terre paternelle... Suivra-t-il les comédiens ?

« Il est exigeant, insaisissable, incompréhensible. Au village, il passe pour le singe, le fou, le garçon à part des autres, coqueluche des jeunes filles, crainte des garçons à cause de son instruction et de sa facilité à mystifier tous ceux qui l'approchent... » Le critique Jean Ampleman notera : « Félix Leclerc s'inquiète assez peu de ce que peuvent penser ses personnages. C'est lui qui parle (1). » Et c'est de lui qu'il parle, non ?

Pour finir, Maluron part. « Si l'ennui le prenait, sa chambre est en haut », conclut le bonhomme Chalumiau, son père.

Guy Mauffette joue Maluron, Georges Groulx joue Chalumiau. Les représentations sont données les 8, 10, 11, 13, 15 et 18 mars. Dans le programme, bellement imprimé, le père Legault tire, par avance, la morale de l'aventure : « Il fera mieux, sans doute, dans une prochaine pièce. Et d'autres écrivains-poètes se sentiront attirés vers la scène à la suite de Félix Leclerc, pionnier de la poésie des ondes. »

La pièce est faible, en effet, écrit Jean Ampleman dans *Notre Temps*. Mais il concluera aussi son article par ce bel encouragement : « Avec Carl Dubuc [...] Leclerc se place au premier rang de ceux qui travaillent à doter le théâtre canadien de langue française de véritables auteurs. »

Les années passent mais, dans ce pays, tout est toujours à commencer. Pourtant, en 1948, deux gros coups de cymbales

(1) Jean Ampleman, *Notre Temps*, 15 mars 1947.

secouent la province culturelle : le « coup de tonnerre » de *Ti-coq* et le coup d'éclat de *Refus global*. Aux deux extrémités de l'éventail avec lequel le Québec tente de chasser ses angoisses.

Gratien Gélinas est un auteur-acteur qui, depuis de nombreuses années enchante les Montréalais avec des revues d'inspiration locale, les « fridolinades ». En cette année 1948, il tape dans le mille avec *Ti-coq* où il dessine à la perfection le portait du Québécois moyen. C'est un succès inégalé. Là où une pièce qui marche fait une vingtaine de représentations, *Ti-coq* sera joué deux cents fois! Hamelin, en 1964, estime que Gélinas « reste, pour le moment, avec Félix Leclerc, le principal représentant d'un théâtre quotidien d'inspiration strictement locale (1) ».

Le triomphe de Gélinas met en évidence l'existence d'un public dorénavant nombreux. Il montre aussi que le Canadien français peut désormais se mettre en scène et se regarder. Ce n'est pas rien. Le théâtre est vraiment sur les rails. Janine Sutto et Yvette Brind'amour créent la troupe du Rideau Vert. Les Compagnons quittent le Gesù pour une salle de la rue Delorimier où ils resteront jusqu'à leur séparation définitive en 1952, jouant Pirandello, Shakespeare, Goldoni. Après quoi Jean-Louis Roux et Jean Gascon lanceront le Théâtre du Nouveau Monde. Prestigieux TNM. Félix, lui, monte la Compagnie VLM : Vien, Leclerc, Mauffette. Les trois beaufs', si l'on veut. La compagnie sera éphémère : une petite saison. Et Jean Hamelin concluera sur cette période par cet hommage à toute la bande du père Legault : « Où avant 1940 il n'y avait à peu près rien sinon des spectacles montés isolément avec des moyens de fortune, il se donne aujourd'hui à Montréal, en langue française, environ trente-cinq spectacles par année ce qui fait de cette ville le centre de production de théâtre français le plus actif dans le monde après Paris et Bruxelles et, en Amérique du Nord, le centre de production théâtrale le plus important après New York (2). »

(1 et 2) *Le Théâtre au Canada français*, op. cit.

L'autre coup de tonnerre fera moins de bruit. Ou plutôt, il éclatera en silence mais longtemps. Paul-Émile Borduas, un peintre d'ici, avant de s'exiler à Paris où il mourra bientôt, lance un brûlot à la face de la vieille société. Ça s'appelle *Refus global*. Une quinzaine de jeunes gens signent à la suite de Borduas cet appel à la révolte. Muriel Guilbaut est du nombre.

Le titre dit tout. Le texte aussi, dans le style surréaliste et avec le culot qui caractérise le genre. Et ce qui en fait la faiblesse : ce torrent « d'images » poussées, charriées, expulsées par l'inconscient – à ce qu'il paraît – et qui souvent complique au lieu de simplifier, rend plus obscur au lieu de rendre plus clair. Passons. Ce texte sert encore aujourd'hui de référence à l'élite québécoise. Une grande date, celle de la révolte sans espoir de retour. Peut-être aussi le moment où les intellectuels ont sorti de leur poche leur panache.

– *Refus global,* j'étais pas là-dedans. Ça me passait vingt pieds au-dessus de la tête. Muriel Guilbaut me demande ce que j'en pense. Rien. Ça m'intéresse pas. Elle me lance : « Tu vis dans un pays que tu veux pas habiter. » C'était vrai.

Il n'y a pas que les artistes qui bougent. Toute la société craque. A la radio, un chroniqueur scientifique, Fernand Séguin, casse la baraque en apportant aux gens ce monde inconnu jusqu'alors : la science. Il sera une des grandes vedettes de la province. Pensez que le premier diplômé en sciences est sorti de l'université Laval en 1940! Vous vous rendez compte, dans ce pays où on ne faisait que des prêtres, des notaires, des avocats, où la religion barrait la route doctement à toute question, la science, comme un phyltre sur les ondes!

Les syndicalistes bougent aussi. Eux, ils bougent dès qu'on les laisse bouger. Mais coincés entre les « Unions internationales » – en réalité les syndicats américains qui ne leur laissent que l'autonomie nécessaire à la collaboration de classes – et les syndicats catholiques qui mettent de l'encens dans la poudre, ils n'ont jamais pu bouger

La maison natale à La Tuque. Félix est assis sur les planches
(collection John et Marie-Paule Leclerc)

éo Leclerc. « Peux-tu imaginer
Harry Baur ?
C'était mon père... »
llection John et Marie-Paule Leclerc)

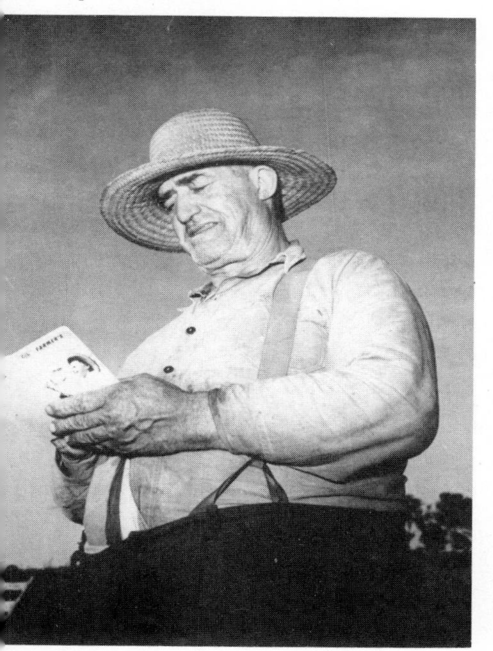

Fabiola pour l'éternité
(collection John et Marie-Paule Leclerc)

Félix et John,
à Sainte-Marthe
(collection John
et Marie-Paule Leclerc)

Le paradis
à Sainte-Marthe
(collection John
et Marie-Paule Leclerc)

page de gauche :
En 1930, au juniorat
(collection John et Marie-Paule Leclerc)

Les quatre fils Leclerc : Gérard (assis), Grégoire, Félix et John
(collection John et Marie-Paule Leclerc)

(collection John et Marie-Paule Leclerc)

page de droite :
Léo Leclerc et ses enfants en 1946
(collection John et Marie-Paule Leclerc)

Avec son fils Martin, chez Jos Pichette, à l'île d'Orléans, en 1946
(collection John et Marie-Paule Leclerc)

(collection John et Marie-Paule Leclerc)

« J' haïs ça, chanter. »
(photo J.J. Tilché, Phonogram)

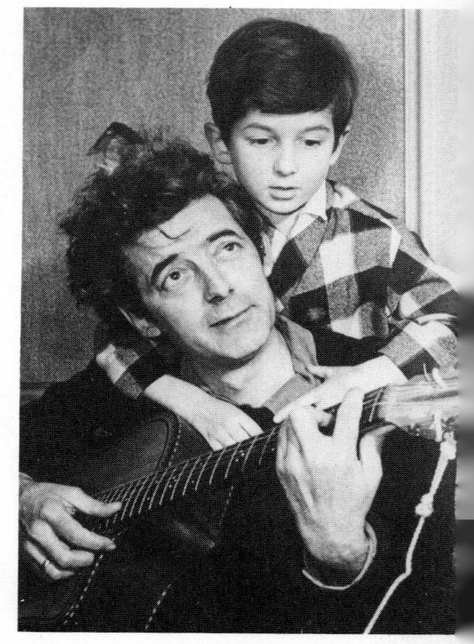

Avec son fils Martin. Un homme qui chante...
(photo Paris-Match)

a photo Harcourt, à afficher dans tous les music-halls...

Hiver 1951, sur les quais inondés de la Seine; Andrée, Félix et Martin... et les semelles de b
(photo Paris-match)

Le premier marginal (photo Jacques Aubert, Phonogram)

Jacques Canetti, Jacques Normand, Félix, Michel Legrand et Fernand Raynaud (photo Max Micol)

A Vaudreuil. « Il cultive la terre de ses ancêtres » (photo André Larose)

Avec Pauline Julien, à Radio Canada, en 1965 (photo Ronald Labelle)

ci-contre
Avec Gaétane, devant son « camp » en bois rond,
dans l'île d'Orléans, au bord du fleuve
(photo Jean-Louis Freud)

Bendor, en 1967. Jacques Bertin, Jean Dufour, Félix et Luc Bérimont

Il fait une prise et il s'en va... (photo Jacques Aubert, Phonogram)

Avec Francis Blanche : « il amusait Francis au superlatif... »
(photo Claude Delorme, Phonogram)

Avec Raymond Devos (photo Jacques Aubert, Phonogram)

Avec Georges Brassens

(photo Jacques Auber
Phonogram)

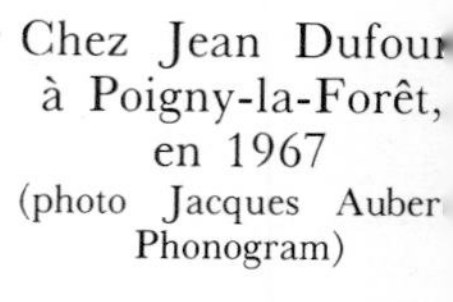

Chez Jean Dufou
à Poigny-la-Forêt,
en 1967
(photo Jacques Auber
Phonogram)

Chez Georges Bras
sens : Charles Azna
vour, Félix, Brassens
Pupchen, Raymon
Devos, Jean Dalmai
et Bobby Lapoint
(photo Fred Mella)

Chez lui, à Vaudreuil, en 1965 (photo Martin Leclerc)

Avec sa fille Nathalie (photo Martin Leclerc)

Avec Gilles Vigneault et Robert Charlebois; répétition pour la Super-franco-fête
(photo Birgit)

(photo Martin Leclerc)

beaucoup. A partir de la guerre, pourtant, le syndicalisme se développe et on se bat : les grèves sont trois fois plus nombreuses dans la décennie 40-50 que dans la précédente.

A Asbestos, en 1949, ils frappent en se croisant les bras. Cent quarante jours de grève pour quatre mille six cent cinquante ouvriers. La grève de l'amiante entre dans le catalogue des événements historiques de la nation. On défile en récitant le rosaire, on quête dans les églises. Trois futurs leaders de la vie politique du Canada vont s'illustrer : Un jeune chef syndicaliste, Jean Marchand, futur ministre fédéral, le jeune journaliste Gérard Pelletier, futur directeur du journal *Le Devoir* et ministre fédéral et un jeune avocat, Pierre Eliott Trudeau. Les deux derniers se font arrêter par les flics. Duplessis fait donner la troupe. Brutalités policières. Toute la province grogne et gronde. Marchand rencontre le nonce apostolique, monseigneur Antoniutti, qui lui lance : « Je vous demande, comme catholique, de mettre fin au conflit pour éviter un drame plus grand : une scission entre l'Église et l'État (1). » Tel quel.

Et soudain, fait extraordinaire, l'archevêque de Montréal prend position en faveur des grévistes. Hélas, est-ce Duplessis qui a le bras long ou Pie XII qui a les idées courtes, monseigneur Charbonneau est viré. Il mourra en exil. Mais la glace a craqué. Elle craque. Le printemps, ici, est long à venir. Il vient.

Fin 48. Les Compagnons de la Chanson chantent à Montréal, au « Monument National ». Ils sont professionnels depuis deux ans seulement et c'est déjà leur deuxième tournée américaine. L'année précédente, ils faisaient la première partie de Piaf mais leur succès est tel qu'ils volent désormais de leurs propres ailes multiples. Le père Legault les invite à souper à la maison des Compagnons. On est en famille, n'est-ce pas : les frères Mella, Jaubert, Frachon sont des transfuges des « Compagnons de France », ce scoutisme de guerre

(1) Pierre Godin, *Plus,* Montréal, 22 juin 1985.

lancé naguère en zone sud. Tout ce compagnonnage, ça crée des liens...

Les voilà à table. Fred Mella, le très jeune soliste du groupe vient de rencontrer une jolie comédienne québécoise, Suzanne Avon qui sera son épouse. – C'est qui, le chevelu dans l'escalier ?

– C'est Félix Leclerc. Un chanteur.

L'anecdote m'est contée trente-huit ans après dans le salon des Mella, à Goupillières, dans la campagne de l'ouest parisien. Suzanne précise les détails : « J'écoutais *La Roulotte,* une émission que Félix produisait avec Robert Gadois. C'était pour moi un enchantement. Il y chantait. J'étais une de ses fans : c'est le seul artiste à qui, de toute ma vie, j'ai envoyé une lettre d'admiratrice ! »

A la fin du repas, les Compagnons de la Chanson, bien sûr, interprètent quelques-uns de leurs succès. Puis Félix attrape sa guitare. Les Français s'enthousiasment et deviennent illico les amis du beau guitareux. Ils repartiront en Europe avec, dans leurs bagages, un « souple » sur lequel, à tout hasard, Félix a gravé *Le Train du nord* et une autre chanson.

– J'enregistrais ça chez un certain Marco (Marc Odette). Chez lui aussi, j'avais mis en boîte un disque-farce, en faux-russe, que j'avais donné à écouter à quelqu'un qui n'aimait pas mes chansons. Il l'a fait tourner plusieurs fois, très ému par mes borborygmes et son commentaire fut : « Ces gens-là, tu vois, au moins, on sent qu'ils ont souffert... »

« Les Compagnons de la Chanson, ça marchait de la folie. Je les admirais. Chacun d'eux s'occupait d'un détail : les pantalons pour l'un; la lumière pour l'autre; les hôtels; les voyages; chacun un neuvième du pouvoir ! »

Tous comme les Compagnons de Saint-Laurent, les Français sont la concrétisation, l'aboutissement, l'archétype d'un style d'éducation. Ils sont l'image vivante de ce qu'on a tenté de faire dans les mouvements de jeunes catholiques : chanteurs, gais, sachant vivre en communauté, responsables... mais aussi peu révoltés et peu politisés...

Ils repartent en France. Félix oublie le « souple ». Avec ses deux beaux-frères, il crée la compagnie VLM pour *Le P'tit bonheur*. Ici, je donne la parole à Yves Massicotte (1).

Il raconte comment a démarré cette aventure : une réunion d'amis dans laquelle, comme de bien entendu, Mauffette jouait le rôle d'aiguillon. « On racontait nos menteries; on riait; Mauffette répétait à Félix : Écris ça, paresseux! C'est devenu un spectacle : une suite de sketches. La première représentation fut donnée dans la salle paroissiale de Vaudreuil. Parmi les comédiens : Huguette Oligny, Jean-Pierre Masson, Mauffette... Dedouche vendait les billets... »

« Mauffette jouait dans *L'Affaire décourageante* et dans *La Muette*. Dans le premier sketch, il faisait un petit vieux détestable, l'ancien poseux de coqs sur les clochers. Dans le second, il était un jeune homme de vingt ans. Il devait donc changer de costume. D'où les chansons. »

Oui mais l'autre qui « haït ça, chanter » ? Eh bien, mettons qu'il haït un peu moins, déjà.

Une quarantaine de représentations à Montréal. Puis on fit équipe avec les Compagnons de Saint-Laurent pour une tournée en province.

Dans un opuscule publié en 1980 par le Mouvement national des Québécois au moment de la remise de son prix à Félix Leclerc, Gilles Vigneault témoigne : « En 1948, au séminaire de Rimouski, je m'ennuyais de Natashquan avec un entêtement déjà plein de ratures lorsqu'un soir de septembre, les Compagnons de Saint-Laurent amenèrent avec eux une sorte de bûcheron, bottes de caoutchouc et

(1) *Le Petit journal*, 20 janvier 1963.

chemise à carreaux qui chantait ses chansons harnachées de guitare. Je rêvai, ce soir-là de faire un jour de même. Le lendemain, je tins à mes confrères, qui s'en souviennent, des propos extasiés sur l'audace de la tenue, la beauté des textes et les subtilités de la guitare quand... la cloche sonna. »

Tu dis que le traîneau de nos amours
Est dans la cour
Je regarde dehors
Et ne vois que la mort
Tu dis qu'au grand galop notre cheval
Est revenu...

Cette chanson est de 1948. Ça y est il chante. Oh, sans ambition. Il s'agit seulement de boucher un trou, de jouer les utilités. Mauffette pousse tant qu'il peut. Il est bientôt rejoint par un journaliste dont le papier me semble être le premier dans lequel le talent de Leclerc comme chansonnier fut encouragé. Jacques Giraldeau écrit dans *Notre Temps,* le 26 mars 1949 :

« L'autre soir, étant par hasard aux écoutes de Radio Canada, j'ai entendu avec ravissement sa nouvelle émission : *La Ruelle aux songes,* petit quart d'heure d'évasion. Jean-Pierre Masson et Robert Gadois, ces deux excellents comédiens [...] lisent un texte de Félix Leclerc, tandis que celui-ci chante en s'accompagnant avec sa guitare. [...] Une véritable révélation : Félix Leclerc chansonnier [...] Je crois en Félix Leclerc chansonnier. Je salue même en lui notre premier véritable chansonnier. »

Boum.

Bravo à Jacques Giraldeau. Beau flair. Il a même un certain mérite car les témoignages m'assurent qu'à cette époque, c'est-à-dire, avant la reconnaissance de Leclerc par la France, les supporters ne se bousculaient pas. Peu de gens « croyaient en Leclerc chansonnier ». Par ailleurs, il y a également une belle audace à le sacrer « notre premier chansonnier ». Bravo Giraldeau.

La chanson québécoise, ça n'existe pas! Le Québec est le paradis des chanteurs français qui, l'un après l'autre, viennent y faire un stage, une tournée, une retraite. Sur place, ils côtoient des artistes dont le rêve est d'aller à Paris : Ceux-là produisent une chanson française tout ce qu'il y a de conventionnelle : Les sentiments de Paris, la mode de Paris, les quais de Paris, les ponts de Paris. Et comme m'expliquait Claude Léveillée : « Notre imaginaire était aliéné; nous rêvions à travers un pays qui n'était pas le nôtre. »

Bien sûr, vous trouverez quelques artistes développant des thèmes locaux, tel le soldat Lebrun, gloire de la guerre. Mais il s'agit alors de tragique troupier d'une nullité affligeante. En deuxième partie, après les ponts de Paris, vous aurez droit à une interprète du genre d'Alys Roby, qui reprend les succès américains.

Rien. Pas de chanson québécoise, c'est-à-dire personne pour chanter, en québécois, le pays, ses mœurs, ses paysages, ses dimensions, son climat, ses aspirations, ses angoisses. Pourquoi chanter des histoires de bouseux? de « Français pouilleux »? La poésie peut-elle venir aux ringards?

Ah si! Une exception, pourtant. Pas bien brillante mais signifiante tout de même : La Bolduc (1894-1940). Cette grosse bonne femme, mère de treize enfants dont neuf morts en bas âge (1), fut le premier auteur-compositeur de la province. Elle écrivait dans sa cuisine, sur des cahiers d'écoliers, d'une écriture quasiment phonétique des textes qui avaient ceci de différent : Ils ne se référaient pas aux canons de la variété. Elle s'y exprimait sincèrement, naïvement, sans les afféteries, les trucs du métier. Elle racontait sans coquetterie folkloriste des histoires vécues, des histoires de pays. Affreusement simplistes, certes. Mais elle fut célèbre. Ce n'est pas parce qu'elle est

(1) Autour de 1900, la mortalité infantile est égale à Montréal et à Calcutta.

poétique qu'elle rentre dans l'Histoire par la porte de sa cuisine, mais parce qu'elle dit « je ». Voici l'un de ses couplets, sélectionné par moi avec beaucoup de mauvaise foi, en raison de son caractère francophile.

Je parle comme dans l'ancien temps
J'ai pas honte de mes vieux parents
Pourvu que j' mette pas d'anglais
J' nuis pas au bon parler français...

Juste un mot sur Raymond Levesque, clochard céleste, qui démarre en 47-48. L'auteur de *Quand les hommes vivront d'amour* (1956) ne sera célèbre qu'au Québec et plus tard. Quand il débute, Félix a déjà quinze ans d'avance : il a écrit ses premières chansons au temps de la Bolduc!

Il arrive avec sa voix de beû. Pour lui, chanter, ce n'est qu'une autre manière de faire du lyrisme avec la réalité. Il ne veut pas du tout être chanteur. N'oubliez pas : il dira toujours « je suis un homme qui chante ». Pas un chanteur. Il y a une nuance : D'un côté ceux qui cherchent à toute force ce qui va marcher, ce qu'il faut faire, où est la mode..., de l'autre ceux qui disent et se disent. Ils sont souvent accusés de passéisme, d'hermétisme, des deux ensemble. Ils sont des Martiens. On leur explique gravement ce qu'il faut faire, comment il faut être de son temps. D'une façon ou d'une autre, ils ont toujours « une voix de beû ». Et visuellement aussi, Félix a une voix de beû : il met une certaine coquetterie à se présenter vêtu à la diable : casquette de paysan, gilet troué... A une époque où la gomina dévaste les ondes, c'est vraiment de la provocation. Peut-être après tout ce timide est-il un pionnier dans la marginalité. En tout cas, il est considéré comme un anticonformiste impénitent. Cela surprendra les Français qui n'ont vu dans son allure que la couleur « locale ».

Bon. Quelques nouvelles de Félix écrivain avant le grand saut. Début 49, il a publié *Dialogues d'hommes et de bêtes* où il apparaît comme « le premier fabuliste du Québec ». C'est aussi sa fierté. Julia Richer, dans *Notre Temps* dit pourtant sa déception : « L'obstacle contre lequel bute aujourd'hui Félix Leclerc est sa trop grande facilité. » Elle croit que le succès de l'auteur l'installe dans un style et une thématique qui lui apporteront des admirateurs, mais l'empêcheront de devenir un grand littérateur. Elle salue néanmoins certains contes qui, tels *Le Soulier dans les labours* sont, en effet, d'une grande beauté. Le même jour, dans *Le Devoir* Gilles Marcotte exprime une opinion voisine et salue aussi *Le Soulier dans les labours*. Je crois que nous savons tout maintenant du problème de Leclerc écrivain : un jaillissement, des images fulgurantes, une aisance folle, trop folle qui se mue sous la plume en laisser-aller. Que lui a-t-il manqué ? Un directeur littéraire, un maître, sans doute. Qu'a-t-il eu en trop ou trop tôt ? Ce succès « chez les jeunes » de la province, j'en suis persuadé, qui l'a ancré dans le statut d'écrivain catholique à succès.

Aurait-il pu, avec une autre trajectoire, apprendre à se domestiquer ? Peut-être. Mais faut-il domestiquer le pionnier ? Je me contente de ce qu'il m'a donné : mille beautés éparses dans une œuvre au crayon rapide, comme la course d'un lièvre.

Mais nous sommes en juillet 1950. Jacques Canetti débarque de l'avion, à Dorval.

IX. Ce gars-là a une âme!

Jacques Canetti est né en 1909 et porte sur un petit corps rond, avec de petits yeux ronds, une bouche trop grande et un nez en trompette, un curieux pedigree : juif bulgare élevé en Angleterre et en Autriche, il est le frère d'Elias Canetti, futur prix Nobel de littérature. Il n'est pas un fils d'émigrant déguenillé comme l'Europe, barque folle, en a voyagé des millions au début du siècle, non : son origine est bourgeoise. Lc troisième frère Canetti, Georges, est d'ailleurs un médecin spécialiste de la tuberculose. Jacques Canetti, en 1950, dirige un petit théâtre parisien, les Trois Baudets : deux cent cinquante places entre Pigalle et Blanche. Il est aussi directeur artistique chez Polydor. Et imprésario. Ces trois casquettes lui permettent de contrôler la carrière de poulains nombreux et talentueux. Car son flair est exceptionnel : la bande à Canetti sourit aux anges en stuc de l'éternité du music-hall. Devos, Brel, Darry Cowl, Lamoureux, Raynaud, Brassens, Patachou, Biraud, Catherine Sauvage, Dac et Blanche, j'en passe (1).

J'ai rendez-vous chez lui, dans une fin de matinée d'hiver. Il

(1) Lire : *On cherche jeune homme aimant la musique,* Jacques Canetti, Calmann-Lévy, Paris 1978.

habite, en face du Parc des Princes, un immeuble construit par l'architecte Le Corbusier. L'immeuble lui va bien. Il a soixante-dix-sept ans. Mais il garde une forme de jeune homme. Il rôde toujours dans le métier, tentant d'y lancer des offensives qui n'ont plus le succès des anciennes cavalcades. Non qu'il soit moins intelligent. Mais le métier a changé : il ne suffit pas d'avoir du goût.

Beaucoup d'autorité dans la voix. Il a le défaut caractéristique des professionnels : l'air de tout savoir, de quitter à l'instant le ministre, d'avoir juste pris le déjeuner avec le directeur de l'Olympia et la dernière star à la mode; l'actualité ne le surprendra pas; quitte à forcer l'assurance du ton pour gommer les lacunes. Mais il est affable et charmeur. Il m'amuse depuis vingt ans à m'expliquer pourquoi je ne serai jamais célèbre. La dernière fois, il s'appuyait sur la graphologie. Comme il y a vingt ans que je sais pourquoi, je le laisse aller à côté de la plaque sans répondre. Il a beau avoir été un grand directeur artistique, il ne comprend pas tout, en art.

« Je suis allé au Québec en mai 1950. A l'époque, ce pays était infesté de chanteurs français! C'était un eldorado pour eux. J'avais déjà fait le voyage avec Maurice Chevalier. Plus tard, j'y suis retourné avec Patachou. Et c'est aussi là-bas que j'ai rencontré Aznavour. Je l'avais d'ailleurs engagé comme délégué des disques Polydor. Malheureusement, dès mon retour à Paris, j'ai reçu de lui une lettre m'annonçant qu'il partait à New York comme homme à tout faire d'Édith Piaf... Bref. Je ne venais pas à Montréal dans le but précis de ramener quelqu'un. Je fouinais... »

« J'étais au « Faisan doré », une boîte où passaient Roche et Aznavour. Raymond Levesque y avait débuté. Je rencontre Jacques Normand, un gars très sympathique qui chantait des chansons françaises et voulait venir en France (1). Je lui répondais : un

1. Il fera une grande carrière d'homme de radio et de télévision.

Québécois qui chante des chansons françaises, ça n'a aucun intérêt. Au bout d'un moment, il me dit : Il y a un seul type, Félix Leclerc. Mais il vit à la campagne et il ne se dérange pas facilement. Il ne viendra pas.

– On verra bien (1). »

« On téléphone chez Félix à dix heures du soir. Rendez-vous est pris pour le lendemain avec son ami Pierre Dulude au studio de CKVL où celui-ci travaillait. En arrivant, je rencontre le patron, Jacques Tietolman qui me dit : Vous faites fausse route, j'ai essayé de le passer ici, ça n'a intéressé personne! »

Il le dit même en anglais : «You're losing your time, this guy is not a success. »

Car le patron de cette radio francophone est évidemment un anglophone.

Félix arrive, sweater et pantalon gris. Canetti ne veut pas lui être présenté tout de suite, afin de ne pas le troubler. N'ayant vu que Dulude, Félix s'installe au micro et à la lumière rouge, il attaque :

– Mouéé mes souliers ont beaucoup voyagé...

« ... Je reçois un choc irrésistible, un des plus forts de ma vie [...] " Fermez-la " ai-je envie de dire à la voix nasillarde anglaise qui continue à me vanter des chanteurs canadiens " ayant du talent " [...] Je dis brutalement au connaisseur en question : " You're wrong! This guy is better than a success. He has a soul! He is the guy I'm looking for " (Vous vous trompez! Ce gars-là est plus qu'un phénomène commercial! Il a une âme! C'est le gars que je cherchais (2).) »

(1) Nous avons une autre version de la grande scène de la découverte. Elle nous est livrée par Henri Deyglunm, futur mari de Janine Sutto : « Félix avait déjà fait des chansons mais il n'en parlait pas. Un jour, Canetti me demande : " Vous ne connaissez pas un chanteur... Je ne sais pas son nom... " Aznavour me dit : " Vous le connaissez... Un gars qui habite la campagne et qui chante. " J'ai été incapable de leur dire Félix Leclerc. Canetti le cherchait... » (A Radio Canada, 6 mars 1971.)

(2) *Le Petit journal,* 20 janvier 1963.

Là, nous touchons le centre du débat, le noyau du problème, le nœud de l'intrigue. D'un côté, Tietolman qui s'y connaît, qui est moderne. De l'autre, Félix qui va son chemin. Entre les deux, quelqu'un « cherche une âme » et représente l'Histoire. Canetti n'a pas seulement découvert un chanteur. Lui qui vient de l'extérieur et qui se moque complètement de la modernité à la canadienne, il est tombé sur celui qui va symboliser l'homme québécois pour deux générations, le contemporain idéal : le gars que je cherchais. Pourquoi? Mais il vient de vous le dire : parce qu'il a une âme...

Canetti à Félix : « Je prends l'avion à sept heures ce soir. Soyez à quatre heures à mon hôtel cet après-midi et, si vous voulez, je vous remettrai un contrat de cinq ans avec la maison Polydor. »

Au Ritz-Carlton, rue Scherbrooke, Canetti fait signer Leclerc qui n'a pas dû avoir une seule fois, dans toute sa vie passée, l'occasion de pénétrer dans un lieu aussi chic. Dulude est présent. Bien entendu, Félix ne lit pas le contrat. Sa confiance est absolue. Dès cet instant, l'imprésario devient « son patron ». Le jour, beaucoup plus tard, où il aura l'impression que sa confiance a été trahie, il n'écoutera pas non plus les arguments : la rupture sera nette, sans appel.

Puis il rentre à Vaudreuil. Il n'y croit pas, à cette aventure européenne. Vous vous rendez compte : la France! Pour tous les artistes et les écrivains de la province, la France est le bâton de maréchal naviguant au bout d'un océan trop immense! Non, il n'y croit pas une minute.

Canetti invite Dulude à souper :

« Comment le surnommer, monsieur Dulude? J'ai pensé à ceci » : et il écrit sur la nappe « Félix Leclerc, le cow-boy canadien ».

Ici, cow-boy n'a pas le même sens romanesque qu'à Paris; un cow-boy, c'est un paysan, un cul-terreux. Dulude prend à son tour son crayon et biffe « cow-boy ». Restera donc : Félix Leclerc, le Canadien. Et on lira, plusieurs années après, dans les journaux de

Montréal : « Le Canadien est de retour! » Voilà comment un titre destiné à faire couleur locale en France, investit celui qui le porte d'un destin national dans son propre pays...

« Le premier disque, raconte Dulude, a été enregistré à CKVL. Canetti a fait mettre en boîte sur place de quoi éditer six 78 tours. Il a emporté « les souples » sous son bras. Les disques Polydor à étiquettes rouges sont revenus dans l'autre sens. On les a diffusés au milieu de Chevalier, Patrice et Mario, Tino Rossi... Minutes tragiques! Les gens téléphonaient pour se plaindre. Et pour que Tietolman n'entende pas parler du scandale et de ce qu'on faisait pour Félix, on interceptait les appels... »

Canetti, sitôt chez lui, à Saint-Cyr-sur-Morin, se rue chez son voisin, Pierre Mac Orlan qui est membre de l'académie Charles-Cros. Cette société décerne chaque année des « Prix du disque » dont l'influence est décisive sur les carrières. Une influence qui diminuera au fil des années : ayant obtenu ce prix deux fois, en 1967 et en 1981, j'en sais quelque chose...

« Mac Orlan me dit d'envoyer l'enregistrement en urgence aux autres membres de l'académie. Il restait trois semaines! Et ça a marché! Félix est au palmarès. Je téléphone aussitôt à Vaudreuil. Lui ne savait pas que son disque était sorti ni même ce qu'était le Prix du disque. Et je lui ai demandé de venir à Paris. »

« Tout tremblant d'émotion, j'avais pris l'avion à Montréal par une terrible tempête de neige. Les Leclerc s'étaient embarqués de Dieppe en 1662 pour une traversée de quatre-vingt-onze jours (1)!... Le seul plaisir était de toucher la terre de mes ancêtres et de le raconter à mon père et à mes amis : je prendrais la chaise, j'irais dans le gazon et là, je me tape sur les cuisses pendant deux heures : je suis retourné sans procès, sans accident, sans rien! C'est tout ce que je demandais. On était heureux, on était bien; et voilà qu'on

(1) A Claude Goure, *Panorama d'aujourd'hui*, janvier 1978.

m'offre d'aller dans la vieille Europe, une vieille dame dans un vieux château (1). »

La vieille dame a des passions de jeune fille. Ce que Félix n'a jamais pu obtenir à Montréal, Canetti va le lui imposer dès son arrivée : le public. Il va débuter par trois semaines à l'ABC, une des salles les plus prestigieuses de la capitale.

« Aux Trois Baudets, précise Jacques Canetti, la vedette était Robert Lamoureux. Le patron de l'ABC, Mitty Goldin, très efficace et très désagréable, voulait que je lui donne Lamoureux. Je dis oui à condition qu'il prenne aussi Félix. Il l'a donc engagé sans le connaître, ce qu'il ne faisait jamais. »

Grâce un peu, il faut le dire à la caution enthousiaste, des Compagnons de la Chanson, vedettes du spectacle. – Goldin, un homme très agréable, nous a demandé si nous connaissions ce Leclerc, me raconte Fred Mella. Nous lui avons fait écouter le souple rapporté de Québec avec *Le Train du nord*. Vous pensez si nous étions d'accord! »

A l'affiche, il y a aussi « le grand Champi » aujourd'hui bien oublié, Paul Colline et Jacqueline François. Après la répétition de l'après-midi, Mitty Goldin, cigare au bec, lâche : « Bien mon petit... Mais enlevez *Notre sentier* de votre tour de chant... Ça fait trop russe, trop communiste. Je ne veux pas d'histoires (2). » C'est la guerre froide, n'est-ce pas; et la session de l'ONU va s'ouvrir à Paris; alors, les histoires de bouleaux... A moins que l'anecdote soit sortie telle quelle de l'imagination de Félix qui galope bien plus vite que le stylo des journalistes. Son Maluron aussi était doué d'une grande « facilité à mystifier ceux qui l'approchent... »

Nous sommes le 22 décembre 1950. Félix Leclerc « le Canadien », monte sur scène, vêtu de gris. – Mouéé mes souliers ont beaucoup

(1) Conversation avec Jacques Brel, Europe I, 1969.
(2) A André Roche, *Le Petit Journal*, 19 juillet 1953.

voyagé... Le triomphe est immédiat. « Des machinistes aux ouvreuses, tout le monde était fasciné » assure Suzanne Avon. Tout Paris se précipite. Piaf dans la salle. Chevalier dans la salle. On n'a pas entendu cela depuis Trenet, murmure Paris.

Le soir même, une liaison téléphonique rassure les amis de Montréal : De l'appartement du couple Mella-Avon, la nouvelle vedette appelle Dulude à CKVL. Dulude, le premier à apprendre qu'il a eu raison contre Tietolman et que « This guy is a success ».

J'ouvre *le Figaro* du 30 décembre. Sous le titre « Les Compagnons de la Chanson à l'ABC », je lis : « Les Compagnons de la Chanson nous reviennent d'Amérique avec une auréole plus resplendissante que jamais. Ils ont pris rang parmi les vedettes internationales [...] Nous avons applaudi aussi, à l'ABC, Champi qui sait si bien raconter les histoires, René Paul, descendu tout exprès de Montmartre, Félix Leclerc qui a eu beaucoup de succès... » Et c'est tout. Dans *Paris-Match,* il faut attendre le 27 janvier pour que le nom du Canadien apparaisse dans un simple entrefilet : « Mitty Goldin a appris avec stupeur qu'une des vedettes de son spectacle, le chanteur canadien Félix Leclerc qui fait un triomphe chaque soir, était surtout connu au Canada pour son talent de romancier. » Et c'est tout. Deux semaines à attendre avant que Félix soit à nouveau cité. Sous le titre « Le Train du nord, la Gigue, par Félix Leclerc », Monsieur Paul Gordeaux signe une critique du disque où on lit : « Un trappeur de trente-six ans, Félix Leclerc, grâce à quatre disques parus récemment chez Polydor est devenu en quelques heures la révélation de l'année. » Il n'y a là qu'une vingtaine de lignes, bien peu de dithyrambe et tout juste une qualification astucieuse quoique peu originale : Félix serait « le Douanier Rousseau de la chanson »...

Il faudra attendre le 22 décembre 1951 pour que *Paris-Match* parle à nouveau du Canadien : *La Légende du petit ours gris* est prise comme chanson fétiche par le magazine pour les fêtes de Noël. D'après ce papier, Félix aurait pulvérisé les records de vente pour son disque *Moi mes souliers* (soixante mille exemplaires en quelque mois).

Et ce sera tout. *Paris-Match* qui se fait l'écho des bruits du Tout-Paris ne parlera plus de Félix pendant au moins cinq ans. Le triomphe semble donc bien être là où il doit être : dans la salle et non pas dans les médias. Le succès du chanteur n'est pas le résultat d'une opération publicitaire. Ce sont bien les spectateurs qui sont conquis, à l'image des ouvreuses et des machinistes de l'ABC. Si vous croyez trouver Félix en chemise carreautée éclusant son dernier whisky dans la dernière boîte à la mode, cherchez ailleurs. Le soir de Noël, il est rattrapé par les cheveux dans sa solitude par Fred et Suzanne et passe les fêtes avec eux.

D'ailleurs, il est là pour travailler : Une matinée le samedi, deux matinées le dimanche... Il n'a jamais ramé à cette cadence, il est effrayé.

Canetti pousse son pion :

– Aussitôt après, je l'ai mis aux Trois Baudets avec Dac, Blanche, Lamoureux et toute l'équipe.

Et c'est parti. Le triomphe est dans la salle.

C'est parti aussi dans la coulisse. Curieuse confraternité. D'un côté, tout seul, un écrivain catholique canadien en visite. De l'autre, tout ce que la capitale compte comme farfelus, anticonformistes, gagmen et ferrailleurs du mauvais goût. On s'attend à ce que ces gars-là mènent la vie dure au nouveau venu. (Comme Brassens qui accueillait Brel d'un sarcastique « Salut l'abbé! ») Ils vont lui cacher des hosties ricaneuses dans sa guitare, au moins. Eh bien pas du tout. Félix est immédiatement adopté. Conquis, il a conquis la bande. « Il était très habile » me glisse Canetti. Ce terme, légèrement mercantile, veut dire « charmeur », sans doute. Félix trouve là trois de ses meilleurs amis français et qui le resteront : Raynaud et Blanche, d'abord; puis Devos vers 1954. N'oubliez pas ceci : Félix est un amuseur. Dulude m'assure qu'il « amusait Francis au superlatif ».

« J'étais protégé par mon statut de Canadien français. Ils me chouchoutaient. Le bouclier, c'était Raymond, Francis et Fernand. Je partageais ma loge avec Boris Vian. Il jouait *MacPherson* sur sa " trompinette " avec sa tête de moine. Darry Cowl et Francis venaient travailler à vélo... Darry faisait sécher sa lessive sur le piano... Il y avait François Chevais qui s'intitulait " le plus mauvais comédien de Paris "... On était des amis épouvantables avec Biraud... »

Voilà les souvenirs qui dévalent la mémoire. Soudain, on ne sait plus lesquels sont sortis de l'intimité des artistes et lesquels on a lu, déjà, dans les livres d'Histoire, lesquels datent de 1951 et lesquels de 1955... « J'ai connu Eddie Constantine; c'était pas Bossuet! Maudit, dis pas ça! » Bien sûr que non, Félix... Duludc, Biraud, Blanche et Leclerc sortent de la Salle Wagram où ils sont allés applaudir Montand. Un tabac pour Montand. En quellc année, déjà? Les souvenirs sont feuilles mortes...

Un soir de gala parmi les autres, à l'ABC : Sylvette, une sœur cadette de Félix étudie la médecine à Paris. Elle passe sur le boulevard et aperçoit l'affiche : « Félix Leclerc, le Canadien. » Pas au courant de l'aventure, elle prend deux billets pour découvrir cet homonyme (au Québec, tout le monde se nomme Leclerc, ou Tremblay, ou Gagnon) et les deux mains ouvertes pour applaudir l'entrée en scène de l'inconnu restent écartées comme les lèvres muettes de stupeur.

Un soir de gala parmi d'autres, quelque part...

« Loges, sonnette, habilleuse, acrobates, resquilleurs, chasseurs d'autographes. Le va-et-vient des trois étages, dans l'escalier de fer, au-dessus des coulisses et la permanente présence de ce cynique monsieur qui, sous divers masques, s'appelle le trac. »

« Rire exagéré, moiteur aux mains, sueurs froides, faux recueillement, colère, angoisse en regardant l'horloge et ses tic-tac comme coups de marteau... »

« C'est là que, pour la première fois de ma vie, résonna à mon oreille un mot très courant en France mais toujours travesti, synonyme de " Seigneur " (à mon sens). »

« Assis sur la petite chaise dure, attendant mon tour, guitare debout entre mes pieds, je les ai tous vus défiler, l'un après l'autre, les numéros de la première partie. Quelle fraternité entre gens de métier. Embrassades, poignées de mains, félicitations... »

« Chacun entre en scène gonflé, solidaire, encouragé par celui qui va lui succéder. »

« Celui qui va lui succéder me glisse à l'oreille : " C'est un con! "

« Celui qui l'a précédé sort de scène et me glisse à l'oreille : " C'est un con! "

« Et la vedette anglaise, parlant de la vedette américaine : " C'est un con! "

« Et la vedette américaine, pointant la vedette anglaise : " C'est un con! " »

« Nous sommes tous des seigneurs, c'est merveilleux! Du directeur au machiniste, de l'unijambiste au ténor, du régisseur à l'accordéoniste, la famille est au complet : Tous des cons! »

« Que de joie, que de joie, que de joie!... Enfin une institution qui frôlerait l'amour... »

« Trois jours après, dans un tremblement d'éclat, de lumières allumées en plein midi, d'argenterie et de fleurs qui coulent sur la table, je suis reçu à l'ambassade du Canada, comme un ambassadeur de mon grand pays. »

« Toasts, saluts, vins, rillettes, jambon de Bayonne, lièvre sauté qui saute hors des soupières d'argent, c'est le festin royal. Après deux heures de boustifaille, au quatrième coup de l'étrier, je me rends compte que je suis seul à table avec l'ambassadeur et sa femme qui ont bien hâte que je prenne congé. Un dernier cinquième sec petit coup de l'étrier et, vers la sortie, me voilà en présence du couple des vieux concierges français, loyaux serviteurs depuis trente ans. Ils ont les bras chargés de mon paletot, de mon chapeau, de mon foulard, de mes claques, de mes mitaines en fourrure. Je m'habille, soulève la draperie et dans l'euphorie de la gentillesse et du savoir-vivre, me penche, attendri, vers les bons vieux et leur souffle ces paroles, du plus profond de ma sincérité : " Vous êtes en face d'un homme heureux, comblé. Pour vous deux, je n'ai ni discours ni histoire, ni chanson mais, du fond de mon cœur, je vous dis que vous êtes deux braves cons ! " »

« Trois mois après, chaque soir, avant d'entrer en scène, aux Trois Baudets, il fallait que je raconte à Francis Blanche et à François Chevais cette histoire qui les faisait se tordre de rire sur le petit tapis usé de ma loge. Humble petit tapis qui servait, entre autres, à éponger l'eau du couloir quand il pleuvait. »

Les souvenirs sont cors de chasse dont meurt le bruit...

« J'ai été chanceux, lit-on dans *Le Soleil* bien des années plus tard. J'arrivais en France à une époque chaotique. C'était l'après-guerre. La chanson française était merveilleuse mais d'un pessimisme morbide. La grande Piaf traduisait l'angoisse des gens avec ses chansons qui parlaient de foules en panique et d'amours impossibles. Moi, j'arrivais maladroitement avec ma guitare sèche et mes chansons de grands espaces qui résonnaient à leurs oreilles comme une terre promise... Les premiers soirs, à l'ABC, furent extraordinaires. Je n'oublierai jamais l'expression des gens quand, dans *L'Hymne au printemps,* je terminais avec *Et les crapauds chantent la liberté.* Pour des gens qui sortaient de l'occupation et de la guerre, c'étaient les crapauds qu'il leur fallait (1). »

Ici, le malentendu. Ils sont éblouis par ce gars robuste qui parle de

(1) A Louis-Guy Lemieux, *Le Soleil,* 2 août 1975.

la nature, de la conquête, de la nouvelle frontière, eux qui n'ont plus, depuis longtemps, aucune frontière à ouvrir. Félix va être l'homme du fantasme pour ces Européens sans forêt vierge, sans sentiment fort, le westerner, le pionnier, le tenant d'une santé morale à base de santé physique. Premier malentendu : l'œuvre chantée de Leclerc parle tout autant du voyage intérieur et de la difficulté de vivre.

Et le temps coule, de rien je ne suis maître
Perds le contrôle, perds la raison [...]

Perdu l'adresse de mon père
Gagné la frontière où je suis
Et les trains filent jusqu'au bout de la terre
Moi, sur le quai, tout gris, assis.

Deuxième malentendu : les Québécois, tellement influencés par les goûts de Paris, vont adopter, un peu contraints, Félix Leclerc « le Canadien ». Au moment où ils abandonnent leur fantasme à eux – la colonisation, la terre – pour se jeter dans la ville et la modernité. Voilà qu'il leur est donné un chanteur, le premier, le plus doué, le plus attachant, qui semble vouloir les ramener une case en arrière. Ah, ils vont l'aimer, oui, mais comme un père : il était là avant, on ne peut le choisir. Et il faudra attendre Gilles Vigneault pour réconcilier à leurs yeux la nature et la modernité. Félix est arrivé trop tôt. Vingt ans après, ce malentendu n'aurait pas existé. Trop tôt ou trop tard, Félix, pour les Québécois. Mais qui donc a écrit que tout succès est fondé sur un malentendu ?

Oui mais tout n'est pas malentendu. En avril 1951, dans *Esprit,* Chris Marker (1) présente une vingtaine de chanteurs par qui renaît la chanson de qualité. (Il semble même le premier à employer cette

(1) *Esprit,* Paris, avril 1951.

expression qui servit beaucoup pendant trente ans!) « Le bûcheron canadien Félix Leclerc, révélation de l'ABC », est parmi eux. Chris Marker cite André Malraux : « Il n'est pas possible que, de gens qui ont besoin de parler et de gens qui ont besoin d'entendre, ne naisse pas un style. » En France comme au Québec, est né un style, la chanson, qui a marqué le siècle jusqu'aux années 80. « L'existence d'un renouveau poétique dans la chanson est vraisemblablement le phénomène culturel le plus important du demi-siècle », annonce aussi Chris Marker qui signale : « La chanson dite populaire qui, depuis le début du siècle, s'était identifiée à la vulgarité [...] renoue en ce moment avec ce que fut la chanson ancienne : toute finesse, tendresse, humour, qualité (1). »

Qu'est-ce qui caractérise cette chanson-là ? A mon avis une façon de dire « je ». Voyez comme la gaucherie des « grands », Brel, maladroit qui joue sur scène à être maladroit, Brassens, pataud notoire, Ferré à l'air agressif, Leclerc qui revendique « n'être pas un chanteur », comme cette gaucherie rompt avec le brillant impeccable, la perfection menteuse du music-hall à paillettes où tout est illusion. Il y faut faire rêver, comme font rêver les tableaux en vente dans les super-marchés : Tino, Claveau, etc. Au contraire, la lourdeur et les aspérités de ces nouveaux chanteurs en font des artistes : ils vous apportent leur vie d'homme. Ils disent « je », fait nouveau. Mais vraiment « je »; un « je » souvent impudique. Et ils ne reculent pas devant les attributs du littéraire : l'image pour Leclerc et Ferré, le vers et la référence mythologique pour Brassens. Au diable le léger, le futile, le faux réalisme portuaire et montmartrois, l'amour toujours et l'amour jamais. Ils abandonnent la sacro-sainte-histoire-à-raconter-en-douze-lignes-et-un-refrain. Ils élargissent la thématique à la dimension du monde. Ils apportent une nouvelle liberté. Voilà ce que chantaient les crapauds : la naissance de la chanson

(1) *Esprit,* op. cit.

moderne. Et le premier de cette troupe, celui qui ouvre la voie, c'est Félix. Avant Ferré, oui. Avant Brassens. Juste en même temps que Trenet qui débute au moment où Félix chante pour l'univers entier à la radio de Trois-Rivières.

Il est le premier chanteur à la guitare. C'est plus qu'un attribut décoratif, une guitare : c'est l'outil d'une libération. Brel suivra sur cette voie. Le changement subit dans l'orientation de sa vie alors qu'il atteignait vingt-deux ans a été provoqué en grande partie par l'audition des premiers disques de Félix Leclerc : « J'avais toujours aimé la chanson mais je n'avais pas osé m'y lancer. En entendant Leclerc, j'ai constaté qu'il faisait autre chose que des banalités avec des chansons. Je me suis dit que l'on pouvait, tout comme lui, écrire d'autres chansons que des refrains d'amour mièvres. Leclerc m'ayant ouvert la voie, je l'ai suivi. (1) »

Alors, s'il est devenu célèbre pour cela, il n'y a aucun malentendu.

C'est aussi le mérite de Jacques Canetti d'avoir su donner à un public nouveau la chanson qu'il cherchait. D'ailleurs, ce type n'a pas seulement le talent d'avoir du flair. Il est aussi un vrai directeur artistique : Un jour, raconte Félix, Robert Lamoureux répétait sur scène. De la salle monte la voix de Francis Blanche : – C'est très mauvais! C'est nul. T'as pas honte?

Suit une engueulade homérique. Canetti surgit alors : – Passez tous les deux à mon bureau demain matin! Félix, vous serez témoin!

Le lendemain, il se contente d'exiger : – Je veux tous les soirs la même empoignade devant le public. Réaction géniale. Nouveau tabac.

Félix est la coqueluche de Paris où il évolue avec timidité et désinvolture. Il a raconté dans *Moi mes souliers* cette partie de sa

(1) *La Patrie,* Montréal, 24 janvier 1963.

carrière et les gags qui la parsemèrent. Un Canadien français à Paris, vers 1950, c'est un Huron, un Martien. La France ignore tout de cette race. (Elle n'en sait pas davantage en 1986 mais elle le cache. En trente-cinq ans, elle a juste appris cela : son ignorance.) En 1950, les Français sont très supérieurs, déjà et plutôt grossiers. « Lors de mon premier voyage en France, en 1950, on me demandait souvent s'il était vrai qu'au Canada on vivait dans des cabanes. Je répondais : – Pas tous, seulement les riches, les autres comme moi dans des cavernes ou dans des troncs d'arbres (1)... »

Tenez, voilà comment l'écrivain Michel Tremblay raconte l'arrivée d'un Québécois à Paris, en 1947 (2). Imaginez Félix Leclerc dans le rôle :

« C'est mon Canadien! Quelle chance d'être tombé dessus comme ça! Allez-y l'acteur, dites-nous quelque chose! Je parle de votre accent à mes amis depuis hier mais je n'arrive pas à l'imiter! Hhm? Vous allez voir, vous autres, c'est incroyable! On ne comprend pas un mot mais c'est d'un drôle!... Vous montez sur la scène et vous nous faites un petit numéro de Canadien. Je suis sûre que Boris vômira des ronds de chapeaux... »

Tous les Français ne sont pas aussi ignares, heureusement. Parmi les connaisseurs du Nouveau-Monde, il y a Léon Zitrone. Il est même correspondant de Radio Canada. Eh oui, Léon, déjà! Voici la transcription d'une interview réalisée par lui dans les premiers jours de 1951.

Léon Zitrone : – Félix Leclerc a obtenu du public parisien un véritable triomphe depuis trois mois environ [...] Il a obtenu la plus haute récompense qu'un chanteur puisse recevoir en France : le grand prix du disque. Dites-moi vite vos impressions, Félix Leclerc.

(1) *Rêves à vendre*, op. cit.
(2) *Des nouvelles d'Édouard,* Michel Tremblay, Éditions Leméac, Montréal 1984.

Félix Leclerc : – Je suis content de ce qui m'arrive pour trois raisons : Heureux pour les Canadiens français [...] Ce qui m'arrive donnera confiance et courage, je l'espère, à ceux qui portent une chanson dans leur cœur. Deuxièmement, je suis heureux que les Français ne m'aient pas seulement écouté mais compris. Et troisièmement , je suis heureux que s'affirme la croyance *(sic)* qu'a eu en moi mon patron, M. Canetti, à qui je dois tout [...]

Léon Zitrone : – Chantez-nous une chanson...

Et lui, d'un coup, tout de suite, sans préambule, sans intro, d'une voix immense :

J'ai deux montagnes à traverser
Deux rivières à boire!...

Je ne trouve pas du tout qu'il ait une voix de beû. Mais je trouve qu'il a une fière audace à balancer ces chansons qui ne ressemblent vraiment à rien de ce qui s'est fait avant. Par ailleurs, je note que sa dédicace aux Canadiens français lui donne une sérieuse option sur le titre de précurseur que l'Histoire va lui attribuer. Il ne perd pas le nord, Félix : Il travaille bien pour construire un pays... Léon Zitrone enchaîne :

– Félix Leclerc est tout à fait ému. C'est l'homme le plus difficile à joindre aujourd'hui dans Paris. Il est obligé de quitter le studio. Les photographes, la presse se l'arrachent. Il y a un nombre invraisemblable de gens qui se bousculent à la porte du studio. Je vais rendre Félix Leclerc à ses admirateurs parisiens.

Félix Leclerc : – Bonjour!

Léon Zitrone : – Merci. Au revoir!

Oui, Il est devenu une star en moins de trois mois. Et sans les moyens modernes du matraquage. Il est vrai qu'en ce temps-là, les journalistes savaient se déplacer pour écouter des inconnus. Voici dans *Le Courrier de Saint-Hyacinthe* du vendredi 27 avril 1951 un reportage de Raymond Laplante. Cent cinquante journalistes sont réunis par Jacques Canetti aux Trois Baudets pour la 402e de *Sans issue,* la revue de Pierre Dac et Francis Blanche, le 3 avril. Dans la salle, Patachou, Maurice Chevalier, André Claveau. Au milieu des gags, un intermède où paraît Félix, « tel que nous l'avons vu ici, dans les studios de Radio Canada ou sur la scène du Gesù ». Il chante quatre ou cinq chansons dont *Le P'tit bonheur* et *Moi mes souliers.* Il termine par *La Mer n'est pas la mer.* Ovation.

Cette ovation le porte jusqu'en Amérique du Nord pour une grande, une immense, une pathétique revanche : Le 20 avril, il rentre au pays. « Notre premier chansonnier de langue française au Canada vient de rentrer » écrit *Le Devoir* (21 avril). Et c'est une folle bousculade. *Paris-Match,* le 22 décembre, dira qu'il a été reçu « comme MacArthur à New York. » Jacques Canetti raconte : Je suis arrivé la veille à Dorval pour préparer son retour. La presse était chauffée à blanc. J'ai pris un taxi pour aller à l'aéroport et, sur la radio de bord, j'entends une chanson de Félix. Je demande au chauffeur s'il aime : – Oui, je commence à m'habituer (1)... Plusieurs centaines de personnes l'attendaient à la descente de l'avion (2). Le lendemain ou le surlendemain, la Chambre de commerce offre un grand banquet en son honneur. J'étais assis à côté de lui. Des discours! C'était toujours « Not'Félix! « « Not'Félix! » Et tout à coup : « Not'Félix va vous dire quelques mots. » Mais il n'a rien pu dire. Il s'est effondré et m'a glissé : c'est injuste; je suis le même qu'il y a trois ans et à ce moment-là, personne ne voulait m'écouter.

Dulude : – C'était inattendu qu'un gars comme ça réussisse...

Un gars comme ça. Celui que cherchait Canetti : juste avec une âme.

Dulude encore : – Il avait accepté de chanter cinq soirs au café

(1) Ferland : « Mes parents n'aimaient pas du tout Leclerc : ils ne comprenaient pas ce qu'il disait... Les gens étaient assez... épais...

(2) En tête : Dulude, Jacques Normand, Roger Baulu... Le même jour Félix est reçu au Club de golf rue Sherbrooke par Camillien Houde, maire de Montréal et tous les maires de l'agglomération.

Continental : Deux passages par soir à dix heures et minuit. C'était du délire. L'endroit pouvait contenir cinq cents places...

Jacques Dupire donne tous les détails dans *Notre Temps,* le 5 mai 51. « La foule était si dense que je me suis vu refuser l'entrée aux deux premières représentations de la première soirée. [...] Vers trois heures du matin, Jacques Normand s'avance sur le plateau et annonce de la façon sarcastique suivante : « Avant de vous faire entendre le célèbre chansonnier canadien, permettez-moi de remercier ici la France et les critiques français qui nous ont révélé Félix Leclerc. »

« Vêtu de pantalons noirs retenus par une large ceinture également noire, chaussé de " souliers de bœufs " et portant une chemise beige en étoffe du pays, timidement, comme s'il chantait pour la première fois, Félix Leclerc fait son apparition. Il est accueilli par un tonnerre d'applaudissements. Il esquisse un petit salut, pose le pied sur une chaise, annonce le titre de sa première chanson et, s'accompagnant de sa guitare, commence sans aucun autre préambule *Moi mes souliers.* Avec une extrême simplicité, sans artifice, sans commentaire, sans même une phrase si ce n'est entre deux chansons " Merci beaucoup de m'avoir si bien reçu ", il chante ses principaux succès. Entre chaque pièce, la salle lui fait ovation. L'on sent qu'il en est ému, très ému. Puis, tour à tour, ses couplets de poésie fruste purifient un moment l'ambiance. Sa voix grave et chaude, vraiment prenante, verse à pleins verres dans ce café le rêve, la tristesse, la joie, l'amour. *Notre sentier, Le Train du nord, Bozo, Le P'tit bonheur. L'Hymne au printemps, La Mer n'est pas la mer.* Autant de chansons aujourd'hui sur toutes les lèvres. Le public applaudit, se lève, crie bravo, réclame d'autres rappels, mais Leclerc, épuisé, salue quelques fois dans un sourire fatigué puis disparaît définitivement en coulisses. »

Dupire avait donné sa conclusion en début de papier. Elle tient en deux formules : « Le premier mérite de Leclerc sera d'abord d'avoir été un pionnier dans tous les domaines. » Et aussi : « Malgré toutes les divergences d'opinion à son sujet et malgré nous, Félix Leclerc est en train de devenir une grande vedette internationale. »

Malgré nous. Suzanne Avon en témoigne quand elle dit : « Vers 51-52, je défendais Félix dans les couloirs de Radio Canada. Ils ne voulaient pas croire que son succès durerait : – Ben voyons donc! »

C'est peut-être pour cela qu'il y a, dans la fierté de celui qui vient de se voir attribuer ce titre de « pionnier » qu'il enviait tant à son père, une tout aussi réelle tristesse : Vedette internationale *malgré nous*....

Dulude est dans la coulisse. Où se cacher entre les deux tours ? Où aller pour se protéger ? Un seul refuge, la voiture. – Je l'entraîne au dehors. Il pleut. On roule. Il est à bout. – Arrête tes wipers (1).

« Nous voilà immobiles sous la flotte, dans le silence. Il était absolument désemparé... »

Je ne sais pourquoi me revient en mémoire le visage de Léo Leclerc considérant la Tuque après avoir « traversé deux montagnes »... Peut-être vois-je cela sur le pare-brise où l'eau fait écran...

Un saut de puce à Sainte-Marthe pour une grande réunion de famille (soixante Leclerc sur la photo, pour le moins!) et il s'envole à nouveau vers la France. Dans sa mémoire, aujourd'hui, il reste cette phrase qui l'a marqué, celle que Muriel Guilbeaut lui adressait naguère : « Tu vis dans un pays que tu n'habites pas. » L'accueillant à l'aéroport, elle l'a embrassé, folle de joie, et, dans la cohue, lui a lancé : « Ça y est, tu y es allé! Mais il t'a fallu dix ans! » Et ça signifiait : Tu es allé dans ce pays dangereux, le pays impie, le pays de la culture, le pays de la littérature, le pays fantasmatique, le pays de tous les exemples, le pays adulte, le pays de Voltaire et de toutes

(1) Windshield-wipers : essuie-glaces.

les libertés, tu as fait ce voyage initiatique, tu vas pouvoir être un homme, maintenant. L'homme qu'il nous faut, l'homme québécois, le Québécois dont nous avons besoin, le Québécois idéal, l'homme au fanal!

Se trompe-t-elle? Ben... Je ne suis pas sûr qu'à ce moment-là, il ait tellement conscience de l'évolution qu'il doit vivre. Va-t-il devenir adulte? Peut-il être ce Québécois nouveau, moderne, délivré? il est tellement attiré par l'image de son père, par le mythe du pionnier... Toute sa contradiction est là.

Juste le temps de s'installer à Paris avec Dedouche et Martin à l'hôtel Cristal, d'apercevoir Martin jouant dans les couloirs avec le fils de Django Reinhardt (1) et il reprend le cours d'une longue tournée commencée quelques jours auparavant, le 1er mars, à travers la France et juste interrompue pour l'aller-retour à Montréal.

1er mars 1951. A Rennes, au Royal, un de ces immenses cinémas comme on n'en fait plus (Il est aujourd'hui transformé en complexe de huit salles). Le spectacle, organisé au profit du sanatorium universitaire de Saint-Hilaire-du-Touvet, est le premier gala de Félix Leclerc dans la province française. Les deux quotidiens rennais, *Les Nouvelles de Bretagne* et *Ouest-France,* ont annoncé la soirée. Dans *Ouest-France,* Félix, vedette du spectacle, a même droit à une photo sur une colonne, distinction rare à cette époque. « Insistons sur le nom maintenant célèbre de Félix Leclerc qui prêtera son concours à cette soirée. » Il y a huit numéros au programme. Le music'hall n'est pas encore entré dans l'ère de la vedette unique en récital : Tout le monde peut travailler. Les Rennais applaudiront donc successivement Florence Pasy, présentatrice, Eddy Layson, « compositrice et accompagnatrice », puis un débutant, Fernand Raynaud que le critique donnera le lendemain comme « un mime excellent et amusant », Pierre-Louis Picaud, chansonnier du Grenier de Montmartre suivi de Varel et Bailly

(1) « Il y a un gars qui joue de la guitare la nuit. Il m'empêche de dormir. Mais qu'est-ce qu'il joue bien ! »

« dont le physique semble mieux fait pour la radio que pour la scène », lâchera le gars d'*Ouest-France.* A l'entracte, la vente de disques dédicacés au bénéfice du sanatorium, rapportera dix mille francs (le prix du journal est de dix francs). On verra ensuite Gilda, « chanteuse mi-espagnole mi-gitane à la voix de mezzo réaliste ». Mais là, ça commence à durer un peu. « L'assistance, jeune, chahuteuse, s'impatiente. Cet âge est sans pitié. »

« Enfin voici le numéro attendu, celui de Félix Leclerc, Grand Prix du disque 1951. C'est un Canadien français aux chansons nostalgiques, imprégné de la poésie du terroir lointain mais dont l'âme est si proche de la nôtre! Cela fleure bon la prairie et la forêt. Il s'accompagne à la guitare. Sa voix résonne d'un grave mâle et profond et son accent est caractéristique. Il obtient un gros succès. » Des duettistes emballent la soirée : Henri Leca et Rose Mania. Mais le journaliste René Thierry signale que la salle (environ mille trois cents places) n'était pas pleine (1) – Il avait fait une bonne demi-salle me précise à la volée Jacques Canetti, quarante-cinq ans après. Je me demande s'il bluffe ou si réellement, il se souvient de la jauge. Il en serait bien capable...

Après le spectacle, Félix entre dans l'un des rares établissements ouverts dans la nuit de la province profonde. Sur le zinc, il a la surprise de trouver *Le Soleil,* le quotidien de Québec oublié là par un marin et qui lui rappelle que les coïncidences sont des astres lancés de loin. Il y a deux mois et neuf jours qu'il a débarqué. On peut aisément mesurer le chemin parcouru. Mais il est bon de rappeler qu'il écrit des chansons depuis 1932 : Deux mois pour rattraper dix-huit ans. La tournée s'en va ailleurs.

Et la France découvre le Canada. Il est le seul Canadien, il est le Canada en France. Et pour longtemps. Il a traversé la mer.

(1) *Ouest-France,* 3-4 mars 1951.

– Oui. Me laisses-tu quelques minutes pour courir au studio Harcourt me faire photographier pour le portrait définitif à afficher dans les music'halls ?

– Bien entendu, Félix...

Félix a gagné. Il gagne à tous les coups.

X. Devenir adulte

Muriel Guilbault n'a pas parlé en l'air. Le voyage en France est initiatique. « Je me suis approché et j'ai découvert le monde! J'étais un adolescent de trente-cinq ans. Il m'a fallu alors prendre les bouchées doubles. Il m'a fallu aller vite... J'étais venu au monde dans une sacristie (1)... » « En France, je m'éveillais [...] J'avais tout à connaître, à apprendre. L'homme, contrairement à ce qu'on m'avait dit, n'était pas sur terre seulement pour y être malheureux en attendant le ciel (2). »

Il a trente-cinq ans. L'air d'un faune. (Toutes les filles qu'il pourrait vouloir à ses pieds. Il ne les voit pas.) « Grand, mince, un peu voûté comme tous ceux qui écrivent, Félix Leclerc est encore un jeune homme. Cheveux noirs frisés. Les yeux pleins de rêve. Il parle par saccades d'une voix grave et un peu couverte, mordant dans les mots, soulignant chaque phrase d'un geste nerveux. « Tel est le portrait que dessinait Jacques Dupire dans *Notre Temps*, le 13 avril 1946. Presque exact. A ceci près : Il n'est pas voûté – ou

(1) Dans *Québec français*, mars 79.
(2) Dans *Panorama d'aujourd'hui*, à Claude Goure, janvier 76.

il ne l'est plus. Les gens qui l'ont côtoyé, dans son âge mûr, seront au contraire frappés par la majesté avec laquelle il porte son dos. Cet aspect baraque rustique n'est pas pour rien dans son succès. Les cheveux blancs sont apparus assez tôt, vers la moitié des années 50. Un journaliste parle de ses « cheveux d'acier » en 53. Il mord dans les mots, par saccades; oui. Mais dès qu'il se sent à l'aise, la voix grave se mue en voix de gamin : aiguë, chantante. Au téléphone, l'autre jour, je lui ai donné du « bonjour madame ».

Quant au moral, les Français l'ignorent encore mais ils vont avoir sous les yeux l'image type du Québécois moyen.

Voici la description qu'en donne lord Durham au milieu du XIXe siècle. De lui, Félix? Oui, oui, suivez, c'est sidérant : Les Canadiens français sont « doux et bienveillants, frugaux, industrieux et honnêtes; très sociables, gais et hospitaliers et se distinguent par une courtoisie et une vraie politesse ». Et lord Durham note aussi – ce qui est, à mon avis un des traits marquants du caractère de Félix – la « fierté ombrageuse mais inactive qui porte ce peuple non pas à s'offenser des insultes mais plutôt à se garder à l'écart de ceux qui voudraient le tenir dans l'abaissement. » Félix est ainsi, modelé comme ses frères de race par deux siècles de domination anglaise : il ne se bat pas; il plie, laisse dire, part dans le bois, ailleurs, où il est libre.

– Des fois, j'ai envie de tout bousculer. Mais je ne le fais pas. Un peu de lâcheté. Mais ça, c'est aussi du respect. Et puis, à quoi bon? Je me déplace. Demain, je serai loin.

– Est-ce que votre respect pour les autres ne vous conduit pas à donner une fausse idée de vous?

– Sûrement. Ça fait rien...

Ce sont des « gens aux mœurs saines, à la manière de vivre simple, bons pour leur famille, d'une gaieté et d'une sociabilité affectueuses, au goût artistique évident, d'une spiritualité trop rare en Amérique du Nord et dont la conduite est celle d'une race bien équilibrée, alimentée d'un sang généreux et abondant (1). »

« Si le Français est discoureur et palabreur, précise le sociologue Marcel Rioux (2), le Québécois, lui, est raconteur. Si le Français quel qu'il soit, enseigne toujours quelque chose à d'autres et qu'on puisse envisager la vie française comme une espèce de concours permanent où chacun, pour continuer à vivre, doit connaître les bonne réponses [...] le Québécois, lui, a toujours quelque chose à raconter à d'autres, non pour enseigner quoi que ce soit, mais pour faire rire, pour confirmer des solidarités de groupe. »

Et pour distinguer le Québécois de son voisin anglophone puritain, janséniste, mesuré, maître de lui (comme de l'univers) : « Il est exubérant, chaleureux, expansif, en un mot : chaud (3). »

Tel est Félix Leclerc. Une nuance toutefois : s'il est plus chaud, plus raconteur, (plus menteur!...) que le Québécois moyen, il ne le montrera pas trop sur le vieux continent : – Je me surveille...

Pendant près de vingt ans – la carrière européenne de Gilles Vigneault commencera en 66 – il restera le seul représentant de la nation canadienne française dans la mère patrie. Une autre bonne raison pour lui attribuer le beau titre de pionnier. Il faudra les frasques amoureuses de Pierre Elliot Trudeau pour lui ravir la vedette.

Les tournées de Jacques Canetti s'appellent bêtement « les festivals du disque ». Le patron fait voyager en permanence plusieurs équipes, plusieurs programmes : celui de Robert Lamoureux, celui d'André Claveau, celui de Patachou, plus tard. Félix embarque avec Claveau. La voix de velours et la voix de beû. Devos, Raynaud, Pierre-Jean Vaillard, Darry Cowl sont les copains de chambrée. Christiane Legrand qui chante en duo, complète la troupe ainsi qu'un imitateur, Jack Gauthier qui obtient partout, selon Félix, un

(1) J. A. Stevenson, cité par J. Hamelin et N. Gagnon, *Histoire du catholicisme québécois*, op. cit.
(2 et 3) *Les Québécois*, op. cit.

grand succès et rêve de faire des chansons sérieuses. On voyage en autocar sous les ordres d'un monsieur Brun qui téléphone chaque matin au patron pour lui donner la météo : « Grand soleil » pour triomphal, « nuageux » pour petit succès, etc.

Torride : « Sur une plage de l'Atlantique, des jeunes gens défoncent les barrages qui protègent sa loge et lui demandent de chanter pour eux : ils n'ont pas pu avoir de place au Casino. Dans les jardins, Félix leur offre une aubade de trois quart d'heure (1) » Casinos, cinémas, fêtes des fleurs, princesses en goguette, boîtes de nuit, tel est le music-hall de ce temps-là. Félix le quittera dans quinze ans avec grande joie. Il n'est pas l'homme de ce métier-là ni l'homme de la nuit et des bars. Les mystères de la cave à complots sont trop inquiétants mais surtout trop tardifs; les noctambules sont trop nocturnes. – A la fin du spectacle, je rentrais chez moi, j'étais pas le gars à me coucher à quatre heures du matin!

Sa vie ne change pas. Il demeure un catholique pratiquant. – Vaillard ou Fernand ou Raymond venaient me conduire à l'église et attendaient la fin de la messe dans l'auto...

Des photos sur l'album de famille de John et Marie-Paule Leclerc : Noël 1951 – Félix, Andrée et Martin sont à Paris, devant le monument à Molière : une belle famille, bel homme, belle femme, bel enfant, belle joie. Noël 1952, ils sont à Rome où Félix chante depuis le 11 décembre dans un club chic, l'Open Gate club. Vers 1953, Félix chante dans un salon parisien pour sa sœur Sylvette et son mari, étudiants en médecine à Paris.

On enregistre des disques. Le patron, sur la demande insistante du chanteur, convoque le chef d'orchestre André Grassi. « Félix rêvait d'avoir des enregistrements avec orchestre. Moi, j'étais à fond contre. La séance avec Grassi s'est révélée peu concluante; de même avec Michel Legrand. »

(1) André Roche, *Le Petit Journal*, 19 juillet 1953.

– Vendait-il beaucoup de disques ?

– Félix n'a jamais vendu beaucoup de disques... Peut-être cent mille exemplaires de chaque album...

Ben!... Pas si mal, tout de même : en comptant vite, ça pourrait bien faire un total tournant autour du million...

Parfois une voix féminine l'accompagne au studio : au début, pour *La Fille de l'île*...

Il m'a donné le pont de l'île
Deux goélands et la marée
Puis il est parti vers la ville
Et je me suis mise à pleurer.

... ce sera Lucienne Vernay, l'épouse de Jacques Canetti pour qui il éprouve une sorte de vénération. Puis, ce sera la Québécoise Monique Miville-Deschênes.

Il vit en meublé. En 58, pour huit mois en France, il louera un appartement rue Erlanger, dans le seizième arrondissement. Pur hasard, le précédent locataire était Henri Salvador. Mais ils ne se rencontreront pas. Nul doute que ces deux amuseurs se seraient tombés dans les bras durablement, sur le trottoir. En 1960, il est rue Gomboust, près de l'Opéra. Martin court les pensions. De celle de Pontoise, il rentre chaque week-end. Il se souvient encore du professeur de chant qui lui donnait des coups de règle sur les doigts. Une grande finesse psychologique, surtout à l'égard du fils d'un chanteur... Le départ du lundi matin, dans le petit jour parisien, nous vaut un très beau texte sur l'affection paternelle, sans doute parmi les plus beaux que Félix ait écrit : *Les Hommes*.

« Qu'est-ce qu'on faisait à six heures du matin sur la place de l'Opéra en ce petit lundi de novembre, tous les deux, Martin et moi, lui portant une valise. Il a dit : “ Y a pas beaucoup d'autos. ” Plus loin, il a dit : “ Tu marches trop vite ” [...] Martin me regarde et moi je me force pour lui sourire car j'ai souleur et goût de retourner autant que lui. Des enfants s'amènent, billet à la main. " Est-ce qu'il faut un billet ? " demandé-je à un garçon. " Bien sûr monsieur " [...] Martin est malheureux. Le car des écoliers de Pontoise s'amène. Un beau gros car tout neuf. Les enfants se précipitent [...] Il passe, hausse sa valise dans le filet et s'asseoit près de la fenêtre. Il fait toujours noir. On se regarde. Il voit bien que je suis aussi déchiré que lui. Tous les deux, on lutte, on est seuls chacun de son côté. Je me sens lâche, j'ai peur de son regard qui m'accuse. Qu'est-ce qu'on fait là ? Un camarade veut engager la conversation avec lui. Il n'ose répondre à cause de son accent étranger. Je me débats et j'ai envie de l'arracher de cet endroit et de cracher sur ce matin sale et d'emporter mon fils dans notre pays, loin et vite, par le premier avion... Alors, une chose se produit et c'est à cette seule chose que je veux en venir : derrière la vitre, il me sourit comme s'il se rendait compte que j'avais assez souffert et ce sourire est comme une lueur dans la forêt. Mon courage me revient avec la respiration plus aisée. »

« Le car décolle et s'éloigne. On s'envoie la main. Métro : direction Vincennes. »

« Doucement, les épaules plus hautes, l'image de ce sourire plein la tête, je suis sur le chemin du retour. J'achèterai un croissant que je mangerai tout à l'heure au soleil (1). »

Puis un peu de cafard à l'arrivée de la neige qui dans ce pays-ci n'arrive jamais.

Au Canada, justement, voici la neige. Fidès vient de publier *Théâtre de village*, pour lequel, dans *Le Devoir*, Gilles Marcotte n'est pas tendre qui enfonce encore son doigt dans la blessure. Il parle de « notre » Félix Leclerc, pourtant. « Je dis notre parce qu'il nous représente indiscutablement. » Oui mais le livre est affreuse-

(1) *Le Calepin d'un flaneur*, Félix Leclerc, Fidès, Montréal 1961.

ment trop rose! Le livre est affreusement insignifiant! Pourquoi en parle-t-il ? « Ses livres, je crois, ont obtenu les plus gros tirages qui se soient jamais vus dans notre province. » Et il revient sur « la vérité » Félix Leclerc, le ton Félix Leclerc, qui fit lever tant d'espoir chez les jeunes, dix ans plus tôt. Cette fois, oui, le divorce est signé. Une fraction des intellectuels a définitivement repoussé l'homme de La Tuque et de Sainte-Marthe, le paysan devenu chanteur. Nous sommes en 1951, le Québec a dorénavant de *vrais* écrivains. Je veux dire pas des gars de la campagne, pas des naïfs.

Juste à ce moment, petit Français de huit ans, dans la tiédeur bruyante de la cuisine familiale, à Rennes, je découvre Félix Leclerc. Je recueille dans les boîtes de chocolat Poulain les vignettes de la série « chansons de France ». L'une d'elle est consacrée au *P'tit bonheur*. Au dos est imprimé le premier couplet. Dans un cahier, l'intégralité du texte lui répond. On doit y coller les vignettes. *Le P'tit bonheur* est représenté sous la forme humaine d'un chien, si j'ose dire.

Mais moi – seulement huit ans, madame! – je trouve idiot cette figuration réaliste. Je sais bien, moi, que *Le P'tit bonheur* n'est pas un chien.

En 1953, Félix Leclerc, ignorant que j'ai tout compris de l'image poétique, rentre triomphalement au Canada.

Là, je ne vais pas vous refaire le coup de décrire le triomphe. Je préfère vous ramener au réel, quelques jours après, lorsqu'on se retrouve à la maison, valises ouvertes, linge sale sous le lavabo et courrier en tas sur le bureau. Voilà ce que la nouvelle vedette note – mais bien plus tard – sur son carnet : « Reçu de la Capac un chèque de 4,68 dollars pour quatre années de droits d'auteur (1). » Revenons au réel...

Et il s'enfonce dans le réel : les jours.

(1) *Rêves à vendre*, op. cit.

Il revient au pays. Le Québec a repris la marche en avant interrompue par la crise et la guerre. La décennie 1950 va voir la société québécoise sortir de la pauvreté. Piaffantes d'impatience, les nouvelles élites de la province vont tourner autour du pouvoir pour enfin le cueillir, comme un fruit mûr, dès la mort de Duplessis. Un nouveau média est apparu et s'est implanté à une vitesse étonnamment rapide et beaucoup plus rapide qu'en Europe : la télévision. La télévision, comme la radio, plus encore que la radio, apporte le sang nouveau dans cette société confinée. Fernand Seguin qui y poursuit son travail de vulgarisation scientifique – la science, dans un pays mangé par la superstition bigote! – assure qu'on devenait une vedette télé en quelques jours. René Levesque, futur Premier ministre, sera d'abord le grand journaliste de la télé québécoise.

Et Félix? « J'ai payé la maison de Vaudreuil avec une série de vingt-huit émissions d'une demi-heure, *Nérée Tousignant*. C'était les débuts de la télé. Ça racontait à peu près mon arrivée à Montréal. Il y avait une pension, un Mauffette, un embaumeur, un comédien, une garde-malade... J'ai regardé ça, après; ça n'avait pas trop de qualité. J'ai pas gardé. Ça n'avait pas la qualité de *Un Homme et son péché* ou *Les Plouffes* (1), les grandes séries radio de l'époque. Nous, c'était les débuts, rudimentaires, artisanaux. On se faisait plaisir... » Félix ne s'est pas beaucoup investi dans la télévision. Son métier : écrivain. De théâtre, surtout. Son hobby : la chanson.

Allons, Félix, maintenant il va falloir tenir la distance. Voici la ligne droite. Cette carrière, il faut la mener jour après jour, passés les premiers émerveillements du public : les spectacles qui s'enchaînent ou parfois ne s'enchaînent pas; le tout-venant, le train-train de la création; parfois le manque d'argent; les demi-succès; les demi-

(1) Les Français ont pu voir *Les Plouffes* dans l'hiver 85-86 sous la forme d'un beau feuilleton de Gilles Carle.

échecs; les cheveux blancs sur la tête, sous la plume, sur le carnet de chèques...

« La supérieure du collège d'Outremont – le quartier chic de Montréal – qui écrit pour me proposer de venir chanter dans son établissement, très chic, très snob; cent cinquante dollars gagnés... Je vais faire ça encore un mois; je vais pas faire une carrière... mais ça durait. »

Il a beau refuser nombre de contrats pour garder son indépendance, par éthique (l'écrivain doit se protéger) et par nonchalance, il faut bien vivre. Alors, quand la caisse est vide, quelques coups de téléphone et une virée en Volkswagen à l'autre extrémité de la province. « Trois projecteurs et un micro gros comme une grenade de la guerre de 14! » Chaque Québécois peut raconter cela. L'un cite « Le triomphe au collège de Sherbrooke », l'autre « le délire, chaque fois que je l'ai vu, de 56 à 62, à l'auditorium du séminaire de Trois-Rivières, les rappels interminables... »

Un jour de 1956, il fait halte à Saint-Jean-Port-Joli, sur la route de la Gaspésie et des Maritimes, le Saint-Laurent à fleur de peau. Le spectacle est organisé par la fille du notaire campagnard. Monique Miville-Deschênes a dix-sept ans et chante en première partie. Quatre cents personnes s'entassent dans la salle paroissiale bondée et se souviennent de l'éclat de rire général lorsque Félix, sortant de scène, s'est essuyé machinalement (?) avec le rideau rose qui se fermait sur lui.

Le notaire et sa famille deviennent ses amis et il fait chaque fois halte quand il passe là. « Des heures de chansons et de mangeaille, un grand bonheur » pour la famille Miville-Deschênes. Aujourd'hui désertée, la demeure du notaire, vieille et belle construction typique de l'ancien Canada français attend encore Félix, au bord de la route, au cœur du village.

Parfois la radio diffuse un de ses textes. Le dimanche soir, 10 mai 1953, la télévision naissante donne *Maluron*. En 1957,

Canetti vient à Montréal enregistrer un « Philips-Réalités », un disque à la pochette luxueuse dans la collection prestigieuse de la maison. La maison Philips, car il a quitté Polydor, entraînant – mystère des contrats – son Canadien.

Vaudreuil est un havre. Les Leclerc habitent une jolie maison de briques blanches sur le bord du lac. Une baie vitrée regarde dans l'eau. En face, l'église d'Oka, minuscule et prétentieuse comme un bibelot sur une cheminée. L'Outaouais rencontre à cet endroit le Saint-Laurent. Ils se séparent aussitôt pour donner son île à Montréal : d'un côté, le grand fleuve emmène ses bateaux ; de l'autre, la rivière des prairies, avec son joli nom qui semble sorti de Fenimore Cooper, passe derrière la ville, côté jardin. Vaudreuil est à trente kilomètres de la rue Saint-Denis et du carré Saint-Louis ; Félix est à cent mille lieues, protégé par des amitiés qu'il cultive avec une fidélité paresseuse : Mauffette et Louise Vien sont ses voisins, Yves Vien et Thérèse Cadorette sont ses voisins, Jeanine est sa voisine avec son second mari, le producteur Henri Deyglun. Celui-ci a été le premier à faire venir Trenet à Montréal. Dans l'Histoire de la chanson québécoise (1), on trouve cette note : « Un soir, chez Deyglun, Roche et Aznavour interprètent des compositions d'un bonhomme qui crevait de faim à Paris : Léo Ferré. » Après avoir été le témoin du mariage, Félix sera le parrain d'une des jumelles du couple, la future comédienne Mireille Deyglun. On vit les uns chez les autres. Martin Leclerc : « Une fête. Les maisons étaient ouvertes, ça rentrait, ça sortait... Sans compter les artistes français de passage qui venait voir mon père, boire un coup, répéter... »

Les dimanches midi, on déjeune ensemble. Après la messe, forcément. – Il arrivait parfois avec sa guitare : « Écoutez-moi ça : ... Au même clou, ma mie... » raconte Janine.

(1) *La Chanson québécoise*, Benoît-L'Herbier, Éditions de l'homme, Montréal 1974.

Au même clou ma mie
Ton tablier brodé,
Et mon gilet troué

Sa pudeur, en effet, commande une machinerie simple : lorsqu'il est en confiance, il se donne. « Je me souviens, Martin au grenier avec Mireille et nous, en bas : ... *Y a des amours dans les villes...* Henri l'adorait... »

J'ai dit qu'il entretenait ce jardin avec paresse car « Félix n'a besoin de personne. Il nous aime, il nous laisse sans nouvelles, il est content de nous voir mais il n'appelle pas. »

Il porte son univers avec lui, dans sa tête; et ce jardin.

Voici une scène villageoise typique : la sortie de la messe du dimanche. Trois vieilles abordent Félix : – Monsieur Leclerc, on aimerait tant ça, que vous nous chantiez quelque chose! Il se récuse poliment. Mais c'est qu'il va à la messe tous les dimanches et l'église de Vaudreuil n'est pas grande : impossible de se cacher. La scène se reproduit plusieurs fois. Un jour, excédé, il n'y tient plus : – Tu peux retarder le rôti, Dedouche! Il amène les trois vieilles à la maison et s'exécute. – C'est le cas de le dire. Puis : – Ça vous a-t-u plu? – Oh oui! Avec votre défaut de la bouche, quand vous chantez, vous nous faites tellement penser à notre défunt frère...

Des dates, des noms, des souvenirs, en vrac, le calepin dévasté, un bric-à-brac.

Il est resté ami avec Jos Pichette, l'habitant de l'île d'Orléans : – Il m'accompagnait en tournée, je le payais. Il me servait d'homme à tout faire, régisseur, chauffeur, secrétaire, technicien. Il avait un seul défaut : Il dormait pendant le spectacle. C'était... un amateur artisanal.

Vaudreuil, automne 1958. Il sert la messe avec Mauffette, pour une troupe de « guides » de l'abbé Ambroise Lafortune, vedette ecclésiastique provinciale. Après la messe, il chante deux heures de temps pour ces jeunes filles (1).

Bric-à-brac des jours : *La Semaine à Radio Canada* annonce (2) sous une chouette photo que « La toute première guitare de Félix Leclerc qu'il acheta à paiements différés il y a quelques années, repose maintenant en paix au nouveau musée historique de l'île Perrot. »

La maison de Vaudreuil est souvent visitée. Le refuge de cet ermite devient le point de ralliement des Français en Amérique du Nord. Lucien Morisse (3) et Dalida viennent frapper à la porte. (Lui, à Dalida : – Et vous, qu'est-ce que vous faites dans la vie ?) Brel, partisan affirmé de Leclerc le visitera aussi. Michel Legrand passera une semaine. Un jour, rentrant chez lui, Félix trouve un billet sur la porte : En son absence, Devos et Raynaud se sont heurtés à la porte close. Et s'il s'attarde à raconter comment il a mystifié Daniel Gélin : – Je lui ai fait croire que je cachais de l'alcool de contrebande dans ma cave. Comme le lac était couvert de brume, on ne voyait pas la rive en face ; je lui montrais l'océan, par la fenêtre... »

N'importe quoi, quand ça le prend... Le photographe André Larose, de Montréal, demeure persuadé, vingt ans après, que Félix, à Vaudreuil, réside sur la terre de ses ancêtres qu'il cultive lui-même. Au passage, André Larose cite cette rencontre parmi deux ou trois autres (« un trappiste, Edmond Rostand... ») comme étant de celles qui ont marqué sa vie. Il ajoute : « Quand j'avais douze ans, j'écoutais avec ravissement comment il faisait parler les animaux à la radio. » Et comme j'affirme que je trouve Félix symbolique du Québécois moyen, il tente de me détromper : – Je ne trouve pas ! Il a

(1) *Heureux qui, comme Ambroise*... Ambroise Lafortune, Éditions Lénéac, Montréal 1981.
(2) 20 septembre 1953.
(3) Lucien Morisse, directeur artistique de la station « Europe nº 1 » et directeur des disc' AZ, mari de Dalida.

toujours été très anticonformiste : il se présentait au public en casquette de paysan et en paletot troué! » La différence entre le Québécois moyen et lui ? André Larose répond : – Il n'est pas typique parce que c'est un homme qui n'a pas peur. » Me revient alors à l'esprit le texte offert par Félix à notre rencontre chez Jobin : « ... Une œuvre frileuse, peureuse comme moi... »

Mais anticonformiste, certainement. Pendant vingt ans, de 1950 à 1970, CKAC, station privée, diffusa une émission qui à elle seule suscitait la ferveur unanime de la population : le chapelet radiodiffusé quotidien. Vers les sept heures, toute la province tombait à genoux autour du meuble. Et, dans la pièce à côté, on suppose, l'aînée de la famille, allongée, à plat ventre sur son lit, les pattes en l'air, écoutait, elle, l'émission impie de Félix, sur Radio Canada. « Tu écoutes donc ton nono ? » T'as rien de mieux à faire, aurait-on dit en France, que d'écouter ton cinglé ? Il figurait le marginal, l'écolo, le hippie... Et on priait, on priait! on priait! Il était un catholique, pourtant. Oui, avec une nuance, à moi soufflée – souvenez-vous – par Fernand Seguin : « Félix a dû sa carrière au clergé, oui, mais il était beaucoup trop sain pour être catholique *à ce point-là*. « Ce point-là », c'est tout le Québec.

Et tout ça de Vaudreuil et, probablement, sans se poser beaucoup de questions. Il suit ses impulsions et va à son rythme. Il faudrait savoir s'il est ou s'il n'est pas un provocateur. Ce n'est certes pas lui qui répondra.

Où est Andrée, la fine Dedouche, dans la vie d'un pareil phénomène ? « – L'artiste avec sa femme dans la coulisse, ce n'est pas moi! » Andrée est une bourgeoise rangée qui s'occupe de son intérieur pendant qu'il court les routes, les airs, les astres. Nul doute qu'elle s'ennuie un peu : il a dans la tête des mondes en pagaille, même à la maison quand il s'enferme dans son grenier pour n'en descendre qu'au moment du repas. Ce doit être bien agaçant pour l'épouse de savoir son homme si loin échappé quand on le tient si près sous la main. Jacques Canetti a eu une phrase qui, peut-être, dit comment, au long des années s'est ruiné l'amour : « Dedouche a été victime de la vitalité extraordinaire de Félix. »

En 1955, l'éditeur parisien Amiot-Dumont publie *Moi mes souliers.* Pas un fainéant, Félix : En deux ans, il a écrit ce récit de son arrivée à Québec, en 1934, puis son aventure montréalaise et enfin sa réussite parisienne avec les tournées qui suivirent. Il en a même donné des extraits, déjà, *Les Mémoires d'un lièvre,* dans une série radio : *Confidentiel.* Le lecteur était Mauffette, bien sûr.

La même année, à Lausanne, la compagnie des Faux-nez monte *Le P'tit bonheur.* Soixante-dix représentations, mise en scène de Charles Apothéloz. – Ça n'a pas marché, estime Jacques Canetti. Soixante-dix représentations, tout de même... Il y a un mystère du théâtre de Leclerc, une énigme : ce théâtre est très souvent joué, ses pièces éditées atteignent des tirages impressionnants et pourtant on entend dire que « ça n'a pas marché ». J'y reviendrai. Lui passe près de huit mois en Suisse avec toute la famille.

En 1956, création de *Sonnez les matines* au théâtre du Rideau vert dont la codirectrice est Yvette Brind'amour. (J'avais quatre sœurs, les quatre plus belles filles du monde...)

1958 est l'année d'une grande aventure. Une grande aventure pour moi, car elle ne semble pas avoir ému Félix plus que ça. L'Office national du film produit *Les Brûlés* un long métrage de fiction sur la colonisation. Le réalisateur Bernard Devlin engage Félix. Comme comédien, oui (1).

Vous connaissez déjà l'histoire : Pendant la crise économique, quelque part dans les années 30, un curé entraîne un groupe de colons dans le nord-ouest du Québec. Rien de bien neuf. « Dans les villes, les usines ferment leurs portes, dans les campagnes, la terre ne fait plus vivre son homme; d'aucuns ont pensé que tout pouvait

(1) Avec J.-Léo Gagnon, René Caron, Roland Bédar, Pierre Dufresne, Roland d'Amour, Jean Lajeunesse...

encore être sauvé par le retour à la terre » commente la fiche publicitaire. Air connu. La mythologie est moribonde mais voici le temps des cinéastes : pour ne pas oublier.

Le film s'inspire du roman d'Hervé Biron *Nuages sur les brûlés.* Lorsque le colon a coupé ses arbres, il « désouche » puis avant de labourer il brûle ces « abattis ». Ce sont les brûlés.

L'arrivée sans espoir de retour, le défrichage, la maison en bois rond, le bateau qui apporte les femmes, les premières larmes, la création de la paroisse, tout y est. Bizarrement, la scène où le petit curé pénètre dans son église à peine terminée est la plus émouvante, même pour un agnostique français comme moi. Je commence peut-être à me sentir la fibre québécoise... Un petit curé conforme à la tradition, d'ailleurs : il occupe le poste de patron avec naturel. Il ne se demande pas une seconde pourquoi il commande, du haut de ses trente ans, à des cinquantenaires durs à cuire qu'il appelle « mes enfants » et qui, complètement infantilisés, trouvent ça normal. N'est-il pas oint par notre sainte mère ? La légitimité ne confère-t-elle pas la sagesse avec la soutane ? Mais il partage son logement de fonction avec l'ingénieur du gouvernement : le monde moderne avance lentement mais il avance...

– On a défriché pour de vrai, raconte Félix. C'était en été. Un mois ou deux. On logeait dans une grande maison de bois. Un vieux couple faisait la cuisine. Certains membres de l'équipe prenaient l'avion pour rentrer à Montréal. Pas moi !

Il est embauché pour jouer un rôle qui, cela saute aux yeux, pourrait être son propre rôle : Dans le train qui conduit les hommes vers le nord-ouest, il joue de la guitare ; il est un colon rêveur, un artiste, un « poète » : N'ayant pas, à l'issue du temps réglementaire défriché son lot, il se verra retirer sa concession par l'agent du gouvernement. Après une beuverie désespérée, il se suicidera, vivant exemple de ce qu'il ne faut pas faire : mort. La poésie, c'est pas encore le temps pour ça : d'abord travailler, travailler, travailler.

Brouf, toute la culture du Québec reparaît dans la seconde. N'oublions pas qu'ici, comme dit Rioux « Toute personne instruite était soupçonnée de manquer de virilité (1) ».

Jouant son rôle et un peu aussi celui de Léo, il est très beau Félix. Avec son physique mêlé de John Wayne et de Gary Cooper, il en impose. On s'étonne que les gens d'Hollywood n'aient pas sauté sur le phénomène : le Canadien aurait fait un malheur à castagner Mitchum. Ça ne l'aurait pas intéressé, je présume. Mais on peut rêver.

Joue-t-il bien ? Oui. Mieux que John Wayne. Mais il n'a que de courtes interventions, des scènes silencieuses, des monosyllabes. Disons que, pour un bout d'essai, c'est presque un bout de maître.

Et le film ? Pas un chef-d'œuvre, certainement; mais un film attachant, réalisé avec intelligence, plein de jolies scènes, plein de race québécoise jusqu'aux yeux, à mi-chemin entre le documentaire et le drame social et qui, après trente ans ne s'est pas démodé. On sent un peu le manque de moyens financiers. On regrette aussi que le lyrisme du sujet ne soit pas appuyé par les grands espaces. Mais dans ce pays mangé par les arbres, dès qu'on sort de la plaine toute flamande du Saint-Laurent, on a peine à trouver les trois mètres de recul où placer la caméra.

Il y a d'autres richesses à l'ONF, comme ce film de vingt minutes réalisé en 1957 sur la drave. Un impressionnant reportage sur un métier de fous – les bottes trouées, les acrobaties pour débloquer la jam ! Félix n'apparaît pas ici : il chante :

Sylvio danse et se déhanche
Comme les dimanches, les soirs de chance
Remous qui hurlent, planchers qui roulent
Parfums qui soûlent, reste debout !

(1) *Les Québécois,* op. cit.

1958 apporte une deuxième fois le Prix du disque. Et la publication du *Fou de l'île,* à Paris, chez Denoël. Fidès le reprendra en 1962. Au Québec les enfants des écoles apprennent la langue dans ses livres. Beau symbole pour un pionnier.

La société québécoise se prépare pour le grand bond. Elle rattrape son retard économique : « A long terme, les rythmes de croissance des industries ontariennes et québécoises sont tout à fait comparables [...] entre 1870 et 1957, la production manufacturière a crû à un taux annuel de 5,48 % en Ontario et de 5,53 % dans le Québec [...] (1).

Duplessis donne pas la liberté, Duplessis donne pas la modernité, Duplessis donne pas l'intelligence, Duplessis parle sans cesse de l'autonomie provinciale en offrant la province à bouffer aux capitaux américains, Duplessis triche, Duplessis serre la vis, oui. Mais Duplessis donne de l'argent, Duplessis donne du plein-emploi, Duplessis donne du confort. Alors le peuple vote pour Duplessis. « On était des esclaves bien nourris, commente Félix, pas malheureux, non... »

C'est toujours à ce moment-là que naît l'exigence de changement politique. Le changement politique est un rêve représenté ici sous la forme d'une petite bande d'intellectuels réunis autour de l'École des sciences sociales de l'abbé Levesque. Ce mouton noir, ce curé blanc a formé une génération de jeunes gens qui piaffent d'impatience et qui, dans la cave à complot, enchaînent les solutions qui les débarrasseront de l'Union nationale. Dès 1950, ils ont créé une revue, *Cité libre* qui est le fer de lance de la contestation et le lieu de rendez-vous des futurs cadres politiques. Catholiques toujours : « *Cité libre* est une véritable équipe canadienne d'*Esprit,* estime le professeur Irénée Marrou (2). La plupart sont engagés dans les rangs de

(1) *Histoire du Québec contemporain,* op. cit. « La structure industrielle du Québec comprend une plus forte proportion d'industries légères [...] Par ailleurs la natalité élevée du Québec lui donne une population plus jeune [...] Ce qui donne un revenu per capita plus bas qu'en Ontario. »

(2) *Esprit,* op. cit.

la classe ouvrière et travaillent comme journalistes ou avocats au service des puissantes organisations syndicales sur lesquelles paraît bien reposer l'avenir du Canada... » Mes lecteurs québécois auront reconnu, dessinées là, les silhouettes de Trudeau, Pelletier, Marchand et Levesque. Les trois colombes comme on les a appelés ici : comme les trois mousquetaires, ils sont quatre. Mais ceux-là finiront par s'entretuer.

Des chrétiens de gauche à la française, donc, les gars de *Cité libre*. On en parle encore à Montréal : j'ai entendu des mauvaises langues se moquer de cette bande qui, dans les années 60, se baladait en sandales et béret, fumant des gitanes et roulant en DS... Ah, Paris!

Ce qu'écrivent ces jeunes gens, dans le numéro d'*Esprit* que j'ai sous les yeux, décrit bien le paysage québécois. Je vais me retirer. Avant le grand bond de la révolution tranquille, laissons-les faire le point.

Le dortoir ? « Il est vrai qu'on respire chez nous, à certains moments, l'atmosphère de l'internat (1). »

La religion ? « Meurs ou fait semblant de croire [...] Que ta conduite extérieure fasse croire à tous que tu crois. Sinon, ton existence est menacée, ta carrière est finie (2). »

J'ajoute ici une information : d'après Jean Hamelin, 6 351 Québécois se déclarent incroyants en 1961 sur environ cinq millions d'habitants (3)...

L'aculturation ? « Nous étions français mais incultes et illetrés. Nous étions catholiques mais d'un catholicisme paysan sans aucun horizon intellectuel. Notre clergé lui-même, seule masse " éclairée " qui assumait toutes les responsabilités avec l'aide d'une poignée de laïcs encore mal dégrossis, s'acharnait depuis trop longtemps à perpétuer une tradition, à durcir une fidélité (4)... »

(1 et 4) Gérard Pelletier, *Esprit,* op. cit.
(2) Roger Rolland dans *Cité libre*, février 51, cité par Gérard Pelletier, *Esprit,* op. cit.
(3) *Histoire du catholicisme québécois,* tome 2, op. cit.

La révolution industrielle ? « Elle nous fut une surprise si soudaine et si complète que nous mîmes un demi-siècle à en prendre conscience. Nous l'avons traversée comme un cauchemar avec l'espoir tenace qu'elle prendrait fin un jour et que la terre retrouverait tous ses droits (1). »

La classe ouvrière, la lutte des classes ? « Il y a des ouvriers, il n'y a pas encore de classe ouvrière. Et ce, parce qu'il n'y a pas encore vraiment de conscience de classe, bien que certains traits de celle-ci commencent à se dessiner depuis une dizaine d'années (2). »

La politique ? « Les problèmes essentiels sont à peine abordés dans une lutte qui revêt le caractère bien plus d'un concours de clans que d'une opposition de doctrines. Ce n'est pas chez les politiciens que l'on retrouvera l'écho des vrais problèmes, des préoccupations majeures du Canada français mais bien plutôt au sein d'organismes tels les syndicats, les universités, les mouvements de jeunesse etc. (3). »

Vous avouerez que ces garçons ne décrivent pas une réalité très éloignée de la société où Félix Leclerc est « notre » Leclerc. Et si je les ai laissé parler si longuement, c'est pour répondre par avance et par leur voix à quelques Québécois d'aujourd'hui qui pourraient voir dans ma prose une succession de fantasmes de Français débarquant, avec casque colonial, appareil photo et bandes molletières, vers Gaspé, sur les pas de Jacques Cartier : hommes des bois illettrés, curé Corbeil, bûcherons, draveurs et politiciens de western... Les gens d'ici aiment bien rappeler « qu'à une génération, ils sortent du bois... ». Mais ils n'aiment pas qu'un étranger le dise pour eux. Normal.

Le mouvement ouvrier est évidemment à la pointe du combat pour l'évolution. Le moment symbolique en est la grève d'Asbestos, contée

(1) Gérard Pelletier, *Esprit,* op. cit.
(2 et 3) Jean-Marc Léger, *Esprit,* op. cit.

plus haut. C'est un arbre qui ne cache pas la forêt. Le syndicalisme québécois, dans cette période, se libère de deux tutelles : celle de l'Église – par la déconfessionnalisation de la CTCC devenue CSN en 1960 – et celle des syndicats US. Vers 1960, les deux tiers des syndiqués canadiens sont membres de ces « syndicats internationaux ». Ils ne récupèrent que la moitié de leurs cotisations en aides et services. L'autre moitié reste aux États-Unis. Il restera longtemps du pain sur la planche. Ne serait-ce qu'au syndicat des musiciens, la « guilde », inféodée aux Américains aujourd'hui encore.

Le syndicalisme n'appartient pas seulement à la classe ouvrière. Il arrive même que certains événements importants de l'Histoire sociale se déroulent dans la classe intellectuelle : C'est le cas de la grève de Radio Canada qui, pendant soixante-neuf jours à dater du 29 décembre 1958, va mobiliser tout ce que la province compte de travailleurs du chapeau.

Une banale affaire. Le média n'a que six ans d'existence, les réalisateurs de télévision fondent un syndicat. Ils sont soixante-quatorze qui s'entendent dire par la direction qu'on ne saurait discuter avec eux puisqu'on les considère comme des « auxiliaires de direction ». Vieux truc. La grève, au départ, n'a pas d'autre objet que la reconnaissance d'un syndicat catégoriel. Mais, bien entendu, elle va cristalliser tout un tas d'autres aspirations et révéler des contradictions dont certaines situées très loin.

Donc, la direction refuse absolument toute négociation. « Radio Canada est un leurre, on voit bien qu'il n'existe que CBC », déclare René Lévesque, leader de l'action. Soixante-neuf jours. La totalité (deux mille employés) du personnel arrête le travail pour une question « qui à Ottawa aurait été réglée en deux heures », dit encore Lévesque. Le gouvernement refuse d'intervenir parce que « CBC est une société de la Couronne », c'est-à-dire autonome. On s'enfonce dans la crise globale où toutes les hypocrisies, les rancœurs, les mépris de la société canadienne biculturelle sont dévoilés. Les artistes et les auteurs, entraînés par Jean Duceppe et Jean-Louis Roux sont étroitement solidaires. De nombreux « spectacles de soutien » entretiennent la mobilisation. On y a même vu Félix Leclerc. Le quotidien *Le Devoir* se fait le porte parole des grévistes et son directeur, André Laurendeau (« Vous dites qu'on n'a pas de passé ? On va en faire ! ») écrit et bataille tant qu'il peut. La grève s'achève victorieusement. Mais il est clair que l'affaire est moins syndicale que politique : « Il arrive en fin de compte que le Canada français vit un conflit qui sera nécessairement résolu en dehors de lui par des autorités qui dépendent du gouvernement central lui-même. Donc par des hommes qui font partie d'un milieu que le conflit ne rejoint pas profondément [...] Les deux milieux canadiens mènent chacun leur existence propre. La crise de l'un n'atteint pas beaucoup l'autre [...] Avec leurs alliés québécois, les réalisateurs n'arrivent pas à se faire entendre efficacement en dehors du Québec où pourtant ils seront jugés. Et par conséquent, on débouche une fois de plus sur la tragédie du milieu canadien français qui n'est pas maître de ses propres institutions et qui ne trouve pas, en dehors de lui, aux époques de crise, la solidarité sur laquelle l'unité du Canada devrait être fondée. Il serait malsain de maintenir longtemps le Québec dans cette atmosphère (1). » A bon entendeur, salut...

Laurendeau écrira aussi, quelques jours plus tard : « On ne s'est pas mis soudain à lancer le cri de race [...] La revendication nationaliste n'a rien à voir au chauvinisme ou au racisme : elle est une attitude de dignité blessée. C'est presque toujours ainsi que le nationalisme commence. L'homme que les faits désignent comme un citoyen de seconde classe, comme un colonial par rapport à une forte et inaccessible métropole, comme un nègre (2)... »

Un nègre ? Une situation coloniale ? On en serait encore là ?

(1) André Laurendeau dans *Le Devoir,* 19 janvier 1959, cité par Jean Provencher *René Levesque, portrait d'un Québécois* op. cit.

(2) A. Laurendeau, *Le Devoir,* 16 mars 1959.

Speak white? Au fond, ce serait ça, la réponse de la direction anglophone de CBC : – Speak white, please!

Oui mais, dans tous les textes que j'ai cités plus haut, – rappelez-vous : ces analyses des petits génies de *Cité libre* – il n'y a pas un mot sur le nationalisme. Et ceci pour une raison : Duplessis traîne avec lui, accrochée aux basques de son habit, une kyrielle de synonymes : réaction, obscurantisme, cléricalisme etc. *et* nationalisme. La race, la nation canadienne française, qui c'est qui la défend? C'est Duplessis. L'autonomie du « provincial » contre les empiètements du « fédéral », il n'a que ça à la bouche, le chef. Alors pour les petits gars qui frétillent dans l'attente du pouvoir, le progressisme n'a de sens que *contre* le vieux nationalisme ringard. Une fois de plus : ils ont compris, eux; ils sont modernes, eux, ils savent, eux, que rien ne se fait en dehors du progrès économique qui est obligatoirement ouverture à l'étranger. Alors ils sont fédéralistes.

La télé a bougé. Maintenant, la chanson va naître : plop! Comme les champignons dans la torpeur humide du matin; un champignon, dix champignons, mille, juste avant l'aube, qui annoncent l'aube.

Oui, la chanson. Car la révolution tranquille a été l'œuvre « d'une poignée de politiciens, une douzaine de technocrates et... quelques chansonniers » croit Jacques Parizeau, un de ces politiciens-là (1). Nulle part ailleurs on n'a vu la chanson jouer un tel rôle dans l'Histoire d'une nation. Les Français ne peuvent pas imaginer cela. Pas d'exemple chez nous. Vous pouvez commenter l'importance de la « poésie nationale » dans la résistance; vous pouvez aussi décompter les mazarinades, ces cinq mille chansons courant les rues contre le Cardinal. C'est bien peu. Dans le Québec où s'ouvre « L'âge de la parole », la chanson dit tout, mobilise tout le monde et donne à penser que tout est possible.

Vers 1950, Claude Léveillée, étudiant (2), assiste au spectacle de

(1) Pierre Godin, *Plus,* Montréal, 22 juin 1985.
(2) Et ancien séminariste. L'auteur de *Frédéric* a même porté la soutane.

Jacques Douai, dans la salle du père Legault. – Jacques Douai, ça marchait très fort. Il m'a donné le goût d'être sur scène.

Léveillée devient chanteur. – Et clown, précise-t-il.

En 1959, une réunion de copains fait étincelle. Ils sont cinq : Léveillée, Raymond Levesque, le plus âgé, Jean-Pierre Ferland, le plus néophyte (J'avais vingt-sept ans et quatre chansons) qui pousse le chariot du courrier à Radio Canada, Clémence Desrochers, vingt-huit ans, Jacques Blanchet aujourd'hui décédé. L'idée vient d'un sixième, Hervé Brousseau. En avril-mai, ils ouvrent une salle de cent cinquante places, *Les Bozos*. Ça se passe rue Crescent, au-dessus d'un restaurant français. Le nom choisi est un hommage à Félix, bien sûr. Celui-ci assiste à la première. « Pour nous, Félix, c'était une légende... »

Ça marche immédiatement. La salle est bourrée tous les soirs. Le service est assuré par la ravissante Geneviève Bujold. Dans l'ombre on distingue les Trudeau, les Pelletier... Le client met sa main en couleur sur le mur blanc et signe : Montand, Signoret, Piaf, Aznavour...

Et ça chante. Ah, c'est autre chose que le show-biz, ses hit-parades et ses chouchouteries! « Il y avait une question d'urgence : le pays. On écrivait très vite, m'explique Léveillée. Dans cette époque, on a vu apparaître des mots nouveaux : Parlons-nous, communiquons... Comme dit le sociologue Marcel Rioux : Les Québécois ont pris la parole comme les Français ont pris la Bastille. Avant? Peuple du silence, on placotait, je suppose...

La prise de la parole, ça commence par la chanson.

Léveillée : – Des chansons pamphlétaires, oui. *Le Drapeau* au moment du remplacement de l'Union Jack par la feuille d'érable, *Les Patriotes,* etc. On mettait sur la table le dossier du Québec. – On commençait à ne plus dire Canada... »

Ferland : – La première chanson que j'ai chantée dans ma vie était sur la grève de Radio Canada. Jamais enregistrée... « Il fallait être prolifique : on changeait tout le spectacle tous les mois. Le public était assoiffé... »

Et ça a été une salve. *Les Bozos,* ce ne fut qu'une expérience éphémère : moins d'un an. Mais éphémère comme un bâton de dynamite, un pétard dans un feu d'artifice. Des centaines de boîtes à chansons se sont ouvertes à la suite : un coup de téléphone, une virée en coccinelle, pas de contrat, bien sûr...

En 1961, un médecin, Jean-Paul Ostiguy ouvre *Le Chat noir* à Montréal. Léveillée y appelle Vigneault qui chante dans la grande ville pour la première fois. Jusque-là, il n'a été que poète. Léveillée et lui écrivent ensemble une trentaine de chansons. – La même nuit, on a écrit chacun *Mon Pays.*

Vigneault : – Mon pays, ce n'est pas un pays, c'est l'hiver.

Léveillée : – Mon pays c'est grand à se taire...

« Ce qu'on ne savait pas en ouvrant *Les Bozos,* précise Ferland, c'est qu'on ne trouverait pas là notre vrai public. Comme on servait de l'alcool, il fallait avoir dix-huit ans pour être client. » Les noms cités plus haut, en effet, sont parmi ceux de l'élite montréalaise. Leur public, ils le trouveront ensuite, ailleurs, dans les tournées à travers la province, dans les boîtes à chansons, mais aussi les écoles, les séminaires... » « Les curés participaient, c'est eux qui nous faisaient venir » dit Ferland, répondant à ma question : – La révolte contre le clergé ne faisait-elle pas partie des « dossiers » à mettre sur le piano ? « A ce moment-là, l'Église était en pleine ébullition; les curés nous faisaient venir pour chanter et nous leur apportions leur déclin! Mais nous n'étions pas anticléricaux : on avait été élevé chez eux et ils nous donnaient maintenant la parole! » Et il est bien vrai que dans ce pays-ci, l'anticléricalisme est inexistant...

Ferland : – J'ai été dénoncé en chaire parce que j'étais un peu trop grivois. Ça a été un drame pour ma mère... Puis ils ont tous défroqué dans les années 60-70...

Pourquoi ne sont-ils pas anticléricaux ? « On n'a pas repoussé l'Église, on l'a laissé tomber. On ne peut pas leur en vouloir : on les plaint. »

Ces gars-là sont les éclaireurs de la révolution tranquille qui naît. Les jeunes de la province chantent par leur bouche leur soif de changement. Une immense cage thoracique dont ils sont la voix. Le lyrisme dit l'urgence.

Leur agitation est éminemment politique, bien sûr. Ils font éclater le mur épais du silence et à cause d'eux sans doute, à cause du romantisme qu'ils font naître, les fanions de l'indépendance se déroulent déjà, dans le fond de la salle.

En 1960, Guy Mauffette, exalté et exaltant, sabreur infatigable, chevau-léger du verbe, ouvre une nouvelle émission qui va être durant treize ans le rendez-vous de la jeunesse : Le *Cabaret du soir qui penche.* Il y parle de musique et de chansons. « C'est Mauffette qui a le plus fait pour la chanson québécoise » reconnaît-on unanimement. Tous les dimanches soirs on se met à l'écoute de Radio Canada pour une veillée de quatre heures.

Heureux pays. Radio Canada a été formidable pour la chanson reconnaissent Ferland et Léveillée. Aussitôt après *Les Bozos,* une série de télévision, *L'Été des Bozos,* permet aux jeunes chanteurs de se faire entendre et voir. Heureux pays, oui, où les médias suivent ce qui bougent et savent voir ce qui se passe sous la glu du show-biz. Chacun ici admet que – même sous Duplessis – Radio Canada était une institution ouverte. Elle le sera encore au moment de la campagne péquiste. Heureux pays. On n'est pas en France...

Cette nuit, le Canada français devient adulte.

XI. Révolution douloureuse

Duplessis est mort.

Ça y est, Duplessis est mort.

Nous sommes en septembre 1959 et Maurice Duplessis meurt enfin à Schefferville. Lui succède un Paul Sauvé qui n'a que le temps, pour l'Histoire, de prononcer ce mot, « Désormais... » et meurt aussi, avant d'avoir fini sa phrase. Mais le « Désormais » de Sauvé annonce clairement que tout doit changer, que tout va changer. Sauvé est pourtant un conservateur. Mais la province est tellement en retard ! Commencent cinq années folles pour le Québec, la débacle, le nettoyage de printemps, le raz de marée, le passage du gué. Ça crie, ça interpelle, ça discute, ça gueule de partout, tout fout le camp. En cinq ans, le Québec rattrape un siècle ou deux de retard. Sans un mort, sans un blessé. Je pense aux barricades, aux ratonnades, aux bombes, aux incendies, aux affaires Dreyfus, aux coups d'État qu'en France, nous aurait valu cette secousse. Effarant comme ce fut une révolution et comme elle fut tranquille. Ils l'ont appelée la révolution tranquille.

Paul Sauvé gouverne quatre mois et fait voter soixante-six lois. Puis il meurt. Très bien élevé. Le 22 juin, le Parti libéral de Jean Lesage gagne les élections. Ça continue. En vrac, des lois, bien sûr, des livres blancs, des rapports, des commissions, des budgets, des débats, dans un pays ivre de sortir au jour, titubant, exalté. Assurance hospitalisation gratuite le 1er janvier 61, laïcisation de la Santé publique en juin 62, ministère des Affaires culturelles en 61, nationalisation de l'électricité en 63, assurance retraite le 1er janvier 66, je pourrais continuer pendant des pages.

Hiver 1959-1960. Un témoignage : – Je me souviens avoir prié tant et plus à l'école pour sauver la province du communisme. On nous disait que la Vierge avait confié un message à l'un des illuminés de Fatima : « Pauvre Canada en 1960. » Seigneur, faites que le bon Dieu ne sorte pas des écoles (ou quelque chose comme ça...) Ah, ça priait dans les travées des enfants.

Le 29 octobre 1960, cent deux intellectuels déclarent que « l'absence de laïcs à la direction générale de l'enseignement supérieur, tant au niveau secondaire qu'au niveau universitaire ne peut plus être tolérée comme une simple anomalie historique (1) ». Priez, enfants, la religion est prise dans le vent de l'orage comme un surplis sur un fil.

Vous pouvez prier, le Québec se détourne de son Église. L'archevêque de Montréal, autoritaire, réactionnaire et désuet qui, il y a peu, regardait la société civile comme un curé de campagne regarde son potager, vit soudainement « une conversion aussi laborieuse qu'inattendue (2) ». Peut-être que, sur son chemin de brocart, son cheval a buté sur une urne électorale ? un piano ? une révolution ? Et n'a-t-il pas un peu buté aussi sur l'annonce du concile par Jean XXIII ? L'illusion se déchire, les yeux s'ouvrent, il comprend soudainement la société moderne, il admet tout, il lâche tout. Il lâche tout pour ne pas tout perdre. Il admet tout : que Hyacinthe Bellerose, en plus d'une âme, ait aussi une conscience : une liberté. Et qui n'appartienne pas à monseigneur Léger.

(1 et 2) *Histoire du catholicisme québécois,* tome 2, op. cit.

Il cède le système de santé, il cède le système scolaire, il cèdera bientôt la parole : l'Église se taira pour longtemps.

Un jeune frère mariste envoie des papiers mordants au directeur du *Devoir*. André Laurendeau, toujours lui, s'empresse de les publier. Il intitule ça *Les Insolences du frère Untel*. Ce Jean-Paul Desbiens, ce petit prof de philo de collège, ce petit religieux de rien du tout, sans demander aucune permission à aucun supérieur, balance tout ce qu'il pense de l'autorité, de la langue, de l'état ecclésiastique.

« C'est à la hache que je travaille », dit-il. Il met d'abord en évidence la dégénérescence de la langue chez les enfants des écoles. Le joual (1), cette absence de langue, est en train de submerger le français. Nous parlons joual parce que nous vivons joual. Nous sommes une race servile : nous avons eu les reins cassés, il y a deux siècles.

Puis il parle de l'autoritarisme stupide et « fétichiste », du cléricalisme, du refus de voir le réel et de la peur qui règne partout. Et il a ce mot prophétique : « Il n'y aura pas d'autre crise, pas d'autre cri; cela se fera calmement, poliment, sans douleurs, *à la façon d'une cathédrale qui s'engloutirait* ». C'est moi qui souligne.

Scandale. On édite le recueil de ces insolences : succès foudroyant. La France n'a pas idée de ce que c'est qu'un succès de librairie : cent trente mille exemplaires sont vendus d'emblée. Multipliez par douze pour avoir l'échelle (2).

Le mouvement est lancé. Le frère Untel rejoint Hyacinthe Bellerose sur les chemins de la liberté. L'Église se vide de l'intérieur. La cathédrale s'engloutit. « En 1960, explique Jean-Paul Desbiens, il devenait facile de quitter les ordres. On pouvait trouver du travail et ne pas être exclu de la société civile. Souvent, celui qui quittait son

(1) Le mot cheval, prononcé à la québécoise, donne son nom au patois de la province.
(2) *Les Insolences du frère Untel*, Éditions de l'homme, Montréal 1960.

état ecclésiastique continuait à travailler dans le même établissement. Simplement, son salaire lui était versé directement. Il lui suffisait de prévenir son supérieur et, trois semaines après, il avait son autorisation. A cette époque, il y avait beaucoup de vocations " sociologiques ". En une dizaine d'années, mon ordre a perdu cinquante pour cent de ses effectifs. Les communautés aidaient leurs membres à se reconvertir. On leur avançait l'argent. Les congrégations de religieuses étaient moins généreuses. Il y a beaucoup de hauts fonctionnaires qui sont d'anciens prêtres. Ici, on avait un tel besoin de cadres qu'ils n'avaient aucune difficulté à se caser! »

« La révolution tranquille? Pour moi, quand je me retrouvais seul de mon gang (1), j'avais de la peine. C'est mon identité qui était en cause : le fugitif, je l'avais sous les yeux, il restait chrétien, souvent il était marié, il continuait à enseigner, c'était mon collègue de travail. Pour les prêtres ce fut plus dur sur le plan psychique, sans doute. Et aussi pour les religieuses. Voilà. Le dernier grand service massif que l'Église a rendu ici, ça a été de rendre son pouvoir au moment de la révolution tranquille. »

« Quant à moi, le cardinal Léger m'a plutôt couvert. Il a, d'une manière générale, été celui qui a permis le changement historique à 90 degrés sans que trop de passagers soient éjectés. Il l'a fait moins par conviction personnelle que par souci pastoral. C'est peut-être pour cela qu'il n'y a pas d'anticléricalisme dans ce pays. »

« Je suis parti en exil à Rome un an. Puis à Fribourg, en Suisse, deux ans. Puis je suis revenu. En 1960, il y avait Leclerc et c'est tout. A mon retour, mon éditeur me lance : Je t'avertis, il y a un essor extraordinairement beau de la chanson québécoise. »

Jean-Paul Desbiens me raccompagne à travers les couloirs bruyants du Cegep (2) où il travaille, à Sainte-Foy, dans la banlieue de Québec. Il est toujours religieux. Le système scolaire a

(1) Prononcer « ma gagne ».
(2) Sorte d'IUT.

beaucoup évolué. Je ne crois pas avoir encore tout à fait compris comment il fonctionne : il semble neutre plus que laïc (1); système d'État oui mais lié à l'origine ethnique des enfants. Disons qu'il n'est plus un bénitier : une mare aux canards où piaillent des centaines d'enfants qui éclaboussent le visiteur. Par ailleurs, comme chez nous, la crise de l'enseignement est latente, mais ce doit être la loi du genre...

Mgr Léger a-t-il compris ce qui s'est passé ? Interrogé par un journaliste pour les vingt-cinq ans du séisme (2), il contre-attaque : « Vous me parlez de grande noirceur et de pouvoir clérical ; je vous pose la question à l'envers. On a vécu dans les ténèbres du cléricalisme. Depuis vingt-cinq ans, sommes-nous aveuglés par les « lumières de la raison » ? La révolution tranquille ? L'Église en fut le moteur. Qui a créé les syndicats ? C'est l'Église ! Qui a stimulé le mouvement coopératif ? C'est l'Église !... Quelle ingratitude ! »

O.K., cardinal. Quand on raisonne à l'intérieur d'un système clos, on a toujours raison. D'ailleurs, vous aviez déjà tellement raison, avant...

Félix ? Nous sommes chez Jobin, notre petit verre de rouge entre nous – un verre par rencontre, il nous tient deux heures. Je n'ai pas terminé ma recherche bibliographique. Alors je pense, dans le coin de mon œil, que le père Félix ne s'est pas beaucoup manifesté à cette époque-là. Ou plutôt, que cela ne se voit pas beaucoup dans ses œuvres. Comment poser la question ? Partons de loin : – Quelle différence entre les événement de mai 68 que vous avez vécus à Paris et la révolution tranquille ?

– Ici, c'était plus gai. Il n'y avait pas de violences, pas de menaces, d'incendies, de mises à sac... Nous, c'était notre première révolte collective. On a tous mis une allumette dans le bûcher...

Et comme il voit le coin de mon œil : – ... Sans se montrer sur la

(1) En droit, toutes les écoles du Québec sont encore soit catholiques soit protestantes.
(2) René Beaudin, *Le Soleil,* 22 juin 1985.

photo! J'étais en France, je faisais ma révolution tranquille à moi. Je n'ai pas eu le sentiment d'avoir perdu le principal, non. Je faisais un autre disque pour dire : Moi aussi, je suis dans le feu; moi aussi, j'ai du feu dans le corps... »

Je suis trop critique. En 1963, de Vaudreuil, il signe une préface pour un disque où Monique Leyrac chante Vigneault et Léveillée : « ... Bravo! Nous sommes sortis de la nuit. C'est la lueur au Québec et rien ne ressemble plus à l'aube qu'une de ces chansons... »

Parle donc, peuple du silence!

A moi maintenant. Je crois que Félix, ces années-là, a vécu sa révolution intime. Je crois qu'elle n'a pas été très tranquille mais au contraire très mouvementée et, sur la fin, très douloureuse. Toujours la même chose : devenir adulte. Même à quarante-cinq ans passés.

Mais glissons une anecdote au passage. On n'est pas toujours dans l'Histoire. Certains jours, on est bêtement dans son auto. Le 10 août 62, Félix conduit sa VW quelque part vers Drummondville. A ses côtés, le vieux Léo. Derrière, Martin qui dort. Ils se rendent à une fête de famille. Des travaux sur la route nº 9. Au carrefour de la 13 et de la 9, une grosse américaine vient en face dans un virage. Martin raconte la suite :

– Je me suis réveillé et j'ai d'abord cherché mes lunettes. Après quoi, j'ai regardé devant moi où, en principe, je devais voir les dos de mon père et de mon grand-père. Rien! »

« Mon père avait le corps à l'extérieur et les jambes dans la voiture. Mon grand-père, lui, était coincé sous le changement de vitesse! Il n'avait pas grand-chose. Mais mon père râlait et appelait Dedouche... »

« Les gens sont accourus. Un gars a glissé sa chemise sous la tête de mon père et a reconnu Félix Leclerc. Quelques temps après, il a écrit pour réclamer sa chemise. Ça nous avait choqué, à l'époque. »

Félix écrit : « J'ai flirté avec la mort... Nous nous sommes salués et pressés les mains. Elle est froide, calme, douce et lucide comme le mouvement des astres. »

« ... Un inconnu m'a pansé le genoux avec son mouchoir neuf. Pour le service rendu, il m'a aidé à fouiller dans ma poche et s'est payé. Ce n'est pas la première fois que j'ai eu honte d'être un homme (1). »

Félix et Léo sont hospitalisés dans la même chambre à l'hôpital de Drummondville. « Des rires, des farces, des rires malgré les cinq côtes cassées! »

Et Félix concluera : – C'est là que j'ai vraiment rencontré mon père pour la première fois. Il avait quatre-vingt-quatre ans... »

Venons-en à sa révolution peu tranquille. Elle commence d'une façon plutôt réjouissante : Il s'ouvre à la politique. – J'ai découvert René Levesque, ce petit homme qui parlait d'étatiser l'électricité. Je savais même pas ce que ça voulait dire, « étatiser l'électricité »! Mais il parlait aussi de la Shawiniganne : la « Shawinigan water and Power », la société qui fournissait le courant à Sainte-Marthe et qui nous avait laissé dans le noir... La Shawinigan devenait Hydro-Québec, ça m'intéressait!...

Mais regardez derrière son visage. Il navigue dans une longue crise professionnelle et affective qui va le conduire jusqu'en 66 et une nouvelle naissance.

D'abord, il souffre d'une relative indifférence du public. Oh! il compte encore. Il est même une légende, on l'a vu. Mais il n'est plus le centre unique vers qui convergent les regards : la chanson québécoise existe désormais. Vigneault qui montera le plus haut, Léveillée, Ferland, Monique Leyrac, Raymond Levesque... Lisez ce qu'écrit Lysiane Gagnon dans la revue *Europe* en février 69 : « L'influence de Leclerc fut inestimable et on l'appelle avec raison le père de la chanson. Mais sa poésie reste proche des thèmes

(1) *Chansons pour tes yeux,* Félix Leclerc, Robert-Laffont, Paris 1968

folkloriques, moralisatrice et d'inspiration rurale : ce Dieu intouchable et susceptible qu'on écoute avec respect et une sorte de reconnaissance se trouve aujourd'hui dépassé par ceux-là mêmes qui lui doivent sans doute d'être devenus chansonniers. »

C'est ça : on le considère comme un ancêtre un peu encombrant. Malheureusement, lui se sent jeune encore pour le poste. En France, il est rejoint, doublé par Brassens, Brel, Ferré et on le salue poliment. La mode le pousse. Au Québec, c'est l'Histoire. A part ça vous constatez que les journalistes québécois aussi le poussent : personne ne souffrira autant que lui de la critique.

Il y a pire. Les lampions s'éteignent à Vaudreuil. Cette adolescence prolongée, cette fête permanente, ce climat euphorique où un clan s'autocommémore à longueur d'années, tout cela touche à sa fin. On se protégeait du monde extérieur par une débauche d'amitié et de rires. Mais la vie rêvée va être emportée par la débâcle. La société devient adulte, ouvre les serrures, fait sauter les cadenas. Le vent souffle dehors; il emporte la glace. Plus de raisons de se protéger. Le groupe de Vaudreuil va éclater et les couples vont devoir eux aussi devenir adultes et affronter la solitude des couples. Long calvaire pour les Leclerc. Gangrène, blessure, dislocation, désespoir : la routine du malheur. Il faut respecter leur souffrance et ne pas appuyer sur les plaies fermées. Vers 1966, après une longue agonie, Félix et Andrée se sépareront enfin. Jusque-là, non, non, surtout non, il ne fallait pas divorcer!

Tu dis que la chaloupe la nuit
Fais des chansons
La chaloupe est au fond
Chez les noyés ma mie.

Tu me dis que rien n'est fini
Et que tout recommence

Que le mois d'août est sur le lit
Entouré de silences

Celle-ci est une chanson ancienne. Elle fut écrite en 1948. Mais en 1964, il chante aussi :

Dans l'océan y'a des îles
Et des pleurs sous les chansons...

En 1961, Félix donne aux éditions Fidès *Le Calepin d'un flâneur*. Curieux livre. Curieux comme votre calepin. Celui où, au long des semaines, vous consignez vos idées, vous attrapez au vol vos jeux de mots, vous vous racontez vos histoires courtes. Le calepin de Félix est un fouillis où cohabitent les traits de génie et les banalités sans relief. Je lui en veux un peu, à lui ou à son éditeur, de ne pas avoir fait le tri, ne pas avoir classé ses notes éparses. Plus exigeante, la sélection mettait en valeur son talent. Tel quel, le livre est... rien d'autre qu'un calepin, justement.

Le talent, il est partout. Félix sait voir :

« Sur la patinoire déserte du collège, le frère enseignant, mains dans le dos, qui danse à la lune. »

Ou bien : « Le village, ce soir, s'endort avec un rêve : la fille de Gareau est partie avec le contrebandier. »

Ou encore, cette phrase cinglante : « La direction du loup, c'est frontière du vent. » Ou cette image : « Dans le fond de l'océan, il y a dix marins debout, attachés à une planche. »

Ou ceci qui n'est pas sans rappeler le Ritsos de *Témoignages* ou le Cohen de *L'Étranger* :

« Il arrive de loin, boueux, sale et muet. Il laisse tomber ses sacs sur le plancher, claque la porte en disant à la maîtresse de maison : « Je reviens dans une heure, j'ai faim. Et faites-moi couler un bain. » Il est revenu deux mois plus tard, plus sale et plus calme que jamais. Il avait des cicatrices aux épaules et au cœur que la femme lui a lavées. Il n'a pas trente ans. S'il réussit, ce sera terrible mais il n'y a pas de vengeance en lui. Il dit qu'il a perdu quelque chose. Quand on le voit, on est presque malheureux d'avoir trouvé. »

Des gags, aussi : « On parle toujours de l'angoisse de l'auteur devant la page blanche. Si on parlait de celle de la page blanche ? »

Ou encore : « Le tango a dû être inventé par un indécis. »

Et ce rappel d'un mot de Max-Pol Fouchet : « A l'artiste : tu n'es pas digne de la solitude, sois donc une réussite sociale. »

Mais au milieu de ces perles, pourquoi ces poncifs sentencieux qui donnent des arguments aux détracteurs ? « Il y a plus de courage que de talent dans la plupart des réussites. » Ou : « Beaucoup se vantent de ce qu'ils n'osent pas faire. » Allons Félix !

Le Calepin d'un flâneur, écrit avant 1960, ne dit à peu près rien de son drame. Il est le journal d'un homme heureux. Qui fut heureux. On y sent peu l'oppression de la vieille société et les impatiences de la révolution tranquille.

Félix est bloqué dans le milieu d'une rivière. Sous lui, le sol s'enfonce. Il a rencontré une jeune fille. Jeune. Mais alors très jeune ! Vingt-trois ans. Là, on tombe des nues. Car Félix n'est évidemment pas un libertin et, en toute chose, il s'applique à vivre moralement. Et il va sur ses cinquante ans !

Quand je sortirai
De ce pays vieux
Que sont mes naufrages
Quand je rentrerai
Dans ce pays neuf
Qui est ton visage...

Elle s'appelle Gaétane Morin. Son père est médecin d'une ville ouvrière, Montmorency, près de Québec. Ni pauvre ni riche, il a sept enfants. Il meurt en 1965. Le frère aîné de Gaétane, Claude Morin, un des technocrates qui façonnent le nouvel État provincial sera sous-ministre (1) de 63 à 71 puis ministre de 76 à 82.

Mon Félix est amoureux comme un jeune homme. Il s'est construit un « camp », une bâtisse en bois rond, chez Pichette, dans l'île. Il y passe des jours secrets. A Vaudreuil, Andrée s'effondre. Lui culpabilise, hésite, tourne en rond. Le divorce *ne se peut pas*.

Dulude : « Il me disait : J'arrose deux arbres dont l'un est mort. Et aussi : Mon honneur est à Vaudreuil, mon cœur est à l'île d'Orléans. Et surtout, car Leclerc est un homme responsable : Que vont penser les jeunes de la province ? »

Il me faut ici poser la question et faire justice de bruits qui ont couru à ras du sol. J'interroge Dulude – avec scrupule, presque honteux : – Félix et l'alcool ?

– On a dit ça. Mais c'est faux. Félix peut pas être un alcoolique. (Son œil brille d'une vieille complicité.) Il active trop son personnage ! Je l'ai hébergé chez moi pendant des mois, dans cette période. Il ne buvait pas du tout. Une bière à la fin de la journée, un gin occasionnel, beaucoup moins que moi ! Je le baladais du notaire au dentiste. Il se levait le matin avant moi pour faire sa promenade. Lui, c'est pas l'alcool, c'est le fendage du bois ! (L'air finaud.) C'est un curé : il passe ses pulsions en faisant de l'exercice ! »

Dulude se lève et va fouiller dans sa discothèque. Il en sort la pochette d'un disque publié à ce moment-là : un dessin au fusain expose un Leclerc émacié, crucifié, tendu, lunaire. – Regardez ! Il était désespéré par le drame de sa femme. Il ne mettait pas d'essence dans le feu, certes, mais il ne l'éteignait pas. Et c'est cela qui le

(1) Ici, un sous-ministre est un haut-fonctionnaire. Le mot n'a pas le caractère péjoratif qu'en France, le *Canard enchaîné* lui attribue.

ruinait. Et puis, ce qui l'a enfin décidé, c'est l'effondrement d'Andrée.

Il travaille quand même. Le 24 janvier 1963, *L'Auberge des morts subites* est présentée au Gesù dans une mise en scène d'Yves Massicotte. « Une pièce très bonne qui a fait trois mois » selon Janine Sutto. Un beau gros succès. Pour la circonstance, elle chante une chanson de son vieil ami. Il est présent, descendu de Vaudreuil, deux ou trois soirs par semaine. Brel passe voir. La pièce tournera en province et l'aventure durera un an.

– On a dit que votre théâtre était un théâtre de salle paroissiale ?

– Il y a des gens qui font des choses et d'autres qui collent des étiquettes. Moi, je me dis qu'on n'a pas de dramaturgie canadienne et qu'on peut essayer d'en « partir » une. René Levesque, les gens disaient : « C'est un artiste, il a un béret, il fera rien de bon en politique (1)... »

Les gloires et toute la suite
De larrons parasites
Collés sur mes talents
Collés sur mes talons
Me haïssant d'aimer
Me cernant, me jugeant

Le 9 avril 1963, le journal *La Presse* publie les résultats d'une enquête auprès des élèves de trente-quatre collèges du Québec. La question posée est : « Quel est l'écrivain canadien français le plus important ? » Sur 4 657 réponses, Félix arrive en tête avec 1 290 voix. Yves Thériaux, son ancien collègue à la radio de Trois-Rivières fait un honorable second avec 594 suffrages. Viennent

(1) *Le Petit Journal*, 4 octobre 64.

ensuite Saint-Denys-Garneau, le chanoine Groulx, Gabrielle Roy... Anne Hébert est onzième et un jeune chanteur-poète, Gilles Vigneault, avec 21 voix, est vingtième. Encore un effort, mon Gilles.

Au-dessus d'eux
J'étais là-haut
Dans une étoile rouge
Et l'étoile était rouge
Parce que c'était du sang
Le mien...

En 1964, Yves Massicotte reprend *Le P'tit bonheur* au Théâtre national. Monique Miville-Deschênes remplace Félix dans la partie chanson. Cette fois, ça marche encore mais plus doucement. Le spectacle, précise Yves, était plus poétique, moins populaire.

On va l'emmener à Paris. Jacques Canetti produit, avec une aide de quinze mille dollars du gouvernement provincial, cinquante représentations aux Trois Baudets. Pour la première fois, une troupe québécoise traverse l'Atlantique pour jouer dans la capitale française. C'est un événement. Les commentaires sont divers. Pour beaucoup, on va ridiculiser le Québec en présentant une pièce quasiment en joual. Félix, une nouvelle fois, subit l'attaque.

Félix, au cœur désordonné et qui sent le sol se dérober sous lui, Félix incompris et tourmenté, change d'air, direction Paris. Il n'y est pas venu depuis quatre ou cinq ans. Il assure la deuxième partie du spectacle, après *Le P'tit bonheur*.

– J'aimais beaucoup les textes de Félix, dit Jacques Canetti. Je les trouvais très drôles, à la lecture. Je riais beaucoup. Mais le comique que je sentais à la lecture ne sortait pas du tout sur scène. Ça a été un échec.

A Paris aussi, pour « le Canadien », c'est l'hiver. Le soir de la première, le 21 décembre 1964, la salle n'est même pas pleine...

– Ah! Pas des salles pleines, répond Massicotte, mais ça marchait.

Quand même... On est loin des triomphes anciens. Et Félix qui assure la deuxième partie doit avoir le sentiment d'être trahi, ici aussi.

Une compensation, toutefois. Dans cette salle de première qui goûte du bout des lèvres et applaudit du bout des doigts, il y a ce fou de Luc Bérimont avec Anne, son épouse.

Luc est une poète. Et un bon. Il a été l'ami intime de René-Guy Cadou, cœur météorique de la décennie 40-50. Vedette parmi les plus choyées de la radio française, il y enchaîne les émissions à succès. Présentement, il donne « les avant-premières » où se presse tout ce que Paris compte d'artistes en gésine. Ce soir-là, il fonce saluer Félix dans sa loge et l'invite à son émission. Entre ces deux bavards impénitents, le courant passe à haute fréquence. Tous deux sont des hommes de radio. Luc est un passionné de chanson (Léo Ferré a mis en musique un *Noël* de Bérimont qui est un chef-d'œuvre). Plus tard, Luc organisera les « jamsessions chanson-poésie » et produira « La fine fleur de la chanson française ». Je tiens pour rien ce dernier détail : Son vrai nom est André Leclercq.

La belle Anne Bérimont invite Félix à dîner à la maison. Dans le petit appartement de la rue Gustave-Doré, elle voit arriver le chanteur dont, au premier regard, elle note les énormes chaussures « à semelles de beû ». « J'aimais bien sa femme, sans l'avoir vue, rien qu'à la façon dont il en parlait. » Puis : « Les gens du métier n'ont qu'un sujet de conversation : eux-mêmes. Pas lui. » Il prend congé de bonne heure. Au moment de sortir, il avise Shakespeare, attendant en édition bilingue qu'un hypothétique lecteur l'arrache à un rayonnage anonyme et il se met à déclamer, en anglais, dans le couloir étroit, les vers immenses.

Luc vient de revisser son stylo et de livrer à l'éditeur Seghers le texte d'un « Leclerc, poète d'aujourd'hui ». Je ne peux résister au plaisir d'en lire une page. Luc écrivait vite, certes, comme il parlait. Mais il écrivait aussi très bien. Jugez :

« Nous sommes le 2 août 1914. La France vient de déclarer la guerre à l'Allemagne. Paris, bras dessus, bras dessous, titube dans l'ivresse tricolore. Un soleil carnivore pose sa patte griffue sur un monde. Le premier coup de canon tiré dans une plaine d'Europe salue le nouveau-né. La fumée de l'explosion le dérobe à nos yeux l'espace de trente années. Le jeune homme qui sort de derrière cet écran tient une guitare à la main. Il entre dans ce livre qui lui est consacré. Il cst grand, souriant, fort, timide... »

Félix, ravi, envoie aussitôt son « Seghers » au vieux Léo avec cette dédicace : A mon père, l'idole de mon enfance, de mon âge mûr, Dieu des forêts. « Pour la première fois, il m'a répondu par une lettre. Il avait quatre-vingt-huit ans. »

Le roi des forêts, le roi auquel s'adresse Félix dans toutes ses chansons, par-dessus l'épaule des spectateurs, le géant aux mains énormes et au cœur à fonder des villes va mourir bientôt. On l'a hospitalisé à Saint-Joseph, l'hôpital de Trois-Rivières.

Félix le visite en juillet 65. – Il ne me reconnaissait pas. Je lui disais : Vous voyez bien que c'est moi! Filou! Regardez ma face! Il répondait : T'es pas lui! T'as beau t'habiller comme lui, je vois bien que t'es pas lui. »

Le 1er octobre, Léo part construire des villes dans le ciel.

Félix, lui, est au fond. Il va et vient, de la France au Québec, de Vaudreuil à l'île. Il faut en finir. « Séparez-vous, supplie un jour Martin, c'est ce que vous pouvez faire de mieux pour moi. » Félix ne se décide pas. « C'était le mal québécois de rester dans l'ornière du malheur conjugal; il fallait s'en sortir... » me confie-t-il en 1985. Mais il ne s'en sort pas.

Le bonhomme a regardé la neige longtemps
Puis il a regardé le ciel longtemps
Puis il est resté planté là content

La rêveuse est partie pleurant
Son manchon sur ses cils pesant
Et a dormi cent ans

Une autre illusion de perdue
Bien sûr une source de plus
La revoilà seule dans la rue

Le P'tit bonheur tourne dans le Canada. Massicotte monte avec Monique Miville-Deschênes la compagnie des « Gesteux (1) » qui tournera quatre ou cinq ans en représentant des pièces de Leclerc.

La révolution tranquille se calme à partir de 1965. Mais déjà, quelques groupusculistes fondent le FLQ (Front de Libération du Québec) et balancent ici et là des bombes, gaiement. En 1966, les libéraux de Lesage sont battus par l'Union nationale, le mode de scrutin et le découpage des cantons. René Lévesque opte pour l'indépendance et fonde le Parti québécois. Félix n'est toujours pas indépendantiste. Son thème reste la patrie mais il s'agit d'une patrie aux contours vagues. Il faut encore une étape avant le grand choix.

Il sort alors de sa poche un paquet de feuillets qu'il lance sur la table de la nation avec la même éternelle timidité désinvolte. Une pièce qui s'intitule *Les Temples.* Il vient de mettre une nouvelle fois « son allumette au bûcher ». Voici le texte qu'il donne pour présenter cette œuvre :

(1) En Gaspésie, on appelle ainsi les comédiens.

« Une province.

Une fille qui a dormi cent ans.

Pendant son sommeil, des étrangers l'ont volée, violée, souillée, pillée avec la complicité de ses gardiens.

Elle se réveille et pousse un cri de honte.

Quelques millions de jeunes soldats accourent, franchement en colère et exigent enquêtes, réparations et châtiments.

Ils défilent, les aînés : administrateurs, juges pervers, ministres, policiers, courtisans, financiers, une incroyable parade de chrétiens corrompus et lâches, tout étonnés d'avoir passé leur existence dans le parjure, la fraude et le vol [...]

Les Temples? C'est la révolte du fils contre son père ou contre l'autorité...

Un an pour l'écrire, un an pour la monter.

Un tournant qui débouche peut-être sur une blonde et chaude lumière dans une vallée habitée par des hommes [...]

Ma révolte n'est pas terrible... »

La pièce raconte l'insurrection du Fils contre le Père et les Temples qu'il a élevés : l'ordre, la religion, la politique, l'amusement. Après le procès des Templiers par le Fils viendra sa défaite et le procès du peuple et du Fils lui-même.

Deux ans avant les grands mouvements de 1968. « Ma révolte n'est pas terrible », écrit-il. Il n'est pas, c'est vrai, un révolté d'habitude. Il ne rêve que de cette vallée. Cette vallée. Parfois, il a cru la voir où elle n'était pas. Mais c'était à force de chercher. Pour le coup, il a une phrase qui devrait être cousue sur les oriflammes de tous les révoltés du monde et surtout ceux, en Europe, mes petits camarades, qui ont un peu trop oublié cette évidence : « La révolte est recherche désespérée de l'harmonie. » Lui, il ne pense qu'à ça, l'harmonie...

– Je crois, dit Massicotte, à nouveau metteur en scène, que Félix a mis là, sans doute, le plus de son âme, de sa révolte, de ses rêves, de ses idées sur la jeunesse.

Et Jean Royer : – Au fond, c'était *la* pièce de la révolution tranquille.

Jean Royer écrit dans *L'Action,* un quotidien de Québec aujourd'hui disparu : « On retrouve dans *Les Temples* deux accusés qui sont vraiment les témoins du Québec. Le pauvre habitant que l'avocat réussit à culpabiliser jusqu'à cette phrase terrible : « Mettez-moi les pieds dans le ciment, s'il le faut. » Le chanteur Ti-Jean Latour qui, une fois culpabilisé, lui aussi, se découvre le dos pour être puni. Voilà deux témoins qui représentent cruellement ce dont nous avons été nourris : la culpabilité et l'humiliation (1).

La pièce est plus que controversée (« Ce fut un tollé » assure Massicotte), Jean Royer s'en fait le défenseur acharné. Il est le seul. A l'époque, dit-il, les critiques du *Devoir* étaient des curés manqués qui se faisaient plaisir à descendre Félix!

Oui mais la fidèle Janine qui n'est pas suspecte, elle, trouvera la pièce « pas très bonne » : « trop d'idées générales, pas assez de personnages concrets auxquels s'accrocher. J'étais *la Femme.*

Le temps jugera. Il y eut une trentaine de représentations. Des salles honorables, de deux cents ou trois cents spectateurs. Sur le plateau, en plus de Janine, évoluent la débutante Louise Forestier, Ovila Légaré, Robert Gadois, Ronald France, Gaétan Fraser, Edgar Fruitier et Massicotte, bien sûr.

Le temps jugera.

La querelle des *Temples* a meurtri Félix devantage encore. Il a senti l'injustice. Il songe désormais à quitter la province, s'installer en France définitivement, emmener Gaétane... Il ne se décide pas. Il faut te dégager, Félix. Il faut faut te dégager. Faut être un homme! A quand le coup de rein, Félix?

(1) *L'Action,* 4 février 1966.

Il y a au Vésinet, dans la banlieue parisienne, un directeur de maison de jeunes de trente-trois ans. Jean Dufour, qui s'occupe en diffusant des montages audiovisuels sur la chanson. En ce moment, justement, il travaille sur Félix Leclerc.

Curieuse trajectoire : fils de cheminot, il n'a en poche, à part une déjà ancienne licence de coureur cycliste indépendant, qu'un CAP d'ajusteur. Il est passé par le militantisme syndical avant de devenir animateur de ciné-club puis d'atterrir au Vésinet. Le 23 décembre 1966, il rencontre, à Deuil-la-Barre (non assurément prédestiné mais à quoi ?) Félix qui chante dans une « salle des fêtes pourrie ». Ils déjeunent ensemble et sympathisent. Félix ne parle que de « rencontrer un public différent ». Jean lui propose de lui laisser sa chance : Il va monter cinq spectacles. Si ça marche, si Félix est satisfait, il embauchera le jeune homme comme secrétaire.

Le premier spectacle est à Lille, au Studio 125, chez les étudiants de la « Catho ». Ça marche, évidemment. Dans la salle, il y a tous mes copains de l'école de journalisme. Et moi. Et deux ou trois cents autres.

Félix se donne quelques jours de réflexion.

Le temps d'une démarche folle qui lui fait rencontrer le cardinal Léger à Paris. Jean Dufour attend dans l'auto. Qu'est-il allé chercher ? Sans doute rien. Un de ses amis lui a-t-il mis dans la tête de tenter de faire annuler son mariage ? Je vois plutôt là l'idée de donner une dernière fois la main à l'Église dont il se sent de plus en plus séparé. Cette visite est un acte magique : tout effacer, recommencer à zéro, signer à nouveau l'alliance...

Il sort de l'édifice. il claque la portière et jette à Jean : « Pour eux, la femme n'a pas changé depuis le Moyen Age; elle est l'incarnation du péché. »

Mais cette fois, il est décidé à vivre. Cette fois, oui.

La loi sur le divorce passe le 1er juillet 1968. L'ancienne ne voulait admettre que l'adultère. L'adultère des riches car elle coûtait aussi très cher. En quelques jours, le nombre des divorcés est multiplié par dix. Félix sera l'un des premiers. Une distinction, je présume, dont il se serait passé. L'ancien écrivain catholique quitte l'Église et abandonne toute pratique religieuse.

Abandonne-t-il Dieu ? « Je suis croyant », confiera-t-il à Jacques Bonnadier du *Provençal,* quelques années plus tard (1). Je ne pratique plus. J'avais trop espéré des serviteurs de l'Église, j'ai été déçu. Je vous avoue que, depuis que je me suis rayé volontairement des cadres, je me sens plus près de Dieu, plus chrétien qu'avant. Je crois mais, aujourd'hui, c'est une affaire entre le bon Dieu et moi. C'est bon d'avoir une petite lampe bleue allumée dans le dédale de votre intérieur ».

Beaucoup de Canadiens partagent cette façon de penser puisqu'un sondage du *Soleil* (2) indique que 87 % d'entre eux déclarent croire en Dieu en 1985. Les Églises sont désertées mais on prie en plein vent.

Puisqu'il se décide à quitter un pape, il va aussi en quitter un autre : il va se séparer de Jacques Canetti. La scène est à Cannes où Félix chante à l'occasion du Midem 67. Mais en « off ». Pendant qu'il chante, voyez, son imprésario apparaît en fondu-enchaîné, assis à son bureau parisien, ce dimanche matin d'hiver où l'on entend les sportifs s'entraîner au Parc des Princes :

– Je me suis toujours demandé pourquoi nous nous sommes séparés. Nous avons eu des difficultés au Midem. J'ai le sentiment que Jean Dufour n'a pas cherché à arranger les choses... »

« ... Il a chanté une fois dans la petite salle du Casino de Cannes. Il y avait du monde... Ça a marché. Mais cette ambiance n'était pas pour lui. Il a dû en être mortifié. C'était quand même pas une raison pour qu'il y ait une telle séparation... »

(1) *Le Provençal,* 2 décembre 1973.

(2) *Le Soleil,* 12 septembre 1985. En France, ils sont 66 %.

(Un temps) « ... Je n'ai pas la certitude de savoir pourquoi nous nous sommes séparés... »

Saint-Cloud s'estompe et nous sommes à Cannes pour les scènes de la rupture. Dans la chambre de Félix, le soir, tard (pour une fois), une longue discussion orageuse. Au matin, Félix invite Mme Canetti, Lucienne Vernay, qu'il appelle « une fée », pour le café. Il a l'élégance du sentimental – que la chose soit nette, avec de l'honneur au col – mais aussi la fierté violente : le mari frappe à la porte. Félix crie : « Vous n'êtes pas invité ! » Sur la porte, le mot *Fin* apparaît.

– Faudra pas parler de ça, me dit-il en 1985, alors que je tente ma chance sur les vraies raisons de la séparation. – O.K...

Jean Dufour est engagé comme secrétaire, technicien, chauffeur, administrateur, imprésario, homme à tout faire. Un serviteur appliqué et un protecteur attentif comme le maître sait en attirer autour de lui. La deuxième vie commence. Après le divorce, il épousera Gaétane à Saint-Hyacinthe. Les Pichette seront les témoins.

> « Et à ce moment précis
> au su et au vu de l'univers,
> la jeune femme qui a tout quitté pour me suivre
> (famille, pays, amis)
> me rejoint et pour longtemps.
> Nous soudons “ civilement ” nos deux vies
> devant un monseigneur protestant – et marseillais, en plus –
> le pasteur Jacques Beaudou, de la United Chuch of Canada (1).
> La femme du péché me donne deux enfants
> 22 années de bonheur
> 22 000 heures d'attelage “ sa hanche contre la mienne ”

(1) Le mariage civil ne sera institué au Québec que le 1er avril 1969.

à travers trois pays
quatre maisons
cinq livres
quatre microsillons
et trois pièces de théâtre.
Elle est ma plus riche victoire! »

« Et vlan! lance Félix en me tendant la feuille où il a écrit ce compliment, place donc ça à cet endroit dans ton livre! »

Adieu Québec. Exilé volontaire, le chanteur Félix Leclerc s'installe avec sa jeune femme au 17, rue Horace-Vernet, à La Celle-Saint-Cloud, dans la banlieue ouest de Paris. Banlieue résidentielle, rue aérée, des jardins, des bouleaux dans le jardin. Commence le règne du roi heureux. Celui qui montrera qu'il n'a pas usurpé sa place dans l'Histoire.

XII. L'exil et l'Histoire

Jean Dufour possède une Panhard 24 CT sport, voiture à deux places très basse dont il est amoureux. Dans ce carrosse, avec ce seul fidèle pour chambellan, Félix va régner sur un pays qui va lui faire comme un tapis de ferveur. Plus tard, il achètera une DS, véhicule plus conforme à son rang. Bleu roi, la DS : couleur roi, couleur du Québec (... mais couleur de hasard, tout de même). Ferveur : les Français ont compris que ce chanteur, ce moine-chanteur, plaide pour une rigueur, une sincérité, une simplicité qui tranche dans la patrie d'Eddy Barclay et de Guy Lux. On lui est reconnaissant d'être un homme, on le protège comme une plante rare, un roi : un homme!

Félix tourne beaucoup. Les « cinq premiers spectacles » de Jean Dufour font tache d'huile : onze villes en janvier 67, dix-sept en février, treize en mars et ainsi de suite. Il demandait à son nouveau secrétaire de lui faire rencontrer un public différent. Il va être servi. C'est quoi, un « public différent » ? Les années 65-80 voient un essor prodigieux de l'action culturelle et du mouvement associatif. Dans chaque ville de France une maison de la culture, une maison de jeunes, un centre d'action culturelle. Et partout, des syndicats, des cités universitaires, des fous de la chanson qui poussent à la roue, montent des festivals et deviennent, tandis que le show-biz traditionnel s'englue dans le « yé-yé », le principal employeur de chanteurs. Cette effervescence sera d'ailleurs déterminante dans la mobilisation qui permettra plus tard la victoire de la gauche et l'élection de François Mitterrand à la présidence de la République. Pour ce qui nous intéresse ici, il est certain que ce « circuit parallèle », comme on l'a appelé, jouera un rôle primordial dans l'Histoire de la chanson française et l'émergence d'une volée de nouveaux chanteurs, de nouveaux thèmes, de nouvelles valeurs.

Dans ce royaume, Félix circule avec la majesté cordiale d'un roi heureux. J'ai demandé à Jean Dufour son témoignage écrit. Je savais, en effet, qu'il conservait de ces années, de cette cavalcade à travers le royaume, un souvenir ébloui : celui d'un immense éclat de rire et, à la fois, d'une intensité dans le recueillement qui l'ont à jamais marqué. Je voulais des détails. Les voici.

Quelque part, en tournée, en France.

« Félix se couche tôt et se lève tôt. »

« Je le retrouve à la réception de l'hôtel pour le rendez-vous de départ. Il me raconte alors sa promenade matinale et me montre ses trésors : le couteau multilames, les chaussures à “ semelles-tracteur ”, ou tout simplement le roman qu'il vient d'acheter. »

[...]

« Les auberges discrètes, à l'écart des routes ont notre préférence. Il entre le premier et, très souvent, après une seconde d'hésitation, le maître des lieux le reconnaît et esquisse un sourire complice. Invariablement, Félix se tourne vers moi et dit : “ Tu es reconnu ! ” L'appétit le rend jovial. Le choix du menu lui donne un regard pétillant de malice. La dégustation est un rite. Parfois, quand le plaisir est grand, il s'arrête un instant de manger, pose son couvert et recouvre son visage de ses grandes mains, dans une attitude de méditation gastronomique qui me fait rire sans retenue. »

« [...] Puis c'est l'entrée en ville, les affiches sur les murs qui provoquent toujours une réaction mêlée de gêne et de plaisir. Je laisse Félix à son hôtel. »

« Au théâtre, je fais patienter les journalistes et les amis qui l'ont vu naître ou qui ont plus modestement guidé ses premiers pas vers la réussite [...] Pour le confort et la fiabilité, nous utilisons presque toujours notre matériel de son, léger, discret, peu encombrant. Les techniciens qui m'accueillent s'amusent toujours de voir l'amplificateur délicatement installé dans le hamac qui le protège des chocs. Lorsque tout est réglé, je vais chercher Félix qui sort du sommeil ou d'une lecture. Et la répétition commence. En général, Félix chante une ou deux chansons, me fait réduire l'intensité de l'éclairage que je ramènerai le soir – à son insu – à un niveau plus... spectaculaire. Et commence alors la longue attente du récital. »

« Les journalistes sont reçus les premiers dans la loge [...]. L'étui de la guitare... On y trouve, dans un fouillis très personnel, des cordes de guitare en petits sachets, comme des fils de pêche à la ligne, une écharpe, des lettres, des ébauches de chansons sur des feuillets dispersés et la serviette de toilette qui isole les cordes de la guitare de l'étui. »

« [...] Détail important et qui en dit long sur la discrétion dont il s'entoure, il m'est interdit d'avoir sur moi des photos pour les dédicaces. Tout au plus accepte-t-il d'en signer parfois après le récital parce qu'il considère cela comme le prolongement normal d'un travail public. Avec l'humour et la malice qui le caractérisent, il consent alors à écrire selon la demande un " mot gentil " ou encore " n'importe quoi ", mais rien qui puisse exprimer un sentiment très personnel... »

« Le silence reprend ses droits. La porte de la loge se referme. Un verre d'eau, une cigarette, la tenue de scène sur la chaise. Peu de lumière. »

« De la loge voisine, j'entends des accords de guitare, et des vocalises, des raclements de gorge. Enfin, cette voix de forêt, de fleuve qui s'installe dans le silence environnant... »

« Nous allons rapidement nous restaurer près du théâtre. Pour lui, le menu est toujours le même : un steak grillé, une pomme, une tasse de thé. »

« L'heure blanche. Silence feutré dans la coulisse. Personne dans ce théâtre désert et chaud. Le concierge est à table et regarde le journal de vingt heures... »

« Je vérifie successivement tous les projecteurs, puis les micros, le verre d'eau sur le tabouret, notre cher tabouret, tatoué du nom de toutes les villes rencontrées. »

« Un contrôleur vient. " On peut les faire rentrer ? " Et ils entrent. »

« [...] Félix se change. La cigarette finit de se consumer dans le cendrier. Le bâton de fond de teint... Le durcisseur d'ongles. Raclement de gorge, vocalise, coup d'œil au miroir. Sur le plateau, tout est calme, alors que le murmure de la salle qui se remplit apporte un doux réconfort en même temps qu'un imperceptible malaise. »

« Félix regarde par le rideau à peine entrouvert. Il les connaît déjà. – Tu vois la vieille dame bien poudrée au deuxième rang, je chanterai pour elle... »

« Première sonnerie dans le hall. Le murmure grandit. Les pompiers s'installent, le casque au pied. Le directeur est en coulisse. Le concierge vient demander une photo. Pas devant les pompiers, ils en voudraient aussi. »

– Écoute, me dit-il, le vent dans les arbres...

« Il va s'isoler dans un coin de la coulisse. Les pompiers s'écartent respectueusement. »

« Attention, Félix, on y va. »

« La salle s'obscurcit lentement. Le rideau s'ouvre. Tenant la guitare de la main droite, comme un outil, la gauche agrippée au col de la vareuse de laine épaisse, il salue discrètement d'une inclinaison de la tête vers la guitare. »

« Tu te lèveras tôt
Tu mettras ton capot
Et tu iras dehors... »

« L'échange avec le public est fait de respect, presque de discrétion. Cet homme qui chante ne triche pas. Aucun artifice, aucune concession. Deux heures plus tard, l'insistance de son auditoire le ramènera en scène une fois, peut-être deux... Pendant les applaudissements, il sort de scène et s'approche de moi : – Ça va-t-y ? »

« Je lui réponds : – Plutôt bien et il me confie sa guitare. Adossé au rideau de fond, bien au milieu, il salue de la main droite levée, avec le sourire d'un artisan heureux. Ruse de guerre, je tends la guitare à bout de bras. Le public l'aperçoit, sortant de la coulisse et exhulte lorsque Félix la saisit pour chanter une dernière fois. »

« C'est fini. Le rêve se brise. La salle est rallumée. »

« Dans la loge, Félix prend son temps. La toilette, le déodorant buccal et la cigarette de la victoire. »

« Nous échangeons quelques propos sur la soirée. Je n'ai aucune difficulté à contenir les gens qui envahissent le couloir. C'est vrai, ils sont délicats, respectueux. Il y a des hommes et des femmes de tous âges, des enfants, souvent des chaises roulantes... »

« A l'hôtel, Félix regagne sa chambre. Il va savourer sa bière brune et quelques pages de roman. »

– Tu vois, Jean, nous faisons le plus beau métier du monde ! »

Le plus beau métier du monde, oui. Dans la mesure où on l'exerce ainsi. Naguère, c'était l'homme des bois que le public applaudissait. Plus maintenant. Aujourd'hui, la France entend vraiment ce qu'il donne de son âme. On voit à peine le décor, la forêt, le fleuve. On voit un rideau noir, des cintres, des pendrillons, le faisceau des projecteurs et, dans cette géométrie abstraite, les mots sont chantés avec un lyrisme qui cisèle chaque syllabe : la chanson dans sa quintessence. Cet orfèvre n'est plus un supposé trappeur. Il fait vraiment « le plus beau métier du monde ».

Il est à Bobino – « Le music-hall de la rive gauche » – pour trois semaines à partir du 15 mars 1967. Chacun se souvient de l'orchestre d'Armand Motta, caché derrière le rideau de tulle. Au programme : Jacques Grello, Tessa Beaumont, Majax. Anne Sylvestre et Félix sont covedettes. Félix laisse la chanteuse clore le spectacle : « Comme ça, je me couche plus tôt », conclut-il, ravi.

Les salles sont pleines. Jamais de ratage, de « bide ». Parfois – mais rarement, il faut en convenir – une petite émeute comme à Liège où il faudra donner un deuxième récital dans la soirée.

Parfois on est coincé dans la nature par un jour de relâche. Jean Dufour choisit de m'en raconter un, au hasard :

« Nous sommes arrivés de nuit à Saulieu. »

« Hôtels complets. On nous conseille aimablement une pension de famille tenue par deux sœurs vertueuses dans une rue retirée. »

« Atmosphère désuette, douce, feutrée, au parfum de pétales séchés et de tisane. Une grande chambre meublée de souvenirs de famille, deux fenêtres, deux lits. Le plancher craque. Il doit y avoir des chats. »

« Un étrange bruit m'a réveillé. Une vive lumière aussi. Sur le pavé, dans la rue, un martèlement de sabots se prolonge. Je n'en crois pas mes yeux. Félix, moitié vêtu, est penché à la fenêtre, chemise au vent. »

– Viens voir, maudit, comme c'est beau ! »

« Ce sont des chevaux, de superbes chevaux étrillés, brossés le pelage luisant, le panache tressé et piqué de rubans multicolores. Dans le soleil du matin, les fers étincellent sur le pavé du champ de foire. »

« Chacun à sa fenêtre, muet d'admiration. »

« J'ai bien compris. Une page de son enfance défile sous ses yeux. »

« [...] Félix va de l'un à l'autre, carressant l'encolure, flattant l'échine [...] Félix ne parle plus. Il est ailleurs, sans doute dans cet univers de corde et de cuir, de bois et de grain qui a imprégné ses premières années. Plus tard, à l'île d'Orléans, le cheval s'appellera Messire. »

La tournée continue. Jean Dufour – oralement, cette fois – raconte aussi comment Félix a été « relancé » par la télévision française en 1968. L'histoire est belle. Guy Béart l'invite à participer à son émission « Bienvenue » dont le décor est une nuée de jolies filles qui tâchent de prendre l'air inspiré. Ce sont les mannequins de Catherine Harley. Sitôt la fin de l'émission, ce jour-là, les filles entourent Félix et lui demandent de chanter pour elles. Il s'exécute et leur donne un quart d'heure de récital en croyant l'émission terminée et les caméras rentrées au paddock. Mais Béart a eu le génie de demander à Guy Job, le réalisateur, de laisser tourner les moteurs...

Gros succès.

Cet homme-là marche à son pas. On a vu le respect sans servilité qui régit son comportement vis-à-vis des journalistes. Au théâtre, ils attendent qu'il soit prêt; mais ils sont reçus les premiers. Avec les médias audiovisuels, mon homme entretient, l'air de rien, un rapport de force qui me remplit d'aise. La règle est clairement posée dès le départ : les radios et télés sont demandeurs de Leclerc, pas l'inverse. Dès lors, le climat est sain. Ça aide. Félix refusera toujours de faire l'émission de Guy Lux. Un jour, Philippe Bouvard téléphone : il souhaite l'inviter a son émission « RTL-non stop » dont le menu quotidien, à pas cher, est composé exclusivement de deux sujets : le fric et la fesse. Bouvard a le sens du mot et il croit que c'est cela avoir de l'esprit. Il fait rire, c'est vrai. Il représente du monde, c'est vrai. Félix refuse, c'est comme ça : – Maudit, qu'est-ce que j'aurais à dire là ? Rien en effet. Refus poli. Bouvard insiste. Refus poli. A bout d'argument, la direction de la station convoque le critique d'art André Parinaud. Félix accepte. Rapport de force.

Faut se méfier du père Leclerc. On le croit prêt à tout accepter, il a l'air brave, il fera jamais un esclandre à l'antenne. – Eh bien, Félix Leclerc, gnagnate Danièle Gilbert, vous allez maintenant nous présenter un jeune chanteur que vous aimez beaucoup.

C'est l'habitude : on donne à penser à l'auditeur que le métier est une grande famille qui chante en chœur toute la journée, bras dessus, bras dessous et que la vedette a choisi le reste du programme.

Convention, bien sûr. En principe, la vedette joue le jeu. Félix :

– Ah oui, je viens de faire connaissance avec lui dans la coulisse. Il a l'air très sympathique!

Danièle Gilbert se noie dans ses propres yeux, peu profonds pourtant.

Incident, détail, épisode : aucun intérêt. La vie est ailleurs : le roi est heureux. Sa fille Nathalie vient au monde dans cette villa de La Celle-Saint-Cloud. Trois ans plus tard naîtra Francis. Lui, il revit. Ses chansons ne parlent que de ça :

La naissance :

« Je n'aurai pas le temps
De finir la maison
De peinturer l'auvent
Secouer le paillasson
Que tu seras présent
Vivant, sorti des nombres

La renaissance :

Passage de l'outarde revenant de bien loin
Elle fuit la poudrerie avec tous ses poussins
Dans mon jardin d'automne, debout, cabrant les reins
Je lui montre ma vie au bout de mes deux poings!

En 1967, il va publier la suite de son calepin. Sous le titre *Chansons pour tes yeux*. Le même désordre d'où je tire, comme chaque fois, euh... des godasses que je rejette à l'eau et des perles dont voici quelques exemples :
« Un préjugé, c'est une petite branche qui empêche de voir la mer. »
« La réalité serait l'aiguille qui gratte à la fin du disque. »
J'y trouve aussi cet hymne à la révolution tranquille :
« ... Les grandes peurs pointues, hypocrites, hideuses et laides qui ricanent et s'infiltrent dans l'âme de l'homme; les autres, non moins dangereuses, étroites et plates plantes cacheuses de poison couleur de lait, vlan! vlan! peur de mourir, peur de vivre, peur d'être malade, peur de l'enfer, peur de tromper sa femme, peur de la religion, peur du patron, peur du cosmos, peur de connaître, peur des gendarmes, peur d'être dépassé, peur des jeunes, peur d'être dérangé, peur de dire la vérité, peur d'être démasqué, peur de manquer aux lois, peur de la concurrence, peur de s'exprimer, peur du ridicule, peur de la rue, peur... de la peur! »
« Vlan! vlan! tous ces masques, ces carapaces, ces toisons, ces fausses armures, ces cachotteries, ces esclavages, peur du bonheur, peur d'être heureux, peur de l'eau, peur de chanter, peur d'écrire, peur de danser, peur de crier de joie, toutes ces fielleuses, peureuses, faufileuses peurs immobiles faisant les mortes et devenant jungles! »
« A bas! Vlan! Dehors! En tas au fond du jardin et le feu dedans! »

« Un matin extraordinaire, jamais vu ça! »

« ... Maintenant je vis et je veille. »

Il a vaincu sa peur, lui. Néanmoins, trace de l'ancienne errance, on y trouve aussi cette page :

« Décembre. »

« J'aurais voulu faire un conte de Noël mais je n'ai rien, pas d'idées... »

« J'ai le mauvais temps sale, barbouillé et terreux, noir comme charbonnier qui tire ses sacs; j'ai un vieux lac tout gris avec des plaques d'eau jaune et la suie des trains qui passent la nuit sur le pont de fer, un vent monotone qui ne sait plus ce qu'il chante. J'ai une grande lassitude devant les heures parties. »

« J'ai des mains d'homme usé et de vieilles bottes et des rosiers gelés pas plus fiers que des brins de foin; des arbres tout noirs avec de la pluie froide qui leur crache dessus. »

« En dessous de tout cela, une pâle clarté qui brille comme une lampe sous l'eau : mon enfance, la naissance du Christ dans quelques jours, l'espérance que je retrouve chaque année dans mon grand panier de détresse. »

Passé, Félix! Passé que cette page de décembre et son panier de détresse. Vous vivez, vous veillez. La France aime la dignité de votre pas. Profitez de la France, roi heureux.

Et pendant ce temps-là, au Québec, les bombes d'une amusante bande rythment les nuits. Jean-Jacques Bertrand, ancien condisciple de Félix à Ottawa est un éphémère Premier ministre provincial. Cette même année 68, Pierre Elliott Trudeau est élu Premier ministre fédéral. Les fameuses colombes, ces trois mousquetaires qui étaient quatre, ils se sont séparés. Athos, Porthos, Aramis : à Ottawa où Trudeau emmène Marchand et Pelletier. D'Artagnan, René Levesque, ce petit mousquetaire couturé de tics nerveux qui ferraille à sa manière, peu conventionnelle, est à Québec. Il ferraille contre eux. Il a été le grand journaliste radio et télé des quinze dernières années. Maintenant, il rêve d'être l'homme de l'émancipation. La lutte sera féroce.

Voici les arguments de Trudeau. Il a réuni ses papiers de *Cité libre* dans un bouquin (1). Sa thèse : c'est à cause de son retard, de son système social rétrograde que le Québec est victime sur le plan fédéral. La modernisation suffirait à lui faire prendre toute sa place à Ottawa.

« Il est faux de prétendre que, pour les Canadiens français le fédéralisme a été un échec; il faudrait plutôt dire qu'ils ne l'ont guère essayé. Dans le Québec, nous avons eu tendance à nous replier sur un autonomisme largement stérile et négatif, et à Ottawa, nous avons souvent pratiqué un abstentionnisme qui a favorisé le développement d'un paternalisme centralisateur. »

Pierre Elliott Trudeau ne veut pas attendre jusqu'au lendemain des grandes hypothétiques futures réformes constitutionnelles pour poser les vrais problèmes. Les vrais problèmes, ce sont ceux du développement et de la démocratie. Lui a confiance dans le système fédéral.

Évidemment « il faut quand même que le combat soit égal. Sans quoi on risque de provoquer chez les francophones l'hypertrophie des mécanismes défensifs »... « Les Canadiens français risquent d'être amenés par le nationalisme canadien anglais à faire évoluer le Québec vers la position d'État national et – tôt ou tard – indépendant. »

Autrement dit, il serait bon que les anglophones jouent le jeu sans tricherie. (Surtout maintenant que Pierre Elliott est au gouvernement.) Et si, malgré l'influence du nouveau patron et son équipe, les anglophones ne changent pas ? Il sera toujours temps de ne plus croire au fédéralisme. Mais jusqu'à nous, jusqu'à moi, il faut y croire.

(1) *Le Fédéralisme et la société canadienne française*, éditions HMH, Montréal, 1967.

Pas d'indépendance donc. Mais plutôt une sorte de hold-up dans lequel la victime (les Anglais) serait soudain devenue consentante.

Trudeau résume tout dans une profession de foi – qu'il me pardonne – absolument dépourvue de cœur et tristement boutiquière : « Nous pouvons minimiser l'importance de la souveraineté de l'État, tirer le maximum d'avantages de notre intégration au continent américain et faire du Québec une province idéale pour le développement industriel. Tant pis si le particularisme québécois (y compris la langue) en souffre. C'est à ce prix que les Québécois atteindront un plus haut niveau de vie et de développement technique. De cette position matérielle supérieure, ils pourront affirmer avec force ce qui restera du fait français en Amérique du Nord. » Cette dernière phrase peut faire sourire.

Ah, c'est pas de Gaulle, Pierre Elliott! De Gaulle, d'ailleurs, ne l'aime guère :

« Nous n'avons aucune concession ni même aucune amabilité à faire à M. Trudeau qui est l'adversaire de la chose française au Canada (1). » Vlan!

Un certain nombre de Québécois pensent qu'il est trop tard pour faire confiance au fédéralisme. Au Québec, le revenu moyen par tête s'élève à mille cinq cents dollars en 1963. En Ontario : deux mille dollars. C'est pas tellement, un quart de différence mais, à la longue, ça vexe. Oui, dit Elliott, mais la langue ne peut pas être le critère qui détermine les frontières. Voyez la Kabylie, voyez le Bengale où l'on parle quatre-vingt-dix langues différentes et qui n'est qu'un des États de la confédération indienne. Soit. Claude Morin, frère de Gaétane et futur bras droit de René Lévesque lance : « Nous sommes moins un mouvement nationaliste qu'un mouvement d'émancipation. » Autrement dit : si nous avions le sentiment que le fédéralisme valait la chance d'être joué, nous le jouerions.

(1) En avril 1968. Cité par Clément Trudel dans *Le Devoir*, 24 juillet 1985.

Mais Morin n'a pas encore choisi. Il faudra attendre 1972 pour qu'il abandonne la neutralité du grand commis de l'État. Justement lorsqu'il sera persuadé qu'on ne peut plus croire en la fédération.

Félix non plus n'a pas encore « embarqué ». Il est encore pour quelques temps le Français, l'exilé volontaire. Il chante. Le 2 mai 1968, il fait même sa rentrée à Bobino. Au programme, derrière Isabelle Aubret, vedette américaine, je note les noms de Patrick Préjean, Henri Tachan, Jean Raymond... A l'entracte, Aragon et Elsa courent féliciter Isabelle. Ferrat aussi qui, lui, pousse jusqu'à la porte à côté pour saluer Félix. La direction de Philips offre le souper sur le boulevard Saint-Germain, chez Vagenende. Quels sont ces bruits ? Des pétards sur le boulevard ? C'est rien, c'est mai 68 qui commence. Qu'est-ce que vous faites, cette année, pour mai 68, Félix ? Oh, cette année, pour mai 68, je passe à Bobino...

Chez nous, les révolutions, vraies ou fausses, ne sont jamais tranquilles. Le milieu du spectacle, comme tous les autres, est labouré profond et parcouru de bandes porteuses d'oriflammes, de pancartes, de slogans. Justifiés, d'ailleurs lorsqu'on connaît la situation réelle des artistes (1). Félix Vitry, le directeur de Bobino, homme estimé dans la profession, ouvre sa salle à de nombreuses assemblées générales. Félix cautionne sans participer. Vieux trait québécois, son apolitisme le tient encore. Il se fait gloire de n'avoir jamais été membre d'une association ou d'un syndicat et, ma foi, je ne suis pas d'accord avec lui sur ce point. Le soir, il se fraye un chemin parmi les pavés et les casques luisants. Jean Dufour entrepose chez son patron les affiches que les syndicalistes de l'ORTF lui ont confiées. Il ira les coller une nuit avec son ami Bertin. Certain soir, Félix ouvre la première partie à un meeting : Ferrat, Escudéro, Moustaki... Les gars de l'extrême droite arrivent !

(1) Voir : *Chante toujours, tu m'intéresses*, Jacques Bertin, Éditions du Seuil, Paris 1981.

Vite, on ferme les grilles du music-hall! Ça pousse dans les deux sens et Ferrat, encore bien vert (et bien rouge) n'est pas le dernier à gueuler et pousser.

Félix passe au travers. Mais il est secoué. « J'ai vu que ceux qui étaient au mauvais bout de la matraque c'étaient des jeunes. » Cette révolte des jeunes, après tout, c'est celle dont il parlait dans *Les Temples!* On n'a pas prêté assez d'attention à cette chanson datée 1969 :

Qui nous arrêtera dans l'invention d'un monde
Quand celui-ci est mort mort mort
Quand pieds et poings liés
Vous nous avez détruits
Guéris et délivrés
Nous sommes repartis
La liberté ami est au fond d'un cachot
Comme la vérité sous l'épaisseur des mots

L'inconvénient, c'est que le père, ici, c'est de Gaulle. Et Félix admire le général. Jean Dufour, plutôt à gauche, se charge, au long des tournées, d'ouvrir son patron à la politique française. Les routes sont un long ruban, certes et une lente propédeutique. Hélas, le néophyte est encore un peu jeune.

Et puis de Gaulle est devenu un héros national outre-atlantique depuis que, le 24 juillet 1967, il est allé porter là-bas une solidarité aussi inattendue que bruyante : après une chevauchée en voiture découverte de Saint-Joachim à Montréal, sur ce qui s'appelait, déjà avant lui, le Chemin du Roy, une chevauchée à l'allure de triomphe romain, il a lancé son « Vive le Québec libre » du balcon de l'Hôtel de Ville. Félix a encore l'ovation dans les oreilles qui se mélange avec le fracas des grenades lacrymogènes à Montparnasse. Cruel dilemme stéréophonique...

– J'aimais de Gaulle. Il avait dit : Les hauteurs ne sont pas encombrées! avec cette exagération qu'on aimait... Mais je ne pouvais prendre position... »

D'autant moins que sa nationalité l'incite à se taire. Il est interdit dans tous les sens du mot : médusé par la violence de la vie politique dans le vieux continent. Le 13 mai, il écoute le discours du général sur son transistor, dans son jardin de La Celle-Saint-Cloud. Pensif, il carresse le chien griffon qu'il vient d'adopter et qu'il a baptisé Bobino.

Car le spectacle continue...

La tournée à nouveau. La vareuse grise est remplacée par une chasuble en laine. Il gardera jusqu'à sa retraite ce bel objet couleur d'automne, tissé par un ami de Jean, Florian, à Cliousclat, dans la Drôme.

Un éclat de rire bien peu historique fait la rupture avec « les événements ». A Angers, au petit déjeuner, deux Asiatiques donnent une aubade à Félix : sa chanson *Tirelou* en coréen.

– *Je suis affligé d'une grande peine, tirelou*
– *Couche-toi dans ton lit, les poings sur la tête*
– *Je n'ai pas de lit, pas de tête*
[...]
– *Peut-être au Japon tu trouveras l'ordre, tirelou*
– *Le Japon est loin mais j'ai une corde*
Pour me pendre s'il n'y a rien

... Dont il ne subsiste que ce qui semble une suite de borborygmes au milieu duquel surnage, comme une amygdale rescapée des eaux, le « tirelou » qui ponctue chaque strophe.

C'est déjà 1969. Une rencontre radiodiffusée avec Brel pour les beaux yeux des auditeurs d'Europe 1. Bien curieuse réunion. Brel est un admirateur de Félix, je l'ai déjà noté. Il rappelle au micro leur première rencontre, par hasard, rue Pleyel, avec Martin. Et sa visite à Vaudreuil, en octobre 59. « Est-ce que vous vous voyez ? interroge Jean Serge, l'interviewer. – On se voit pas! Mon ami Devos, je l'ai entrevu dix minutes en un an et demi de présence en France. »

Lui, Félix, a assisté deux fois au spectacle de Brel : au palais Montcalm de Québec et à la Comédie canadienne de Montréal. Mais ils n'ont jamais figuré au même programme.

On placote. Brel s'embarque dans des considérations crypto-psychanalytiques sur la femme, sa spécialité.

Avec le nez : – Le confort, c'est quelque chose de féminin.

Leclerc : – ...

Félix parle du Québec : – Libéré des complexes de la vieille Europe, on dit ce qu'on a à dire...

Brel enchaîne en signalant : « *Le Plat Pays* est une chanson séparatiste mais très peu de gens l'ont vu. » C'était pas facile à voir. Le vent du sud, le vent du nord... Chanson antiflamande ? Mettons.

Félix va de Jean Rostand « que je vénère » à l'amour : « La neige fait la pudeur, la naïveté, un certain mysticisme... Le Canada ressemble à la Russie sur ce point. » Une réponse à l'autre et ses propos sur les femmes. Notez qu'il ne dit pas « le Québec » mais « le Canada ».

L'été 69 le voit à Bendor, sur la côte méditerranéenne où l'ami Bérimont, grâce aux libéralités du roi du pastis et mécène Paul Ricard, est l'ordonnateur brouillon d'un festival « chanson et poésie » qui sera une fête de famille : Leclerc, Marc Ogeret, Hélène Martin, Maurice Fanon, Anne Vanderlove, Georges Chelon, le diseur Jacques Doyen, le guitariste Sébastian Marotto; plus un débutant qui flotte dans son premier disque et qui se demande ce qu'il fait là : Jacques Bertin.

Félix est royal. Il ne se mêle à la bande que pour les répétitions et le déjeuner. Il se fait servir le dîner dans sa chambre.

La rencontre avec Sébastian Marotto donne à Jean Dufour l'idée d'un spectacle à trois avec un autre ami de Félix, Jean-Pierre Chabrol. Le guitariste, le conteur et le chanteur se produiront ensemble trois ou quatre fois. Bien sûr les affiches porteront le nom de « Trois-Rivières ».

La Suisse. Qu'allait-il faire en Suisse ? Mystère. La Suisse, explique-t-il, c'était le rêve de Jean et Paule Dufour. Jean m'en parlait sans cesse dans la voiture. Pourquoi pas ?

D'autant plus que lui s'ennuie déjà de son Québec. Alors, pourquoi pas une fuite un peu plus loin ? La Suisse, ça vous a un parfum doux-amer, un côté exilé international... Chaplin, Soljenytsine, les princes détrônés, les grands exclus... Va pour la Suisse. Après un an et demi à La Celle-Saint-Cloud, il achète une maison à Saint-Légier, au-dessus de Vevey. Les Dufour, eux, emménagent à Lausanne.

– Gaétane adorait ça. Du chocolat jusqu'aux narines pour les enfants, de la paix jusqu'aux narines pour les vieux. Pas de discussions, pas d'opposition, idéal pour naître et pour mourir. Un vrai sanatorium. Une carte postale. L'ordre, la propreté, le confort. Des couchers de soleil... »

« Mais nous, nos arbres sont croches! »

Eh oui. La phrase a jailli du cœur du Québécois! Ça ne marchera pas longtemps Félix et la Suisse : les grands espaces ne rentreront pas dans les mètres-carrés tirés au cordeau. Il aime son désordre. Il faut l'écouter parler de son séjour au pays des horloges. Sans acrimonie, d'ailleurs, il n'a rien du tout contre les Suisses. Il les aime bien :

« Madame Rech, notre voisine, une femme adorable, elle venait faire un brin de ménage à la maison. Elle n'osait pas nous le dire mais quelque chose n'allait pas, quelque chose faisait scandale. Elle finit par se jeter à l'eau : – Il faudrait bien que vous coupiez votre gazon... »

Il s'écoute conter, il rit, il se tape sur la cuisse. Il exagère et je l'encourage. « Tout juste s'il ne fallait pas demander la permission pour acheter une paire de chaussures! Un jour, place Saint-François, à Lausanne, trois amis, onze heures du soir; un policier s'approche et, montrant la direction de la France, sur l'autre bord du lac : – Allez en face, pour discuter! Une autre fois, en ville, j'avais mordu une ligne blanche. Ça a fait une émeute! Les paniers qui tombent, les bras levés, un jeune homme qui court derrière l'auto... Je m'arrête, croyant avoir écrasé quelqu'un... Le jeune homme me rattrape, hors d'haleine : – Vous avez franchi la ligne blanche! Une société... policée... »

Un an en Suisse, le temps de ramasser des munitions pour le plaisir d'en rire.

« Pendant ce temps-là, Jos Pichette téléphonait : je vais vendre à d'autres, venez à mon secours! A la fin d'une carrière de rêveur, il se retrouvait très endetté! Et moi, je voulais construire ma maison dans l'île. Je lui ai acheté sa terre de la route jusqu'au fleuve. Il a gardé la partie qui monte vers l'intérieur de l'île. Comme il se trouvait, de ce fait, habiter sur mon terrain, j'ai garanti que sa femme et lui pourraient y vivre jusqu'à leur mort. (Il est mort en 1973.) J'apportais mes chèques l'un après l'autre à madame Pichette. Elle les mettait dans son freezer : – Comme ça on peut compter! En décembre 68, on va chez le notaire. Arrivé sur le Pont, Jos était de bonne humeur; alors il a monté son prix de deux mille piastres. Et moi qui était aussi de bonne humeur, j'ai dit oui. Deux ans après, j'ai commencé à construire ma maison. »

1969. L'automne. Trois semaines de récital au Théâtre de la Ville, à Paris, à dix-huit heures trente. Mille personnes par représentation. Et une autre tournée. « On arrêtait la voiture, Félix sortait son crayon et dessinait une cheminée, une mansarde... Le soir, quand il touchait son cachet : « Voilà une porte, une fenêtre... » La maison de l'île montait dans sa tête de paysan patient.

La tournée 69-70 est décisive pour son évolution. Il a engagé un bassiste. Un jeune, un chevelu, un anarchiste, un bavard : Léon Francioli, jeune jazzman suisse qui joue bien et parle de même. Il entreprend de parfaire l'éducation politique du vieux. Félix écoute avec tendresse, troublé, les développements de Léon sur la lutte des classes, la propriété... D'après Jean Dufour, le fils de *L'Alouette en colère* pourrait bien être Léon. D'après moi, il y a de l'esprit libertaire dans les chansons de la cuvée 69 :

> *Qui nous arrêtera dans l'invention d'un monde*
> *Quand celui-ci est mort, mort, mort...*

Curieuse, la tournée : il a invité monsieur et madame Pichette a séjourner chez lui, à Saint-Légier. Et Jos, bien entendu voyage de salle en salle avec son vieux copain. Dufour, Léon, Jos, Félix, curieuse équipe...

Félix va bientôt rentrer au pays. Mais pas sans ce viatique que Jean lui administre : il a négocié avec la Capac un arriéré de dix-sept années de droits d'auteur en menaçant de s'inscrire à la SACEM (1). Et la maison monte d'autant.

1970 et le retour du fils prodigue. Il a beau dire et beau faire, il ne peut se passer de son Québec. Nous avons rit sur son inadaptation à l'esprit helvétique. Les vraies raisons du retour son évidemment ailleurs. Félix ne se sent pas si mal dans sa belle maison avec piscine! Mais Gaétane ne cesse de le « tanner » : – Il se passe des choses importantes dans ton pays; ta place est là-bas.

– Il y avait aussi Jean Lapointe qui me téléphonait souvent : « Viens-t-en! On s'ennuie! Dis pas que t'es parti pour toujours. »

Un peu de Lapointe, beaucoup de Gaétane, passionnément du pays. On rentre!

Ce déménagement sera le dernier. A ceux qui, aujourd'hui, lui parlent de son ancien exil, il répond par des boutades. Non, non, pas

(1) Société des auteurs français.

vrai, il n'en veut à personne, il n'a pas eu mal... C'est bien lui, pourtant, qui confiait à Jean Dufour : « Quand je survole le Québec, je vois des piques; quand je survole la France, je vois des roses. » Et ses calepins, feuilletez-les, sont pleins de petites phrases sur l'amertume de l'artiste incompris.

Il ne fera plus, désormais qu'une tournée française par an; un petit mois, pas davantage. Jean Dufour s'installe en banlieue parisienne et prend le secrétariat de Devos.

La maison familiale des Morin à Montmorency, accueille provisoirement Félix, Gaétane et leurs « flos » (1). Dans l'île, la maison monte pour de vrai. Le maître d'œuvre sera un monsieur Boulay : « Je l'avais vu travailler avec ses deux gars. Je m'étais arrêté pour bavarder. En le quittant, je me suis dit : Voilà mon homme! Il jouait à la fois l'architecte, le chef de chantier, le maçon. Ses plans, il les dessinait sur son paquet de cigarettes. Pour le niveau à bulles, pas de niveau à bulles : il comparait, un œil fermé, avec le fleuve! Je leur ai souvent donné la main. J'ai bien travaillé autant qu'eux! Il y a un papier dans le ciment de la cheminée : Cette maison a été payée avec de l'argent français, 1970. »

Est-ce vrai? L'autre jour, il m'assurait que le ciment de la cheminée ne contenait que du ciment. Ce type-là, lorsqu'il ne dit pas la vérité, il ment.

Il a coupé le bois mal entretenu qui cachait le fleuve. Mais il a gardé le ruisseau qui dégringole au milieu de sa terre. La maison est à cinquante mètres de la route, à peine visible, élégante, moderne avec des lignes à l'ancienne, discrètement.

Félix rentre chez lui juste pour la grande crise d'octobre. Cette fois, le Québec va se trouver confronté à l'Histoire.

Les élections provinciales de 1970 ont donné la victoire aux libéraux de Robert Bourassa. Le Parti québécois de René Levesque a

(1) Une expression du lac Saint-Jean pour dire « jeunes enfants ».

obtenu un beau score : vingt-quatre pour cent. Trudeau est Premier ministre fédéral. La province bout d'agitation indépendantiste. La scène québécoise est envahie par le joual. Il ne faut pas avoir honte de notre parler, notre patois! Au contraire, il faut le magnifier. Alors, on y va en joual dans les chansons (Charlebois), dans le théâtre (Tremblay). Il n'y a que nous à comprendre? Justement! Semons un peu les maudits étrangers qui nous regardent de haut depuis trop longtemps. Les maudits étrangers, ce sont les maudits Français. Avec leur air de tout savoir, leur façon de débarquer en sauveur, ils se font détester, ici.

Parlons joual! Voilà la réponse au fameux « Speak white ». D'ailleurs, les journaux, à Montréal comme à Paris, sont pleins des exploits de ces soudards distingués qui tuent, brûlent, bombardent au nom de la belle civilisation occidentale bien propre, bien élégante, bien blanche. « Speak white » est aussi le titre d'un grand texte de Michèle Lalonde, présenté triomphalement au Gesù en mai 68 et qui exprime parfaitement cette révolte contre le « beau parler », contre la distinction des bourreaux.

> Parlez un français pur et atrocement blanc
> Comme au Vietnam, au Congo
> Parlez un allemand impeccable
> Une étoile jaune entre les dents
> Parlez russe, parlez rappel à l'ordre, parlez répression
> Speak white
> C'est une langue universelle [...]

Le 5 octobre, l'Histoire réveille les gens à l'heure du laitier : le Front de Libération du Québec a enlevé le diplomate britannique James Cross.

Des terroristes. Qu'est-ce qu'ils demandent? Tout un tas de choses parmi lesquelles, évidemment, la libération de « prisonniers politiques » et la publication par la presse d'un manifeste. Sur ce point, le gouvernement va céder. Ce texte présente un mérite plutôt rare : Il semble avoir été écrit par un vrai littérateur. Il obtiendra un vrai succès populaire.

« ... Oui, il y a des raisons pour que vous, M. Tremblay de la rue Panet et vous, M. Cloutier qui travaillez dans la construction à Saint-Jérôme, vous ne puissiez vous payer des " Vaisseaux d'or " avec de la belle zizique et tout le fling-flang comme l'a fait Drapeau (1) l'aristocrate, celui qui se préoccupe tellement des taudis qu'il a fait placer des panneaux de couleurs devant ceux-ci pour ne pas que les riches touristes voient notre misère. »

« Oui il y a des raisons pour que vous, Mme Lemay de Saint-Hyacinthe, vous ne puissiez vous payer des petits voyages en Floride comme le font avec votre argent tous les sales juges et députés. »

« Les braves travailleurs de la Vickers et ceux de la Davie Ship les savent, les raisons, eux à qui l'on n'a donné aucune raison pour les crisser à la porte (2). Et les gars de Murdochville que l'on a écrasés pour la seule et unique raison qu'ils voulaient se syndiquer et à qui les sales juges ont fait payer plus de deux millions de dollars. »

« Oui, il y a des raisons pour que vous, M. Lachance, de la rue Sainte-Marguerite, vous alliez noyer votre désespoir, votre rancœur et votre rage dans la bière du chien à Molson (3). »

Suit l'énumération des injustices du temps, racontées avec une belle verve journalistique. On peut, sans être un fin limier, déduire que le texte est dû à un auteur unique et que le Front ne pratique pas la discipline marxiste-léniniste qui veut que n'importe quel éternuement soit voté par le comité central et rédigé d'une plume en plomb. Bref. Les Québécois – et Félix – assez sidérés, applaudissent

(1) Jean Drapeau, maire de Montréal possédait « Le Vaisseau d'or », un des restaurants chics de la ville.
(2) Crisser : foutre. Vient de « Christ » qui fait le juron « Criss »!
(3) Molson est le plus gros fabricant de bière du Québec.

à peu près sur le ton de « C'est bien vrai tout ça; bons petits gars. » Le Québec, pensez-y, compte plus de quarante pour cent des chômeurs de tout le Canada. Ça fait du monde pour applaudir. Mais ce qui ne semblait, jusqu'alors qu'une blague d'étudiants plutôt discutable se mue en drame lorsque, le 10 octobre, un deuxième enlèvement efface le ministre provincial Pierre Laporte.

Dès lors, le gouvernement de Bourassa est court-circuité par le fédéral. Ottawa, qui se nomme Trudeau, prend les choses en main. Les élites canadiennes se délitent de trouille et se voient déjà passer un après l'autre dans la trappe. C'est pas drôle. Mais le peuple, lui, terriblement décevant, ne semble pas mesurer la tragédie : « L'heure est grave... La population ne se fait pas d'idée du sérieux de la situation » déclare Jean Drapeau. On n'a jamais vu le peuple se faire enlever, pas vrai ?...

Un bruit court : il y aurait un coup d'État communiste dans l'air. Dans *Le Soleil* du 15 : « La population ne se rend pas tellement compte encore du danger qui la menace. » Le peuple, vraiment, n'est pas à la hauteur. On va lui faire comprendre : Le même jour, l'armée garde les monuments publics. Et le 16, à quatre heures du matin, la loi sur les mesures de guerre entre en vigueur : « Un agent de la paix peut, sans mandat, entrer dans tout local, lieu, véhicule... » On ne rigole plus.

Tandis que les gros hélicoptères de l'armée bourdonnent dans le ciel de Montréal et lui donnent une gueule d'atmosphère, l'armée se répand. 31 700 perquisitions! 497 suspects arrêtés! La chanteuse Pauline Julien voit sa maison investie en pleine nuit : un flic en bas de son lit. Même pas en pyjama. – Vous auriez pu sonner ? – On a sonné mais personne n'a répondu. La suspecte dormait dans les bras de Morphée et de son mari, Gérald Godin, futur ministre. Un sommeil si profond n'est-il pas patibulaire ?

On les emmène en garde à vue. Ils y resteront une semaine. Le jour de leur sortie, la police aura aimablement arrêté leurs deux enfants (dix-huit et quinze ans). Pauline trouvera sa maison déserte et n'aura de nouvelles de ses « flos » que vingt-quatre heures après, à leur libération. Le petit, surtout, faut le tenir en respect...

L'opération policière sera un succès : trente-trois fusils, quelques couteaux à manches sciés et deux-trois pelles à tartes...

Félix a vu l'armée canadienne arrêter et fouiller les voitures dans la côte de l'île, devant le pont :

– J'ai eu honte.

« J'ai eu honte de voir que, pour régler nos problèmes, il fallait appeler une armée de l'extérieur. Le même jour, j'ai écrit *L'Alouette en colère.* » Ce qui s'appelle franchir le Rubicon.

J'ai un fils enragé
Qui ne croit ni à Dieu ni à diable ni à moi
J'ai un fils écrasé
Par les temples à finance où il ne peut entrer
Et par ceux des paroles d'où il ne peut sortir
J'ai un fils dépouillé
Comme le fut son père, porteur d'eau, scieur de bois
Locataire et chômeur dans son propre pays
Alors moi j'ai eu peur
Et j'ai crié : « A l'aide! Au secours! Quelqu'un! »
Le gros voisin d'en face
Est accouru, armé, grossier, étranger
Pour abattre mon fils une bonne fois pour toutes...

Félix vient d'embarquer. « Pendant de longues années, personne n'avait la moindre idée de ses opinions politiques. Il n'était pas politisé. *L'Alouette* a surpris tout le monde. Immense mutation! » C'est Claude Morin qui parle. Morin qui, lui, est en retard sur Félix : encore haut fonctionnaire sous Bourassa. Félix, paraît-il lui a offert le manuscrit de *L'Alouette*. – Il comptait sur toi pour faire avancer la cause, conclut madame Morin.

La chanson, il ne l'a pas encore chantée. Et l'affaire Cross-Laporte commence à peine. Le nouveau directeur du *Devoir,* Claude Ryan, écrit : « Le Canada assiste à une renaissance inquiétante du MacCarthysme. On n'aurait jamais cru que cela viendrait de ceux-là même qui, sur la foi de leurs anciennes convictions " libérales ", furent élus à Ottawa pour y rénover la politique canadienne (1). »

Trudeau pousse son avantage. Son avantage ? Oui. Trudeau sait parfaitement qu'aucun coup d'État n'est en préparation. La loi des mesures de guerre lui permet simplement de jouer sur le terrain émotionnel. Il dépose le drame devant la porte de chaque citoyen. Les militaires qui fouillent les voitures et rentrent dans les maisons transmettent le message : L'indépendantisme, c'est la révolution. L'éternel chantage, l'éternel « moi ou le chaos ». Trudeau sait à qui il s'adresse, il parie sur la légendaire peur des Canadiens français. Il les possède bien ses agneaux.

Les policiers savent très bien qui a fait le coup. Le FLQ est complètement infiltré et certaines cellules sont majoritairement de tendance GRC (Gendarmerie Royale du Canada). Voici un témoignage recueilli en 1985 d'une ancienne sympathisante « felquiste » : « Je savais que le FLQ préparait une opération. J'ignorais laquelle. J'arrive dans la pièce où se faisaient les interrogatoires. Le policier me montre l'une après l'autre toutes les photos de la bande. Connaissez-vous ces personnes ? Eux, ils les connaissaient tous ! »

Je n'irai pas jusqu'à prétendre qu'ils savaient aussi où ils se cachaient, non. Mais il est certain que le pouvoir a profité de la situation pour faire monter la pression dans la marmite et enfoncer les partisans de la souveraineté.

(1) 28 octobre 1970.

Avec, en prime, quelques gags coloniaux pleins de délicatesse tel celui-ci : « Les quotidiens anglophones, durant toute la crise d'octobre, obtiendront des forces policières elles-mêmes et ce, à cinq ou six reprises, des nouvelles que la presse francophone du Québec ne pourra jamais obtenir (1). »

On retrouve le corps de Pierre Laporte. Le FLQ a tué Pierre Laporte.

Félix est à Montmorency. On l'a vu, ce jour-là, sortir sur la galerie de la maison Morin, les larmes aux yeux.

– Le fruit est tombé de l'arbre le matin où Laporte a été trouvé assassiné dans la valise d'une auto. J'étais alors à Saint-Grégoire. J'ai dit : « Verrat! Qu'est-ce qui se passe? » Les Anglais arrêtaient les gens qui montaient la côte de l'île. Ce fut un véritable coup de fouet au visage. La honte! J'ai eu peur. J'ai marché sur la grève et j'ai composé *L'Alouette en colère* (2).

Il n'y a pas de grève, à Montmorency. Ici, comme ailleurs, quand Félix parle, il faut traduire. Il mélange, brode et rassemble plusieurs scènes dans une seule phrase.

– J'ai découvert que celui qui avait le trousseau de clés pour pénétrer dans toutes les chambres d'un pays (les arts, la nature, l'urbanisme, la médecine, l'école, la science) c'est le politicien... Ce fut le réveil. Je me suis dit : Maudit! Quel sorte de pays sommes-nous? Des gens qui appellent l'étranger au secours... Le voile s'est déchiré (3). »

C'est dit d'une manière poétique, comme toujours et en clair, cela signifie qu'à cinquante-six ans, en voyant entrer chez lui par effraction le couple terrorisme-gouvernement, il découvre que « tout est politique ».

– Avant ça, ça m'intéressait pas.

(1) *La Crise d'octobre 70,* Jean Provencher, Éditions de l'aurore, Montréal 1974.
(2) Dans *Québec français,* mars 79.
(3) A Yves Taschereau, *L'Actualité,* février 79.

– C'était très tard...

– ... Comme pour le reste, le sexe et le reste... On était adolescent jusqu'à quarante ans...

Félix s'engage donc en politique. Mais par la porte de la nation. Il ne s'agit pas d'un engagement à la française où l'on se bat sur une forme de société. Ici, le débat ouvert au pays est : Y aura-t-il un pays ?

Restent un scrupule cependant : Si je prends des positions publiques, je vais diviser mon auditoire...

... et une crainte, exprimée maintes fois à Claude Morin : La peur d'être manipulé.

Il faudra encore quelques jours pour qu'il se jette à l'eau.

Trudeau croit avoir gagné. On attend encore « le début de la preuve de l'insurrection appréhendée » ou de la menace de « gouvernement parallèle » (1). Mais Trudeau a marqué des points. A-t-il vu que le Québec avait été humilié ? Le FLQ certes, est déconsidéré à jamais. Mais Trudeau a ravivé la vieille blessure, celle de l'humiliation. Là, il n'a pas si bien joué car le Parti québécois va se trouver gonflé de toutes les révoltes suscitées par la crise, à commencer par celle de Félix Leclerc. La jeunesse et la classe intellectuelle embarquent. Et Claude Morin, le 21 mai 1972 annonce lui aussi son adhésion au PQ.

L'alouette en colère est toujours dans la gorge de Félix. Le 23 juin 1971, le journaliste Jean Royer qui a ouvert un théâtre, *Le Galendor,* dans l'île d'Orléans, organise une fête de la poésie. On attend cinq cents personnes, il en vient cinq mille. Des chars jusqu'au pont. Les gens sont assis dans l'herbe, dans la prairie, derrière le théâtre. Une quarantaine de poètes et de chansonniers se succèdent sur le plateau pour une, parmi beaucoup d'autres, de ses fêtes de la poésie par lesquelles, en ce moment, le Québec naît, si j'ose dire, à tour de bras et à gorges déployées.

(1) Gérard Bergeron, dans *Le Magazine MacLean,* février 1971.

Félix, égal à lui-même, arrive en voisin, quelques minutes avant son passage sur scène, prévu à minuit. Il chante :

Tu te lèveras tôt
Tu mettras ton capot
Et tu iras dehors
L'arbre dans la ruelle
Le bonhomme dans le port
Les yeux des demoiselles
Et le bébé qui dort
C'est à toi tout cela
C'est ton pays...

Au même programme il y a Monique Miville-Deschênes. Il la félicite. Elle lui jette :

– C'est à toi tout ça ! Mais rien n'est à nous !

Il lache un « ouais » qui veut dire : « Maudit ! C'est vrai ! »

Jean Royer lui souffle : « Félix, le plus grand danger, pour vous, c'est de devenir un mythe. »

Quelques jours après, à la radio, dans une émission de Denise Bombardier : – Je veux pas être un mythe, me v'là.

Dès lors, il n'y aura plus un grand événement politique national sans que Félix Leclerc, d'une façon ou d'une autre, n'y apporte son message de poète.

En mars 72, il se décide à embaucher, pour la première fois, un secrétaire pour le Québec. Il choisit Pierre Jobin qui deviendra le chien fidèle (mais chien courant !) dont j'ai dessiné le portrait en ouvrant ce livre. Le roi heureux s'entoure pour un règne sans tourment.

A trois kilomètres de la maison de Félix, il y a ce « théâtre d'été », *Le Galendor,* un parmi des dizaines d'autres égaillés dans les prairies de la province. Royer programme au *Galendor* de la chanson québécoise, exclusivement. Il sollicite Félix en vue d'une association. Et voici le vieux rêve qui remonte soudain à la surface. L'auteur de *Maluron* accepte à condition qu'on ne produise – théâtre ou chanson – que des œuvres d'ici.

L'aventure durera peu. « Félix, raconte Jean Royer, faisait des propositions de cachet... parfois trop généreuses. A part ça, il ne participait que de loin. » On montera néanmoins en 73 *Qui est le père?*, sa dernière pièce.

De quoi parle-t-elle?

De la naissance du pays. Un pays naît; trois pères se présentent : Uncle Sam, John Bull et Jean-Baptiste. Qui est le père?

JEAN-BAPTISTE : – Je suis Jean-Baptiste, le Québécois d'origine française que vous avez battu sur les Plaines, arrivé ici avant vous et encore sur les lieux, qui a été votre serviteur pendant trois siècles mais qui vient d'avoir un fils légitime, lequel légalement par la force des choses sera le seul et unique héritier du Québec où vous vous êtes attardés longtemps. J'ai un fils enfin qui prendra possession de ce que vous m'avez pris. Je pense que la chose est claire.

JOHN BULL : – What does he say? I don't speak french.

SPY : – Que dit-il? Je ne parle pas français.

JEAN-BAPTISTE : – Ben apprends-le, parce que le fils qui vient de naître sera ton boss si tu restes par icitte, understand?

SPY : – Better learn french because you are in french country here.

JOHN BULL : – Never!

SPY : – Jamais!

La pièce, dans une mise en scène d'Yves Massicotte, marche bien. La salle est pleine tous les soirs.

Hélas, l'aventure du *Galendor* se terminera par un gros déficit. Là, je n'irai pas chercher qui est le père. Intéressé dans l'affaire, le roi heureux est déconfit : il perd neuf mille dollars. Royer cède alors le lieu à Jobin qui crée le Théâtre de l'île en 1974. Félix y sera comme chez lui mais ne sera pas associé. Une fois suffit.

Sa carrière française se poursuit avec son petit voyage annuel. Du 9 au 21 février 1971, il chante à Bobino : Claude Luter, Henri Dès, et une jeune chanteuse à l'extraordinaire talent : Béa Tristan. Chère Béatrix Longat, pourquoi être retournée au silence ?

En 1973, à nouveau le Théâtre de la Ville pour trois semaines. Une carrière en roue libre, somme toute. Il prend pension avenue Victoria à l'hôtel Britannique, dont la directrice, un vrai cerbère, protège son client, filtre tout. Il règne. Un coup de téléphone à la maison tous les deux jours. Jamais plus de trente jours de séparation car la famille s'en ressent.

Régulièrement, il fait un tour au studio pour enregistrer quelques chansons. En France, le directeur artistique qui s'occupe de lui pour la maison Phonogram (Philips) est Claude Dejacques. Éditions, rééditions, retrait du catalogue, nouvelles pochettes, compilations, on s'y perd et je n'ai pas voulu dans ce livre dresser la chronique des productions phonographiques de mon client. Par curiosité, toutefois, j'ai demandé à François Dompierre, qui fut un de ses orchestrateurs, comment Félix travaillait : « Il faisait une prise ou deux, sans coupure; et il s'en allait. » Je m'en doutais un peu. « Je rajoutais ensuite les parties d'orchestre : masses musicales quand il chantait *en place* et contrechants de solistes lorsqu'il chantait *ad lib*. Et ça ne traînait pas : Pour un triple album édité à Noël 79, l'enregistrement des voix n'avait pris que cinq jours en avril ! »

Témoignage identique de Jean Dufour, à propos des enregistrements avec le chef d'orchestre Bernard Gérard au studio Davout : « Il chantait en son direct – mais en même temps que l'orchestre. On faisait un disque en deux jours ! »

Un troisième prix du disque Charles Cros. Un recueil de

nouvelles *Carcajou,* chez Robert Laffont. Mais la France ne le comprend et ne l'aime qu'en chanteur. Peu de succès.

Dans *Québec-presse,* le 19 août 1973, il publie un « point de vue » dont j'extrais les lignes suivantes : Voilà les Québécois :

« Excellents perdants, habitués de perdre, résignés d'avance, nous nous effaçons et disparaissons vite, incapables de colère, à l'aise avec les humbles, nés vulnérables. Pourtant nous sommes attachants, paraît-il, doués et majoritaires ici. Cette force nous fait peur. »

« [...] Les vainqueurs, depuis des siècles, sont évidemment les Anglais chez qui la soif du pouvoir vient de Dieu. Normal qu'ils soient les propriétaires, les patrons, les plus riches quoique minoritaires. »

« Les employés sont les Français chez qui la soif du pouvoir vient du diable. Normal que nous soyons locataires et pauvres, quoique majoritaires. »

« Mais il ne faut pas dire que nous sommes pauvres : frigidaire, auto, tévé, golf, laveuse à crédit, congé, hockey et gin nous apparaissent comme la seule richesse. Souvent notre bonheur s'arrête-là. »

« [...] En attendant, depuis cent ans et plus, sous le nez des chômeurs québécois, les gros bateaux étrangers, précédés de brise-glace canadiens sortent pesamment du golfe ou entrent dans les Grands Lacs, pleins à ras bord de richesses de toutes sortes, apportant pain et travail à des milliers d'ouvriers lointains. Que faisons-nous ? On les regarde passer et on entre dans notre coin pour vite regarder la tévé, la merveilleuse machine qui nous empêche de réfléchir. »

Bourassa se fait réélire. Le PQ monte encore : trente pour cent des voix.

Le Québec est en travail. Le Québec est en gésine.

J'aime bien ce mot de Jean Royer, à propos de Félix Leclerc (1) : « L'arbre debout régit le fleuve. »

(1) *Les Heures nues,* Éditions de l'Arc. Montréal 1979.

XIII. « Et nous, nous serons morts, mon frère... »

Il pleut sur les plaines, interminablement. Le mois d'août est foutu, trempé. Les organisateurs de la Super-franco-fête se mordent les ongles, les doigts, les poings. Le directeur en tête, Pierre Lefrançois. Il est responsable au nom de l'Agence de coopération culturelle et technique pour cette immense entreprise, ce bateau arrêté dont on ne sait s'il prendra la mer : deux mille artistes invités, vingt-sept délégations francophones rassemblées pour onze jours de festivals, un budget de un million quatre cent mille dollars de 74, une équipe qui travaille depuis un an. Mais il pleut. Il pleut aussi sur le moral, doucement : la soirée d'ouverture, ce 13 août doit réunir, sur un plateau qui défie le moutonnement désert des plaines, Charlebois, la jeune star, Vigneault, l'homme mûr et Félix Leclerc, le pionnier : trois générations, un symbole. Une belle idée. Mais lorsqu'on a présenté ce programme à la presse montréalaise, en mai, il n'a pas tellement excité les journalistes. Les commentaires ont été polis mais peu empressés. Le public va-t-il venir ?

Québec est envahi par les Sénégalais, les Ivoiriens, les Belges, les Suisses, les Malgaches, les Français. Québec ? Non : les hôtels de Québec. Les rues sont sous la pluie solitaire. Le soleil va-t-il trahir ?

Le 13 août, la pluie cesse.

A trois heures, devant le parlement, Trudeau et Bourassa inaugurent le festival : chacun son petit discours. Pas trop de réactions. On est encore humides. Mais au soir, les Québécois sortent de leurs maisons et se dirigent vers le haut de la ville. Et très vite, ils sont un peuple. Cent vingt-cinq mille ! Assis par terre au milieu d'eux, Trudeau et Bourassa comprennent-ils ce qui se passe ? Un accordéoniste d'ici, Michel Lemelin, à force d'airs traditionnels, fait un lever de rideau avec la nuit qui tombe à l'envers.

Il fallait les trois chanteurs représentants trois générations, trois étapes de l'éveil du Québec pour que cette nuit entrât dans l'Histoire. Avec un autre « grand chanteur », à la place d'un de ces trois-là, avec une vedette de l'art lyrique ou un orchestre philarmonique, un comédien ou je ne sais quelle célébrité francophoniste, on serait passé au travers !

Les trois sont dans la coulisse, ils ont répété la veille. Ils se sont dit : il manque quelqu'un. Ce quelqu'un, c'est Raymond Levesque, qu'on a appelé le clochard de l'indépendance, le chanteur sourd, le clandestin, le timide, celui qui ne sait pas s'habiller quand le pays met ses habits du dimanche. Il est l'auteur de cette belle chanson *Bozo les culottes*. Il incarne à merveille un type historique : le Québécois craintif, le porteur d'eau. Les trois ont voulu lui rendre hommage et ils ont répété *Quand les hommes vivront d'amour* à servir ensemble en fin de spectacle.

> Quand les hommes vivront d'amour
> Il n'y aura plus de misère
> Les soldats seront troubadours
> Et nous, nous serons morts, mon frère...

Ils montent sur le plateau. Et à ce moment, le bateau bouge.

Voici le titre du *Soleil*, le lendemain : « Les francophones ont reconquis les Plaines d'Abraham. »

« Toute une exubérance de sentiments, transportés avec l'assurance fière, la joie sereine, la tête haute d'un peuple qui se dit en chanson... En entonnant leur message final, les trois, Charlebois, Vigneault, et Leclerc se sont vus lancer un fleur-de-lysé que, par une espèce de pudeur d'en avoir dit assez, on n'a pas hissé à bout de bras. Pour ne pas, peut-être, que les hourras se transforment en délire pour une foule qui n'attendait qu'un geste du genre (1). » Ah, monsieur de Montcalm, si vous aviez entendu cette canonnade!

Et si vous aviez vu cela : la première fois, paraît-il, qu'on a fait le coup des briquets allumés dans la nuit. Cent mille briquets sur les lieux où l'Angleterre prit le Canada! Et ils disaient sans doute : « Je me souviens ». Mais je me souviens de naître, dorénavant.

Dans l'ovation finale, les trois sortent de scène. Ils ont chanté, plutôt mal, plutôt faux – un vrai plein air. Ils ont moissonné du pays, ils ont pétri du pays. Ils sont heureux. Charlebois déboule sur Jean Royer dans la coulisse où l'on se bouscule : « J'espère que la grande vibration de ce soir va avoir un rebondissement. J'espère que ça va accélérer les choses. C'est la fête de la francophonie. Nous au Québec, nous voulons un pays uniquement français. On le veut. Et vite. Et il faudrait que ça se fasse élégamment (2)... »

On propose à Félix d'écouter l'enregistrement du spectacle. Mais : « Le repas est servi. Allons dormir. Nous écouterons cela à tête reposée. » Il ne change pas.

Apparaissent les deux Premiers ministres, Trudeau avec Bourassa, son compère, qui viennent, comme si on fêtait l'ouverture d'un gymnase, porter les félicitations des édiles.

(1) Bernard Lavoie, *Le Soleil,* 14 août 1974.
(2) Jean Royer, *Le Soleil,* 14 août 1974.

– Ça m'a choqué! dit Félix. C'était des profiteurs qui viennent à un mariage réussi pour se glisser sur la photo!

Les pauvres, ils fallaient bien qu'ils vinssent! Leur fuite, au contraire, eût été un geste politique. Ils sont reçus un peu fraîchement. Les trois sont survoltés. Trudeau, comme font les hommes de grande classe dans ces occasions, lance à la cantonnade :
– Passez donc me voir, à Ottawa!

Charlebois : – On ne se verra jamais à Ottawa! Si t'as le front, invite-nous demain matin au château Frontenac.

(Charlebois tutoie le Premier ministre fédéral et l'appelle Pierre.)

Trudeau, qui ne se démonte pas : – OK. A demain, pour le brunch.

Le lendemain, les « bouncers » (gardes du corps) partout. Eux trois dans les couloirs du château. Comme les trois petits cochons, mais ils ne seront pas mangés, si j'en juge par leur moral. Trudeau les installe et fait le service : les œufs, le bacon, le café. Lui ne mange pas.

Félix parle le premier. « Les Acadiens exilés en Louisiane, voulez-vous qu'on devienne comme eux?... On est venu vous dire qu'on vous aime. Mais croyez-vous que vous allez faire avancer le Québec à Ottawa, parmi tous ces Anglais? »

Vigneault attaque sur les concessions accordées à ITT sur la côte nord. La compagnie ITT est mal vue, en ce moment : elle a joué secret, au Chili, contre la démocratie et Allende...

Trudeau : – Je verrai, je verrai...

Vigneault : – Vous aurez du mal à le voir; c'est un tout petit bas de page de trois lignes!

Félix a raconté cette petite réunion dans un entretien accordé à Murray Maltais, un journaliste du quotidien *Le Droit* à Ottawa (1). Je cite :

(1) 19 juillet 1975

Félix : « J'ai demandé à M. Trudeau un cadeau, un seul : donnez-nous le français comme langue de travail... Pour nous, se séparer, ça ne veut pas dire avoir une nouvelle monnaie, des douanes, des frontières, d'abord. Ça veut d'abord dire qu'on signe des papiers comme quoi on est reconnu comme peuple. Le reste viendra par surcroît. »

« On se tanne de tout dire, de tout redire. On l'a déjà répété tant de fois! L'abbé Groulx (1) le premier. On prêche presque dans le désert... Je me suis réjoui quand Cloutier a parrainé le bill 22. Mais lorsque j'ai vu qu'il contenait dix-huit *mais* et quarante-deux *si*.. »

Murray Maltais : – Quelle serait donc notre Bastille à nous, pour que nous la prenions?

Il est resté quelques secondes perplexe, comme si la question l'embêtait. « Je ne sait trop. L'Église? Je ne crois pas. Maintenant, elle vit seule. Le patronat, peut-être... »

Il aurait pu répondre : notre Bastille, gardée par vingt pour cent d'anglophones et surveillée par les canons de Wall-Street, c'est nous-mêmes...

Et Murray Maltais signale que Félix souhaite une quarantaine de députés de « l'opposition officielle » (c'est-à-dire le Parti québécois) aux prochaines élections. Et pas le pouvoir, « pour ne pas effrayer ». Toujours trop prudent, Félix. La machine mise en route ne va pas s'arrêter comme ça! Ils vont l'avoir, le pouvoir! Et ça va effrayer, certain!

La Super-franco-fête se termine le 24 août à minuit. A minuit, le 24 août, la pluie reprend. Dieu aime les légendes.

Un an après, on publiera – à la *Chant'aout* – le fameux enregistrement public de la soirée. « J'ai vu le loup, le renard, le lion. » Personne ne sait qui est le loup, qui est le renard, qui est le

(1) L'abbé Groulx fut au début du siècle le chantre du nationalisme.

lion. Comme dit Jean Dufour : « Les rapports entre Félix et Gilles sont de renard à renard. » Le disque connaît un immense succès en France. Sur la pochette, je lis le nom de Vic Angelillo, bassiste réputé, fils de celui qui apprit la guitare à Félix vers 1930.

Il y aura une autre super-fête, à Montréal, où *Une fois cinq* réunira autour de Ferland, Léveillée, Charlebois, Vigneault et Yvon Deschamps quatre cent mille personnes sur le Mont-Royal. La journaliste Lise Payette, future ministre, présentait cette soirée qui, d'après Ferland, était plus symbolique, plus importante historiquement. Je ne crois pas.

Enchaînons aussitôt sur le métier.

Enfin... le métier... si l'on veut. En décembre 1974, la télévision suisse-romande qui le veut à toute force pour son programme de Noël met à sa disposition un chalet à Gstaadt. Il va y passer une semaine en famille. Le temps de rencontrer Alexandre Soljenytsine chez Frédéric Dard. Authentique. Il y a des rencontres qui ne s'inventent pas.

En 1975, il tourne dans vingt-deux villes françaises. Il s'arrête au Théâtre Montparnasse-Gaston Baty pour trois semaines. Le succès est tel qu'il donne un mois de prolongation. Il enregistre en public *Merci la France* qui semble un « Adieu la France ». A son programme, il a mis *Le Phoque en Alaska* de Michel Rivard.

> Ça vaut pas la peine
> De laisser ceux qu'on aime
> Pour aller faire tourner
> Des ballons sur son nez...

Et surtout *Le Tour de l'île* : « Pour oublier le difficile/ et l'inutile/ Y'a le tour de l'île/ quarante-cinq milles/ de choses tranquilles... »

Pas si tranquilles, puisque le 29 mai 1976, dans *Le Soleil,* il publie un long texte contre le projet d'implantation d'un supermarché dans ce site.

Une nouvelle tournée française d'un mois en 1976. Le 15 novembre, il se produit à Quimper dans un charmant théâtre municipal branlant de rhumatisme. Puis il va souper avec Pier Jakez Hélias.

Le même jour, là-bas, en Amérique, le Parti québécois obtient quarante et un pour cent des suffrages aux élections provinciales. Le mari de Pauline Julien bat Robert Bourassa soi-même. Le frère de Gaétane, Claude Morin, fait chuter Jean Marchand, le vieux leader syndicaliste devenu ministre fédéral. René Lévesque, le petit homme « qui portait un béret », l'homme de la nationalisation de l'électricité, devient Premier ministre du Québec.

Le lendemain, Félix rentre à Paris pour un de ces spectacles inoubliables. Sans jouer sur les dates, Jean Dufour a réuni au « Stadium » dans le XIIIe arrondissement, Pauline, Raymond Lévesque et Félix et pour les deux mille cinq cents spectateurs survoltés, les trois chanteurs lancent en chœur « Quand les hommes vivront d'amour ».

Rentré à son hôtel, Félix prend sa plume et écrit :

« L'arrivée de l'enfant a été dure pour la mère. Enfin il est bien là. Bien portant, vigoureux [...] Lui reste à étudier, comparer discuter les pensées dans les livres, les visages, les lunes, les voisins, les jardins; à découvrir le fleuve, les milliers de soupirs qui font de la musique dans les marais de nuit, pour les beaux roseaux fragiles; à chausser des patins, à nager sous les lacs, à filer vers la lune, en français, librement. »

« Lui reste à se pencher sur celui qui demande et à se redresser devant celui qui donne. A ne rien accepter de facile, de gratuit; jamais oui, jamais non, plus souvent non que oui. »

« Tu es chez toi enfin. Vis, joue, savoure les choses. Ne me remercie pas. Que tu vives comble mes jours de joie. »

Le lendemain, à l'agence *Jean Dufour et Sylvie Dupuy,* rue du Marché Saint-Honoré, il lit ces lignes à Jean, Sylvie et Jobin. On décide d'appeler Roger Gicquel, présentateur du journal télévisé du soir, sur TF1. Gicquel demande le texte. Félix court enregistrer à toute vitesse, dans un coin du bureau du journaliste. Diffusion à vingt heures. Aussi sec, le quotidien de l'intelligentzia, *Le Monde,* desserre sa cravate et publie à son tour ce document. A Montréal, *Le Devoir* agit de même.

Et on repart : il visite cet hiver-là vingt-deux villes. Puis, à son habitude, il rentre sans tarder à la maison. Il n'y a plus que la famille qui compte. La famille et le pays, c'est pareil.

Car l'indépendance reste à faire. Il va un peu trop vite Félix quand il écrit : « L'enfant est là. » Mais ça ne fait rien, il a toujours eu tendance à mélanger sa vie et ses œuvres. Il s'est fait le héros de son imagination. Quand il dit « Tu es chez toi enfin », parle-t-il au Québec ou à son propre fils, le petit Francis qui, de fait, comble ses jours de joie?

Il vit d'une joie folle. La vie rêvée, celle que lui offre Gaétane, un été indien dont il lui est éperdument reconnaissant. Pour lui, cette fête du 15 novembre, c'est tout cela à la fois : la naissance, la renaissance.

Il y a déjà un moment qu'il renâcle devant les programmes que lui propose son agent français. Voici une lettre de Jean Dufour à Pierre Jobin le 26 juillet 1974 : « Je te demande également de bien vouloir intervenir de façon pressante auprès de Félix dont j'attends la réponse pour une rentrée parisienne au théâtre des Variétés en mars 1975 avec Marina Vlady en première partie. C'est une proposition de première importance et la période, très demandée, ne pourra être tenue en option très longtemps. Je crains que Félix n'ait pas bien compris l'importance exceptionnelle de son éventuel accord pour la suite de sa carrière française où il a fâcheusement tendance à se faire oublier... »

Réponse de Jobin le 12 septembre : « L'ancêtre a dit non. (Raison d'éloignement de la famille.) C'est plus que DOMMAGE. »

Une autre lettre de Jean, le 5 février 1975 :

« Beaucoup de travail et une belle saison en perspective pour Félix s'il est disposé à travailler. »

De Jean à Félix, le 3 mai 1976, avec le programme de la tournée : « Vous êtes très attendu et nous allons devoir commencer la litanie douloureuse des refus à tous ceux qui se manifesteront tardivement pour programmer votre récital. »

Chanter, travailler, il ne fait pourtant que ça : en tout, cinquante et un spectacles au Québec en 74 et quarante-huit en 75. Non, ce qui l'ennuie dorénavant, c'est de quitter la maison pour trop longtemps.

Il pense de plus en plus à raccrocher. Il a passé le cap des soixante ans. Une santé d'acier mais aussi une très jeune famille. S'il souhaite prendre sa retraite, au fond, c'est pour mener une vie de jeune homme... « La retraite, j'ai préparé ça de loin. Gaétane disait : tu es libre... J'aurais pas fait une tournée d'adieux! On sait ce que c'est : ça dure dix ans! »

Gagne-t-il beaucoup d'argent ? Jean me montre les contrats de la tournée 76 : un cachet à cinq mille francs, un à sept mille, quatorze à huit mille, un à neuf mille et cinq à dix mille. Enlevez les frais, il lui restera environ soixante pour cent. Et au Québec, voici ceux que je sors du classeur à Jobin : ça tourne entre mille et deux mille dollars. Il gagne bien sa vie, oui.

Mais il n'est pas vénal : en octobre 74, une grande marque textile veut lancer une collection de chemisiers mettant en vedette les grands noms de la chanson québécoise. Cette société offre à Félix un pourcentage contre cession de ses droits. Il refuse. Il ne peut pas faire quelque chose uniquement pour gagner de l'argent.

Le plus gros cachet de sa vie, il l'a obtenu, semble-t-il, pour chanter à l'occasion des Jeux Olympiques, place des Nations, à

Montréal. Jobin obtient une somme énorme. (« Ils auraient payé n'importe quoi. ») Après quoi ils souhaitèrent une première partie. OK, fit Jobin, ce sera Raymond Levesque. Ils acceptèrent. Mais il fallait prendre ce nouveau cachet sur celui de Félix qui, du coup, baissa à douze mille dollars. Restait mille cinq cents dollars pour Levesque et ses musiciens. Jobin voit Félix qui lui sert : « Je dors pas depuis plusieurs nuits. Je suis trop payé. Tu auras deux mille et Raymond deux mille cinq cents. Comme ça, il y aura un chiffre de moins dans mon cachet. »

Il est submergé de sollicitations diverses : utilisation de l'une ou l'autre de ses chansons pour un film, un livre, une adaptation. Deux fois on lui envoie un scénario en lui proposant un rôle. Il refuse les rôles et accepte les adaptations. On joue ses pièces dans la province, régulièrement. Au théâtre de l'île, tout l'été 76 lui est consacré. D'abord Monique Leyrac chante Leclerc, du 25 juin au 3 juillet. Puis on joue une de ses comédies, *La Peur à Raoul,* jusqu'au 20 août. Enfin, il partage, jusqu'au 3 septembre le plateau avec Claude Léveillée pour *Le Temps d'une saison.*

La Peur à Raoul? Un Québécois tout simple qui a peur...

Son théâtre marche tout seul. Une preuve ? J'ai sous les yeux les chiffres de vente de trois recueils publiés par Beauchemin en 1964. *Sonnez les matines* s'est vendu à 11 099 exemplaires (jusqu'à mai 86); *Le P'tit bonheur* à 9 986 exemplaires; et *L'Auberge des morts subites* à 19 815 exemplaires. Chiffres impressionnants. Français, multipliez par dix pour vous porter à l'échelle. Existe-t-il un autre auteur de théâtre contemporain qui voisine avec lui en haut des piles de bouquins ? Pensez ce que vous voulez de son théâtre : local ? paroissial ? habitant ? archaïque ? Le Félix, qu'est-ce qui peut l'atteindre, maintenant ? (1)

(1) Combien vend-il de « petits formats » (de partitions) ? Voici les chiffres fournis par les Éditions Raoul Breton pour trois titres de 1972 à 1980 : *Bozo,* 5 275 ventes ; *Moi mes souliers,* 936 ; *Le P'tit bonheur, 8 281...*

Et en octobre 1976, Monique Leyrac enchaîne sur un spectacle Leclerc durant trois semaines au *Patriote* de Montréal. Il engrange ce qu'il a semé pendant quarante ans.

Puis il va une autre fois croiser l'Histoire sans rien voir. L'Histoire de France, c'est moins grave.

Un télégramme au printemps 77.

« Cher Félix Leclerc,

Nous venons d'apprendre que vous serez en France à partir du 25 septembre. Nous serions très heureux s'il vous était possible d'avancer votre voyage pour participer à la fête de l'Humanité, le dimanche 11 septembre, à Paris... » Le signataire est André Thomazo, directeur de l'Alap, l'agence qui monte la partie artistique de la fête du Parti communiste français. En prévision : un récital à soi tout seul, en vedette, sur le podium central, devant cent mille personnes.

Félix hésite. Un peu parce que, tout de même, cette manifestation communiste... Il a évolué, oui mais il reste prudent, s'il n'est plus peureux. Et il craint au moins autant les conditions toujours périlleuses du plein air. Dufour et Jobin appuient à fond sur la pédale. Il finit par donner son accord. Pour une sorte d'adieu au public français.

Les quatre mille murs de la côte bretonne
Les lutins de Norvège
Et les parfums des Indes
Toutes les croix de Rome
Et la douceur des Landes...
... Les neiges canadiennes
Et les violons tziganes
Sont portes grand' ouvertes
Et escaliers devant
A nos âmes enchaînées

Qui nous arrêtera dans l'invention d'un monde
Quand celui-ci est mort, mort, mort...

– J'étais un peu perdu.

On le serait à moins. Il ne verra pas la suite, où un certain nombre de Français disent aussi adieu à quelque chose : sur la scène, pendant que, dans la coulisse, Félix fume la cigarette du vainqueur, Georges Marchais, premier secrétaire du PCF, annonce la rupture de l'union de la gauche.

Je suppose qu'à son habitude, Félix n'a pas traîné et qu'il s'est couché tôt. Quelques Français aussi, ce soir-là. Passons.

Au Québec, il va maintenant payer la rançon de son engagement. Il craignait de « diviser son public ». Il n'échappera pas à la loi commune qui tombe sur tous ceux qui ne se contentent pas d'être des chanteurs mais, un jour ou l'autre, font savoir qu'ils sont aussi des citoyens. Sa prise de position en faveur de l'indépendance, au gala du vingt-cinquième anniversaire de Radio Canada, le 17 septembre 1977, lui vaut un courrier des lecteurs violent dans le journal *La Presse* de Montréal.

« Comme Pauline Julien et consorts, contentez-vous de chanter quand on vous engage pour ce faire. Quant à la propagation de vos opinions, vous voudrez bien le faire à vos propres frais... »

Un autre lecteur : « Félix Leclerc, dieu de mon enfance, a brisé en moi une chose très noble : la notion de l'art... »

Un autre : « Celui qui fut découvert par la France devrait se souvenir qu'il ne suffit pas de faire le fanfaron sur une scène pour prouver la véracité de ses dires... »

« Profiter d'une fête comme celle de Radio Canada pour déverser sur la foule ses opinions politiques ne constitue pas cette liberté d'expression qui est la nôtre... »

« Il est évident que l'essence même des paroles de Félix Leclerc était de nature à déchaîner cette foule qui le salua par une frénétique acclamation (1). »

Il s'en moque. La dernière tournée française le conduit de Besançon, pour le festival « Chant Libre », au Centre Giani Esposito de Bordeaux et à la salle des fêtes de Castillon-la-Bataille. Il est prévu de finir en beauté dans un minuscule foyer rural d'un minuscule village du Périgord, à Saint-Martial-d'Artenset. En voisin, Jean Dufour a négocié l'affaire : comme les gars du foyer rural ne peuvent pas payer le cachet, Félix sera dédommagé en foie gras et jambons.

Mais hélas, le film s'arrête soudain. La baraque va prendre froid; l'armoire à glace, porte entrouverte ou fêlure dans le bois, par derrière, côté fragile, va se choper une petite bronchite qui est le signe du vieillissement et dont, près de dix ans après, il n'est pas remis.

Il a pris froid dans un cinéma de Montélimar. Il poursuit deux ou trois jours. Puis il se décide à rentrer à la maison. Adieu les jambons. On n'ira pas à Saint-Martial-d'Artenset. On essaiera de reprendre la tournée plus tard quand il sera rétabli. Cet élève appliqué, ce travailleur consciencieux est navré de ne pouvoir, pour la première fois de sa vie, honorer quelques contrats. Le 5 janvier 1978, de l'île, il écrit à Jean pour l'avertir que sa santé, bronchite et asthme, ne s'améliore pas et qu'il faudra annuler les engagements antérieurs. « Je remercie les organisateurs qui me croiront et me comprendront. Quant aux autres, je ne leur souhaite pas d'être malades. » Et il joint un certificat médical tout à fait circonstancié...

Adieu la France. Il donnera encore quelques spectacles au Québec. Mais la machine peu à peu s'essouffle. « L'envie de chanter m'a passé comme l'envie de fumer. Quand je vois des chanteurs à la télévision, je me demande comment j'ai pu faire ça pendant près de

(1) *La Presse*, 28 septembre 1977.

trente ans! » Il raccroche. Pour la dernière fois, il sort de scène sur un signe de la main. Et peut-être pense-t-il au « J'haïs ça, chanter! » qu'il lançait à Janine Sutto : il a aussi beaucoup aimé ça. Tant qu'il y est, il cesse de fumer.

Bien sûr, il continue à écrire. Il publie *Le Petit Livre bleu* qui est la suite de son journal. Son éditeur, cette fois, est Gilles Vigneault, qui possède les Éditions de l'Arc.

Moi, je ne tire de ce livre-là que cette provocation à l'intention des étudiants :

« En mai 68, les étudiants de Paris érigeaient des barricades avec les pavés et occupaient la Sorbonne. »

« Vers 70, les étudiants d'Athènes dénonçaient le régime des colonels et se faisaient tuer pour libérer la Grèce. »

« [...] Ici, ce n'est pas la même chose. Ceux qui se battent pour l'indépendance, pour être maîtres ici, pour faire un pays à nous, sont des hommes d'âge mûr. Pas d'étudiants. Hélas non, pas d'étudiants, pas de barricades, pas de manifestations, pas de coude à coude [...] On ne les voit jamais. »

« Ils fument ou flânent, ou attendent, ou rêvent quelque part. »

« Pour la défense du français sur les aéroports, pour une punition aux charognards, contre la peine de mort, pour l'avortement, contre l'abus de la matraque durant les fêtes à Montréal, contre l'exploitation des mineurs d'Asbestos, des ouvriers de la United ou des cultivateurs du lac Saint-Jean, *absents, personne*. Parce que si le Québec avait des étudiants, c'est-à-dire deux millions d'étudiants dans les rues qui hurlent après un pays qu'ils n'ont pas, ce pays on l'aurait dans les vingt-quatre heures. »

Il enregistre aussi son dernier disque qu'il intitule *Mon fils*. Il dit qu'il aimerait reprendre douze des plus belles chansons de ses amis pour en faire un 33 tours. Puis il n'en parle plus.

Au printemps 78, le théâtre du Rideau vert (Yvette Brind'amour et Mercedes Palomino) monte *Sonnez les matines*. Adorable et charmant. Ça a très bien marché. Dans une salle de quatre cents places pleine tous les soirs pendant plusieurs mois, dit Janine Sutto qui signe la mise en scène.

Félix referme sur lui, doucement, la porte de son palais. Il y a Gaétane, ses deux enfants, le bonheur auquel il a rêvé, un bonheur insensé. Le fleuve est en bas, à un kilomètre. Jusqu'aux battures, le terrain de son ancêtre lui appartient. Il y entretient quelques poules, quelques chèvres, quelques chiens, un cheval. Plus tard, son asthme et des tendances allergiques apparues chez son fils Francis l'obligeront à se séparer de la plupart des animaux. Mais tout est en place pour la retraite. Je vais arbitrairement en fixer la date au 20 mai 1980, le jour du référendum. Ne m'en veuillez pas de manipuler Félix. C'est pour faire un beau livre. N'oubliez pas que je l'ai fait naître en Mauricie vers 1850...

René Lévesque veut aller plus loin. Comment pousser le peuple québécois à aller plus loin ? Comment le porter plus loin ? Plus loin, c'est l'indépendance. Les Québécois y sont-ils prêts ? Franchiront-ils l'espace qui les sépare de la souveraineté et qui est parcouru par la peur ? La vieille peur des Canadiens français, la vaincront-ils ?

Sitôt arrivé au pouvoir, il a mis en chantier la loi 101 qui fait du français la langue officielle de la province. Fini le bilinguisme : interdiction de l'affichage en anglais, signalisation routière en français, etc. On ne stoppe plus, on s'arrête ; à l'usine, l'employeur rédige en français les communications qu'il adresse au personnel ; au restaurant, le menu et la carte des vins sont en français.

Ça n'empêche que le Québec soit toujours en retard sur le Canada. Le revenu par habitant est de 6 081 dollars dans la province contre 6 561 au Canada (Québec compris). Le chômage : 8,7 % au Québec, 7,1 pour l'ensemble du Canada. Et cela malgré un record de sous-emploi dans les provinces atlantiques. C'est-à-dire que la différence entre le Québec et l'Ontario reste béante. Et 80 % des postes de direction au Québec sont aux mains des anglophones qui ne représentent pas 20 % de la population (1). Vieille antienne.

Jean Marchand, l'ancien syndicaliste devenu ministre fédéral a démissionné – raconte François-Marie Monnet – pour protester contre la décision arrachée au gouvernement d'Ottawa par le syndicat anglophone des « gens de l'air » d'interdire l'usage du français dans les conversations aériennes. Et il ajoute : « Les péripéties du débat sur cette mise en pratique du bilinguisme, les réactions hésitantes et contradictoires du gouvernement Trudeau ont été suivies avec attention par les Québécois qui ont jugé : jamais un gouvernement fédéral ne parviendra à obtenir des anglophones ou à leur imposer l'égalité effective des langues officielles. »

Monnet conclut : « Il règne au Québec une véritable atmosphère de guerre civile, comme dans tous les pays qui ont eu à choisir entre l'émancipation et la fidélité à une tutelle. »

L'indépendance tout de suite ? L'indépendance demain ? Claude Morin se lève et demande la parole. Il est influent au gouvernement provincial et il est le bras droit le plus écouté – si j'ose dire – de René Lévesque. Il parvient à faire admettre au PQ la notion « d'étapisme » : On ne devient pas indépendant en un jour sans de graves désordres financiers, économiques, administratifs... et politiques. Il propose donc la solution suivante : on demandera aux électeurs, par référendum, l'autorisation d'ouvrir avec Ottawa des négociations sur « une nouvelle entente fondée sur le principe de l'égalité des peuples ».

C'est là le préambule de la question posée au référendum :

(1) *Le Défi québécois,* François-Marie Monnet, Éditions Quinze, Montréal 1977.

« Cette entente permettrait au Québec d'acquérir le pouvoir exclusif de faire ses lois, de percevoir ses impôts et d'établir ses relations extérieures, ce qui est la souveraineté – et en même temps, de maintenir avec le Canada une association économique comportant l'utilisation de la même monnaie. »

« Tout changement de statut politique résultant de ces négociations sera soumis à la population par référendum. »

Et voici la question : « Accordez-vous au gouvernement du Québec le mandat de négocier l'entente proposée entre le Québec et le Canada ? »

Morin : – Toute question plus dure – telle que « Voulez-vous être indépendant » – d'après les sondages, faisait moins de voix.

Le débat est ouvert depuis le début de ce livre. J'ajoute quelques éléments : l'Église se tait. L'armée se tait. On la sait « canadienne » mais elle se tait. On n'est pas en France et ici la « grande muette » est muette (en anglais). Les États-Unis se taisent. La France se tait. Morin a pris soin, en tant que ministre, de causer en ce sens au consul américain à Québec, Jaeger : ne prenez pas le risque de créer un sentiment antiaméricain au Québec, mon vieux! Au consul français Marcel Beaux, il a tenu un langage similaire. S'agit pas que l'empressement français donne des armes aux fédéralistes, mon Beaux!

René Lévesque, en annonçant le référendum à l'Assemblée nationale le 20 décembre 79, demande « qu'on pense surtout à la baisse constante de notre poids relatif et partant de nos moyens de pression dans l'ensemble canadien : alors qu'au début, le nombre nous permettait de compter sur plus d'un tiers des députés fédéraux, nous n'en aurons même plus le quart dans vingt ans »!

Après la victoire, si le Canada accepte la négociation, il y aura un second référendum. S'il refuse de négocier, le gouvernement du Québec serait en position de force pour aller plus loin.

Toute la jeunesse de la province, dans un formidable mouvement, se jette en avant.

Félix est au milieu d'eux. Pas seulement Félix : tous les chanteurs québécois, le Vigneault, la Pauline. Félix écrit un texte qui sera affiché, imprimé, distribué partout, jusque sur les nappes de restaurants. Il ira aussi, cédant aux sollicitations de Claude Morin, le dire devant dix mille personnes et cela constituera sa seule intervention publique.

« Le jour du référendum, pas de libéraux, pas d'unionistes, pas de péquistes, mais six millions de Québécois en bloc comme une muraille [...] En une nuit, finis les porteurs d'eau! Humiliations terminées! Disparus les voleurs! Finis les gros doigts d'étrangers dans nos papiers de famille! [...] A la prochaine chance, nous serons tous morts. D'ailleurs, il n'y aura pas d'autre chance. »

De sa maison de l'île, peut-être qu'il peut voir le chemin parcouru par les gens d'ici depuis Sainte-Emmélie-de-Lotbinière où Nérée faisait le cook dans les chantiers; il voit Léo montant à pieds et en canot vers La Tuque, les premières maisons de bois rond, le magasin où il est né avec sa pancarte en Anglais : « Wood dealer-Livery stable »; et le chemin de fer qui n'arrivait même pas jusqu'à Rouyn; et les vacances sinistres du juniorat; et le mépris, partout, des Anglais : « speak white, please »; « un peuple peureux! » « des domestiques, des porteurs d'eau »; et comment il a fallu passer des montagnes, des torrents, des forêts, une jungle d'ignorance et de frousse; et la montagne la plus dure, celle de la culture; il se voit, lui, le petit paysan de Sainte-Marthe, le Maluron, débarquant à Radio Canada avec un bon gros désir d'écrire et de chanter; « le théâtre est le pain du peuple », – J' retourne-t-y à Sainte-Marthe? Ho, les Québécois, on va pas retourner à Sainte-Marthe! On va franchir la dernière montagne! Vous n'allez pas avoir peur?

Au printemps 1986, je suis chez des amis, à Québec. Nous remettons encore une fois le livre et le pays sur la table. Naïvement, je glisse dans la conversation : – Pour mon enquête, je n'ai pas encore rencontré de Québécois anglophones...

Elle, les yeux agrandis par l'horreur : – Un Québécois anglophone, *ça n'existe pas* ! Ça s'appelle un Canadien !

Admettons. Admettons aussi que, depuis quelques siècles, ils ont eu de bonnes occasions de s'exprimer, ce qui ne peut se dire des francophones. Et puis j'ai donné la parole à Trudeau. Oui, je sais, il n'est pas anglophone... Mais il défend très bien le fédéralisme. Et j'ai donné la parole aux chiffres, aux statistiques, à l'Histoire. Les anglophones ont le pays, n'est-ce pas assez ?

Non, ce n'est pas assez. Il me faut un euh... Canadien-du-Québec-qui-parlerait-anglais...

J'en connais un qui est aussi un grand poète : Léonard Cohen. En France, on le croit citoyen des États-Unis quoiqu'il vive depuis toujours à Montréal. On le dit inaccessible, on le dépeint comme une star du rock jetant quelques phrases avec un agacement de milliardaire à des journalistes qui l'ennuient entre deux jets. Mais il habite à deux pas de la rue Saint-Denis, à cent mères du Carré Saint-Louis. Et il répond lui-même au téléphone.

Il m'a donné rendez-vous sans réticence dans sa petite maison simple qui regarde une place banale. Il m'accueille avec courtoisie et cette élégance un peu triste à laquelle la cinquantaine donne encore plus de charme. Une chemise bleue marine, un pantalon bleu marine, un blouson gris, une broche sur une des pointes du col de la chemise. Des plis au pantalon mais quand il bouge, quand il parle, on dirait qu'il fait attention à des plis imaginaires : l'élégance, le pli au pantalon et la broche jusqu'au coin des phrases. Il s'applique à répondre à mes questions, avec subtilité mais avec une cordialité qui met à l'aise. Sa conversation est un plaisir. Il parle en français. Bon, il a un accent qui le trahirait s'il lui faisait confiance et parlait le dos tourné. Mais il parle lentement, sans élever la voix. L'accent ajoute au charme.

Et tout mon livre défile, sans qu'il s'en doute, dans ses mots.

« Quand j'étais enfant, je *savais* qu'il y avait des Français. Mais pour moi, juif montréalais du quartier anglophone d'Outremont, c'était rare de rencontrer un Français. On pouvait passer toute la vie sans rencontrer un Français! Les bagarres entre enfants étaient déjà plus rares; mais on m'a raconté que, plus avant dans le début du siècle, un petit anglophone, entre chez lui et l'école, se battait avec les Français, les juifs, les Italiens... C'était normal. »

Il sert le café. Un café à la canadienne : vous pouvez en boire des litres sans être énervé.. Il n'est pas énervé. Il est même un peu triste, il est comme on se l'imagine : triste et calme, cordial et triste, triste et réservé. Je pose ma tasse sur le bureau qui semble le seul meuble de cette pièce. Non, il y a un divan dans un coin. Et un petit synthétiseur. « Le quartier est en panne de courant », me dit-il en appuyant sur trois notes.

« Ma famille est arrivée il y a cent cinquante ans (1). La tradition juive, la mienne, disait : nous sommes des étrangers, tenons-nous à l'écart. Nous étions des réfugiés. Nous devions travailler dur. Et nous n'avions pas le pouvoir. Nous n'avions qu'une chose à faire : coûte que coûte, être heureux. Puis nous nous sommes anglicisés parce que le système scolaire nous forçait à étudier dans les écoles anglaises... J'admire l'Église catholique qui a compris comment garder une société pendant des siècles. Ils étaient très forts! »

« Chez nous, il n'y avait pas la même présence de l'Église anglicane. Le clergé n'osait pas dire des choses sur la vie quotidienne. La société anglophone était, de ce fait, beaucoup plus libérale. »

« Je ne crois pas avoir souffert d'oppression culturelle. Il faut dire que ma famille, sans être permissive, était très ouverte. Je me souviens d'un soir, une nuit plutôt, j'étais adolescent, j'avais invité

(1) Il y avait 2 703 juifs au Québec en 1891, 66 277 en 1941, plus de 400 000 aujourd'hui. Les vieux les appellent « les Syriens ».

des amis, et nous chantions et ma mère est venue se joindre à nous... chanter avec nous... »

(Tasse de café) « ... Parler politique... C'est la première fois depuis des années... Je laisse ce thème à un peuple que je respecte profondément. Je me sens à la fois étranger et québécois. On m'a peu interrogé sur ce sujet. Ici, je mène une vie peu publique, je rencontre les amis de mon enfance... »

« J'étais à l'école avec certains des chefs libéraux, Don Johnson, par exemple; mais s'ils m'ont sollicité pour parler, je ne m'en suis pas rendu compte. Je ne veux pas parler publiquement; je veux rester normal, anonyme... »

– L'aculturation des Canadiens français?

« C'est un peu la mode de parler comme ça. Mais il y avait toujours quelque chose. Sous le manque de culture, il y a encore une culture. Comme les grecs. On dit : la civilisation grecque est morte. Non, elle existe dans les mœurs, la manière, par exemple, dont ils vous reçoivent à table... Au Québec, c'est vrai que le pouvoir de l'Église était très fort mais ce peuple n'est pas détruit, il y avait des vies... Une situation coloniale, oui, mais pas comme les Indiens qui eux, ont été décimés. Et puis, les anglophones aussi vivaient une espèce de désert culturel; ils étaient aussi des colonisés : colonisés par les Britanniques. La Grande-Bretagne parlait la *bonne* langue anglaise avec laquelle on faisait la *vraie* poésie... »

« Moi aussi, j'ai souffert de la condescendance de l'intelligentzia : j'avais publié des recueils de poèmes; un jour j'ai fait un disque de chansons! Dans certains milieux, on m'a fait comprendre que je m'étais compromis. »

(Là, je vois bien que l'intelligentzia est pareillement bornée dans tous les pays du monde. Parce que la pratique artistique, dans tous les pays du monde, sans doute, est le critère de la distinction).

« Mais pour moi, ça a changé, maintenant. Et puis, malgré tout, chez nous, il y a moins de différence entre les arts nobles et les arts populaires qu'en France... »

(Je suppose que « chez nous » signifie : dans la société anglo-américaine.)

– Voulez-vous des cornichons, avec votre café ?

– Euh...

– J'ai de très bons cornichons.

– ... Pourquoi pas ?

Pourquoi pas marcher d'un bon pas et m'enfoncer dans cette société anglo-américaine ? Surtout avec ce guide, un poète que j'admire. Marchons. Nous voilà dans la cuisine, debout, moi, pareil à Stanley retrouvant Livingstone, (voulez-vous des cornichons M. Stanley ?) l'assiette de cornichons posée devant nous au milieu de la table vide, comme une pièce à conviction. C'est vrai que, au fond, c'est bon un peu. Quoique excessivement original.

Je relance avec une carte biseautée :

– Les Québécois seront assimilés un jour ou l'autre, non ?

« (Sur le ton du doute raisonnable)... Ça se peut, oui, c'est vrai. Mais l'indépendance ne suffit pas à garantir contre l'assimilation. Il n'est pas écrit dans la pierre que seule l'indépendance sauve les peuples. »

Il sort un roi :

« Une grande culture affirme les autres cultures. Une grande langue affirme les autres langues... »

Eh, il rêve un peu ! Je mets un as :

« L'Histoire n'en donne pas beaucoup d'exemple ! »

Un joker et un sourire : – Il faut se battre contre l'Histoire.

– Êtes-vous québécois ? montréalais ? canadien ?

– Je me considère comme montréalais. Je veux déclarer l'État libre de Montréal, un mélange de cultures qu'on ne trouve pas ailleurs en Amérique du Nord, la Jérusalem du nord ! Québec est une ville française, tandis que Montréal regarde Londres, Paris,

New York, Toronto! Je trouve dommage que les anglophones quittent Montréal. Cette ville a besoin des Grecs, des Italiens, des Chinois... »

– Ils quittent Montréal, les anglophones ?

– Beaucoup sont partis au moment du référendum. Par peur. Entre soixante mille et quatre-vingt mille dit-on... Peur d'une indépendance répressive. Beaucoup étaient des réfugiés venus d'Europe. »

Oui, enfin... Leur exode ne fut pas une diaspora, tout de même : il leur a suffit de déménager de quelques kilomètres, passer une rivière, changer de quartier quelquefois. Ils restaient au Canada. Ce n'est pas la traversée du désert...

Il poursuit : – Moi, je n'ai pas peur de l'affirmation de la majorité québécoise. J'ai même écrit un livre, *Beautiful losers,* en 1964, dont le protagoniste est un séparatiste. »

En effet. Voilà ce qu'on trouve sous sa plume :

« Ce n'est pas seulement parce que je suis français que je veux un Québec indépendant. Ce n'est pas seulement parce que je ne veux pas que notre peuple devienne un petit dessin pittoresque dans le coin d'une carte touristique que je veux d'épaisses frontières nationales. Ce n'est pas seulement parce que, sans indépendance, nous ne serons qu'une Louisiane du nord, avec quelques bons restaurants et un quartier Latin comme seules reliques de notre sang. Ce n'est pas seulement parce que je sais que des choses importantes comme la destinée et un esprit doivent être garanties par des choses poussiéreuses comme les drapeaux, les armées et les passeports. »

« Je veux foutre un magnifique coquard en couleurs sur le monolithe américain. Je veux une cheminée d'aération au coin du continent. Je veux que le pays se casse en deux pour que les hommes apprennent à casser leur vie en deux. Je veux que l'Histoire saute en patins sur le dos du Canada. Je veux le bord d'une boîte de conserve pour boire à la gorge de l'Amérique. Je veux que deux cents millions de gens sachent que tout peut changer (1). »

Il a écrit ça. En 1966. Je reprends du cornichon.

– Non, je n'ai pas du tout envie de partir. Je crois qu'*en ce moment,* le fédéralisme est possible. Et si le Québec devenait indépendant, je resterais, du moment qu'il est un État démocratique. Miron m'a dit : « Je t'aime bien, Léonard, parce que tu n'as pas quitté le Québec. »

On abandonne les cornichons à leur solitude. Retour au bureau.

– Le devoir des artistes est de décrire les vêtements dans lesquels nous vivons. Or le vêtement n'est pas exactement le colonialisme.

Il me ramène à son vrai sujet à lui.

– Il y a une autre oppression qui n'est pas décrite par la lutte des classes ou des nations. Ce n'est pas une conspiration, non. Contre cette oppression, je me considère (un sourire...)... comme un chef de gouvernement en exil. Je rencontre ici et là un poète, un écrivain, un fou... L'esprit manque, tout comme le travail. Il nous faut fournir des idées comme d'autres fournissent du travail...

Je suis d'accord, Léonard. Je sollicite un poste dans ton gouvernement qui envisage le désespoir de vivre comme la plus urgente des réformes constitutionnelles. Nous négocierons un plan quinquennal de la solitude et de la joie. Félix, j'en suis sûr, serait aussi volontaire pour la double nationalité : la québécoise et l'autre, avec le passeport aux larmes indélébiles.

– Bien sûr, je souhaite que les francophones gardent leur culture! Je trouve simplement qu'il y a peut-être des choses plus importantes que de transmettre à ses enfants l'art d'être québécois ou d'être juif... Encore des cornichons?

– Ça va, merci...

– J'aime bien Lévesque, son style direct, sa façon de dire ce qu'il

(1) *Les Perdants magnifiques,* Christian Bourgois, Paris 1972.

pense. Il a nettoyé la maison. Son gouvernement a été le premier gouvernement honnête du Québec.

« J'ai vu Félix Leclerc, à quatorze ans, dans une église à l'ouest de Montréal. Il y avait peu de choses dans ce temps-là. Je m'intéressais à tout ce qui était « folk ». Il était célèbre, c'était vers 1950. »

Il se lève et va vers le synthétiseur. Le courant est rétabli. Il aligne trois accords.

Moi, question plutôt bête : – Vous travaillez beaucoup ?

– Oui, pendant ce temps-là, on ne pense pas à autre chose...

– Ah, elles nous rendront fous, c'est sûr !

Nous rions de superposer les mêmes coups de tampons, la même série de visas, de visages sur le passeport. Nous allons vers la porte de sa maison. Et comme nous nous serrons la main sur les marches : – Félix Leclerc, c'est le premier spectacle que j'ai vu de ma vie... »

J'aurais du m'en douter.

Sortant de ce havre calme comme un cloître, je retrouve les clameurs du référendum. J'ai détourné votre attention, là. Aujourd'hui, c'est le 20 mai 80. On a voté : les libéraux de Bourassa, les vingt pour cent d'anglophones, les adeptes du fédéralisme, les fonctionnaires fédéraux pas rassurés et les vrais moutons de Saint-Jean-Baptiste. Rassemblés, ça fait combien ?

Au Centre Paul Sauvé de Montréal, plusieurs milliers de partisans du *oui* attendent les résultats. Il y a un mois, les observateurs donnaient un pronostic positif. Mais Trudeau et « sa gang » ont fait une dernière ligne droite étourdissante.

En coulisse, Félix aussi attend. Le secrétariat de René Lévesque lui a demandé d'être celui qui annoncera la victoire.

Voici les chiffres, lancés dans des millions de têtes arrêtées par Bernard Derome, sur l'écran de Radio Canada : 40,5 % de *oui*. 59,5 % de *non*.

On ne verra pas Félix, ce soir-là. Il rentre à l'île.

XIV. Il y a fête dans l'île

Il y a fête dans l'île. C'est moi qui ai tout imaginé, tout organisé. Une fête en l'honneur de Félix. Entre les rives, pour retenir ce vaisseau, cette « cathédrale », j'ai tendu des ficelles auxquelles j'ai épinglé des milliers de petits fanions multicolores. Les transatlantiques passent dessous gentiment, comme les chevaux savants des cirques, en lançant des panaches de fumée et des coups de sirènes. Leurs cheminées dégagent des parfums qui tirent des « oh »! et des « ah »! aux spectateurs massés sur les bords du fleuve : lavande, coco, pinède, caramel. ... La rivière Montmorency, par accord spécial avec le garde-champêtre, déverse des rubans de couleurs originales qui vont lécher l'étrave des bateaux et s'emmêler dans les berges. De Québec, des milliers d'amis lancent des hourras vers l'île en brandissant les petits drapeaux bleus à fleur de lys du régiment de Carignan. Certains ne brandissent que la Molson ou la O'Keefe qu'ils tiennent en main : ils trichent. On ne peut avoir l'œil sur tous. Les enfants saluent avec des chocolats glacés. Le père n'est pas content : lui, au moins ne se met pas de la bière dans le fond de la manche en saluant.

On fête Félix Leclerc. J'ai branché la sono sur le silence et en avant les amplis! Deux nuages bougons font haut-parleurs. On se défonce : on entend le vent, les interjections, les bribes de conversations, et des éclats de rire comme des copeaux giclant du bois travaillé. J'ai mis des tonneaux en perce. J'ai dressé des tables qui ont la teinte grise des planchers des salles paroissiales et je les ai couvertes de victuailles. Je suis monté aux poteaux du téléphone pour accrocher à chacun son lampion, comme une médaille du mérite à un vieux cantonnier. J'ai lâché dans l'herbe quelques dizaines de chevaux de labour, croupe énorme et fanons poilus, pour le seul plaisir d'en croiser un de temps en temps, le voir lever sa tête indifférente et venir à nous comme un bon moine.

J'ai coupé les amarres du pont. Il gît dans l'eau du Saint-Laurent comme un grand adolescent dans une baignoire à moitié vide. Et vogue la galère!

J'ai sélectionné, préparé, coupé, pour une conversation imaginaire, des notes éparses, des morceaux d'interviews que mon héros avait, en d'autres lieux, à d'autres occasions, données à d'autres journalistes. J'ai extrait quelques bons mots de ses livres. J'ai convoqué les auteurs que j'ai pillés pour mon travail, les amis qui m'ont aidé volontairement et ceux qui m'ont aidé sans le savoir. Tout le monde va venir, tout le monde est là.

Ça y est, le courant casse les ficelles qui retenaient l'île. Elle dérive vers le nord-est, suivie par sa traîne de fanions. Félix apparaît sur le pas de sa maison et répond au salut des gens de la côte de Beaupré. Maintenant, on va se balader d'une rive à l'autre et faire des signes à ceux de l'île aux Coudres et de La Malbaie, des Éboulements, de Saint-Jean-Port-Joli, de La Pocatière, de Baie-Saint-Paul, de Trois-Pistoles, de Tadoussac. Ceux du Saguenay et du lac Saint-Jean descendront en barques juqu'au milieu du fleuve et on les tirera jusqu'à nous pour leur offrir la poignée de mains. Lâcher d'oiseaux à Rivière-du-Loup; lâcher de poissons bleus à Baie-Comeau; lâcher d'enfants à Matane.

A Rimouski, on fera donner du canon : des confettis pleins les obus qui éclateront au-dessus de nous dans l'azur. Et à Sept-Iles, un lancer de ballons : cent mille ballons que le vent viendra enfourner dans le nuage de confettis. Ça sera bien. Après ça, les participants iront mettre la main gauche à Sept-Iles et la droite à Sainte-Anne-des-Monts : un essai chacun, comme à la foire. Celui qui réussira à rapprocher les deux rives pour faire monter à bord les habitants de ces deux villes aura gagné. Il recevra un baiser de la jeune fille sans mémoire.

La jeune fille sans mémoire a des yeux verts. Elle a vingt-quatre ans. Elle est venue à la fête par hasard, parce qu'elle s'ennuyait, sans me connaître et sans connaître Félix. Elle finit juste ses études. Elle ne connaît rien de l'histoire de son pays. D'ailleurs, elle ne sait pas si cela sert à quelque chose, un pays. Ni un chanteur. Ni ce vieux bonhomme qui a connu les premières automobiles à La Tuque et le temps où les filles de vingt-quatre ans étaient mères de familles nombreuses. Sortir du bois ? Elle ne sait plus s'il y a vraiment des bois au Québec, s'il y en a jamais eu. Elle croit que de toute éternité, les enfants sages sont allées au Cegep de Sainte-Foy. Le soir, un « allongé » au Café-Lune et le samedi matin, un brunch sur la terrasse du Krieghoff. La grande noirceur, c'est le titre d'un film ?

Sa mère, il est vrai, lui raconte parfois les exaltations de sa jeunesse à elle : la révolution tranquille! le cabaret du soir qui penche! les boîtes à chansons! la franco-fête! la campagne du référendum! Elle écoute poliment car elle est gentille. Elle veut bien tout ce qu'on veut. Elle écoute de la musique anglaise. La chanson est née aux États-Unis, non ? Et aussi l'opéra, Beethoven, Mozart, le rock, le basket, Pélléas et Mélisande, le coca-cola, la navette Columbia. Presque tout. Elle découvre avec une volupté un peu perverse le plaisir de peupler son parler de mots américains de plus en plus nombreux.

Elle est très jolie et très calme. On a l'impression que rien ne peut la surprendre ni l'effrayer. Bonjour monsieur, donne-t-elle, de sa voix chantante, au Félix, bien plus intimidé qu'elle.

– Salut! fait Félix, avec un point d'exclamation à la fin.

Nous voilà partis dans la fête, elle, lui et moi.

– Je ne peux plus me passer de l'île, dit Félix et même si, l'hiver, ici, est plus dur qu'ailleurs à cause de l'humidité du climat, on ne réussira pas à me faire déménager. Dès que je suis loin de l'île, je m'ennuie, je ne sais plus quoi faire de mon temps, je ne me sens plus exister ni respirer (1).

Moi : – Oui mais vous avez pourtant loué un appartement en ville en 86.

– Oui pour permettre à Nathalie et Francis de poursuivre leurs études!

– Votre santé?

– Très bonne! Sauf cet asthme qui me force à avaler de la cortisone. Une fois ou deux par hiver, j'ai droit à ma bronchite et me voilà pour quatre ou cinq jours à l'hôpital! Pas grave! Mon père a vécu jusqu'à quatre-vingt-huit ans! Mon frère John en a soixante-dix-huit! Et tous mes autres frères et sœurs sont vivants : De Gertrude qui en a quatre-vingts à Sylvette qui en a soixante-deux! Soixante-dix ans (2), c'est rien. Cinquante, c'était pire que ça. Je me rappelle, la nuit avant, j'étais pas heureux. Après, c'est rien et il paraît que centenaire c'est encore mieux. Les chiffres ce n'est rien du tout. C'est une question de tête.

– J'ai vu chez John votre frère Gérard, l'autre jour...

– Il est en retraite à Los Angeles où il a travaillé vingt ans de sa vie : c'est un jeune, lui, il ne pouvait pas supporter le climat du Québec!

(1) A Nathalie Petrowski, *Le Devoir,* 9 juillet 1977.
(2) A Jacques Samson, *Le Soleil,* 2 août 1984.

Quelques mots sur la retraite. Il lit un seul journal, *Le Soleil,* tous les jours. Il est fervent de Soljenitsyne. Il cite parmi les livres qui l'ont marqué *L'Affaire Dreyfus* de Jean-Denis Bredin, et *Louis XIV, l'envers du Soleil* de Michel de Grèce. Il lit les classiques, bien sûr : Molière, Voltaire... et André Gide! « Je vous le dis à l'oreille, je le découvre à mon âge. Quelle merveille d'écrivain! » souffle-t-il à François-Régis Barbry pour France-Culture, le 1er janvier 1984.

– Écrivez-vous ?

– Un petit mot de temps en temps mais je ne suis pas attelé à une grande chose. Je vais te faire une confidence : j'ai une idée de film.

– Ouais dit Jobin qui déboule sur nos talons, les douleurs à la colonne vertébrale dues à la cortisone, ne vous empêchent pas de passer trois heures par jour à votre machine à écrire!

Jobin vient d'arriver à la fête. Pour régler enfin le sort de la Renault 12, le patron lui a offert son quatre roues motrices Chevrolet, modèle Blazer. Un fourgon énorme! Le père Félix, lui, ne joue plus les gentleman-farmer : il s'est payé l'auto des intellectuels québécois, la Renault 5.

Et la balade continue, dans l'herbe, d'une rive à l'autre. Jobin, Félix, la jeune fille sans mémoire, moi. Il fait doux. L'après-midi s'avance. On sent à peine l'île bouger dans le ciel d'un bleu immense. Félix s'exclame et donne la main et donne des « Ça va-t'u ? » Voici les chanteurs : Léveillée, Ferland, Monique Leyrac... (et des dizaines d'autres que je ne vais pas nommer par peur d'en oublier un). On se congratule. Il est leur père à tous : chaque année, le *Métier* québécois attribue les *Félix,* équivalents de nos *Césars*. Lui ne se déplace pas, bien sûr.

– Vous venez d'être décoré de la Légion d'honneur ?

– En février 1986. Une cérémonie intime au consulat de France. Juste la famille. J'ai fait un petit discours : « Que l'Anglais garde sa place dans le monde; et que le Français reprenne la sienne, c'est-à-dire la première, comme au temps des rois. Merci la France! »

– Oui, persifle Jobin. Et la Capac, dans sa revue bilingue a traduit par : « Puisse la langue française reprendre la sienne, puisse-t-elle régner à nouveau, comme au temps des rois. » « May it reign once again (1) »... Ce n'est pas tout à fait la même chose!

– Et votre promenade en France, à Bourges?

– Le festival de Bourges est le grand festival de la chanson française. Ils m'ont rendu un hommage solennel en avril 1983.

... Il est arrivé quelques jours avant, pour se planquer dans la maison de Jean Dufour, en Périgord. Il n'a voulu voir aucun journaliste, excepté Jacques Erwann, pour la revue *Paroles et Musique* (2). Pas contents les gars! Michel Drucker a téléphoné plusieurs fois pour le convier à son émission télévisée du samedi soir. Pas question!

Le dimanche matin de Pâques, geste curieux, il a demandé à Jean Dufour de le conduire à l'office, à Saint-Rémi-sur-Lidoire. Mais après quelques minutes, il a fait signe à son ancien secrétaire et ils se sont éclipsés.

A Bourges, sur le plateau, il a retrouvé Sol, Chabrol, Maxime Leforestier, Yves Duteil, Gérard Pierron... Chacun y est allé de sa chanson à Leclerc. Mille personnes dans la salle ont écrasé une larme. Et lui était ému, Çartain. Merci la France...

Un détail, ce soir-là, n'a pas échappé à Jean Dufour : la société Polygram (les disques Philips), à qui Félix a pourtant fait gagner beaucoup d'argent, n'était pas représentée. Pas plus, d'ailleurs, que la Délégation générale du Québec à Paris. Ce sont là de petites attentions...

(1) *Le Compositeur canadien,* mars 1986.
(2) *Paroles et musique,* n° 38, mars 1984, numéro spécial Félix Leclerc.

Voici Jean Dufour, justement, travaillant dans sa vigne, par moi transportée en plein milieu de l'île d'Orléans. On l'accroche au passage. Moi qui suis le dieu de la fête, je leur fais lever les yeux : dans une route tracée d'un flèche en diagonale en plein ciel, passe la DS bleue des tournées.

La jeune fille sans mémoire ne dit rien. Elle écoute et observe ce monde inconnu, surprise d'y trouver tant de chaleur et d'amitié simple. Sur la galerie d'une maison, voici deux personnages aussi différents que possible : Miron se balançant sur une berceuse et hurlant comme pour l'autre rive en direction de Léonard Cohen, silencieux et courtois près de lui et qui a bien du mal à en placer une. Miron présente Cohen à Félix. Un grand moment pour moi.

Tout de suite, à cause de Miron, la discussion part sur l'Histoire et le pays. Félix parle :

– L'Histoire du Québec est un grand puzzle dont les morceaux ont été volontairement jetés dans l'oubli par ceux qui nous ont exploités et menti et qui n'ont pas intérêt à ce qu'on retrouve les morceaux. Chaque morceau du puzzle est une mémoire qui remet la vérité à sa place. Quand toutes les souffrances auront été recollées, l'Histoire d'un peuple indomptable, pas comme les autres, pas plus assimilable que le peuple anglais émerveillera le monde (1)!

Je rappelle la phrase de Toynbee (2). « Maudit! Il a dit ça! » La jeune fille sans mémoire se tait mais marque le coup avec sa belle bouche. Et, tandis qu'un peu de vent se lève, très hollywoodien, très historique, pour mettre en valeur la phrase de Toynbee et nous faire sentir que nous sommes importants, Vigneault s'approche avec ses grands bras, ses grandes mains, son grand sourire, tout ça dégingandé, même l'esprit.

La dernière fois qu'ils se sont vus, c'était à la création de l'Ordre National du Québec, en 1984.

(1) *Rêves à vendre,* op. cit.
(2) ... Les Canadiens français seront à la fin de l'aventure... »

Pas de pays sans décoration, ordre, chevalerie, petits fours et applaudissement distingués. Voilà pourquoi, René Levesque a voulu doter la province de ce machin. Créons d'abord l'Ordre, le pays viendra par surcroît. Ceux qui auront la médaille croiront plus facilement à la cause... Félix est un des cinq grands officiers de la première fournée. Le cardinal Léger aussi. Parmi les quinze officiers : Gélinas, Yvette Brind'amour et Anne Hébert. Et dans les vingt-cinq chevaliers : Vigneault.

Lequel des deux est le plus nationaliste, Félix ou Gilles ? Ils ont donné ensemble une conférence de presse pour la sortie chez l'éditeur Vigneault du dernier livre de l'écrivain Leclerc, *Rêves à vendre,* en mai 84. Tout a été raconté dans *Le Devoir* (5 mai 84).

Vigneault : – Les multiculturalistes sont des gens qui voudraient nous voir devenir tout le monde avant même que nous soyons quelqu'un.

Leclerc : – On jette toutes nos expériences à la poubelle. T'es-t'u d'accord là-dessus, mon Gilles ?

Vigneault : – En plein d'accord. On a un talent fou pour enterrer!

Leclerc : – Donnons-nous encore des chances. Quand j'aurai perdu un autre puis un troisième référendum, alors, je m'emploierai de toutes mes forces à devenir unilingue anglais! Mais réglons d'abord ce problème de langue. Ma préoccupation. Mon espérance. Croyons-y Bon Dieu!

Le journaliste du *Devoir* continuait joliment en décrivant la fin de la scène qui en dit long sur la mentalité de Félix :

« A l'autre bout de la table, Gaétane fait signe à Félix. Leur fils, à qui elle vient de téléphoner, parle de trois canards sauvages qui seraient revenus dans l'étang. Félix se lève. »

« Il dit qu'il faut aller voir les canards de Francis. »

« Que les enfants sont sa résistance. Et Gaétane sa lucidité. »

Il est comme ça. On n'y croit pas. C'est pourtant vrai, il est comme ça. L'autre jour, je lui soutirais un rendez-vous pour le dernier petit verre de rouge de sa biographie. Il m'a répondu : lundi, je peux pas, c'est l'anniversaire de Nathalie!

Et voici Claude Morin, pipe aux dents. Il a quitté le gouvernement en décembre 1981. Après la défaite du référendum, l'équipe de Lévesque a continué à gouverner et s'est engluée dans la gestion. Le Premier ministre, épuisé, surmené, désuni comme un cycliste dans un col, a passé la main en 85.

Pour mes compatriotes qui n'ont aucune idée de la place de la chanson dans la société québécoise, voici un reportage : les adieux de René Lévesque au cours du congrès du PQ à Montréal. Français, imaginez cette scène avec un Chirac ou un Marchais dans le rôle.

L'Arena Maurice Richard est comble. La télévision transmet la soirée en direct. L'assistance chante *Gens du pays,* spontanément, comme des feux de broussailles prennent et s'éteignent dans un sous-bois. Le refrain de cette chanson de Vigneault a pris ici la place de *Happy birthday to you.*

Gens du pays, c'est votre tour
De vous laisser parler d'amour...

Ce soir-là, le texte, trafiqué sans complexe, devient :
Mon cher René, c'est à ton tour
De te laisser parler d'amour...

La cérémonie commence. Un orchestre philharmonique joue *L'Hymne au printemps* et *A la claire fontaine.* La présidente du parti par intérim prend ensuite la parole pour dix minutes. Suit un montage audiovisuel qui résume la carrière du Premier ministre. Et puis un message de Félix enregistré au Théâtre de l'île quelques jours plus tôt. – Félix ne se déplace jamais! – Enfin René Lévesque monte au micro pour son dernier discours : appartés, hésitations, parenthèses mal fermées. Il dialogue avec l'assistance. « Votre devoir sera de garder la maison propre, d'abord. » « Depuis 1967 et le Mouvement, 68 et le Parti, 76 et le gouvernement, on n'a pas été un incident de parcours! »

Pour son dernier discours, il perd sa dernière page! Voilà les gestes qui parlent! Plus de conclusion, plus d'envolée lyrique. Eh bien, sans s'affoler (« ... J'ai perdu ma dernière page... » Tonnerre d'applaudissements et de rires) il invite son public : « Nous allons chanter *Gens du pays*. Fabienne Thibault entonne la chanson. Il sort dans la cohue. Tout le monde chante. Sur le plateau, une chorale reprend *A la claire fontaine*. Prodigieux, pour un Français.

Lévesque peut être fier. Il n'a pas peu contribué à faire du Québec « une société de pointe qui, désormais ne sciera plus que son bois, ne portera plus que son seau. » Le but n'a pas été atteint ? Non. Mais le message demeure : « Ne jamais perdre de vue l'objectif au-delà des péripéties [...] aider notre peuple à finir à se faire un pays complet et reconnu. »

Un pays, ça va être dur. Beaucoup pensent aujourd'hui que l'indépendance réelle ne nécessite pas la souveraineté politique et qu'elle se construit tous les jours. Les économistes, les commerciaux n'en finissent pas d'expliquer qu'ils n'ont « plus de complexes », dorénavant, qu'ils sont « pragmatiques », « performants », « adultes ». Allons, il n'y aura plus bientôt que quelques Français pour croire au Québec! Faut dire que le jour où la belle province sera américaine, il ne restera plus grand espoir pour la France qui n'a pas encore commencé à se battre pour sa langue : on y croit volontiers que toutes les civilisations sont mortelles mais que la culture française est hors concours. L'intelligentzia y lèche les godasses des amerloques. Elle trouve ça « fascinant ».

Quelques semaines après les adieux de Lévesque, Bourassa a gagné les élections provinciales. Pierre-Marc Johnson, nouveau patron du Parti québécois a demandé à ses troupes de mettre provisoirement en veilleuse l'option souverainiste. Pour le moment, ça permet d'éviter les désastres électoraux. Voici le PQ devenu un banal parti centre-gauche.

Des souverainistes, il en reste pourtant : 34 % des Québécois sont favorables à la souveraineté-association indique *Le Soleil* du 29 novembre 85. Morin : – Un cycle, des vagues... La suivante, partie de plus bas peut monter plus haut. Jamais le PQ n'enlèvera la souveraineté de son programme.

Félix : – Le PQ gagnera toujours dorénavant (même mort, il s'insinuera) parce que c'est tout ce que nous avons comme famille.

Léveillée : – C'est mort. Mais il faudrait demander à ceux qui sont morts s'ils sont heureux d'être morts.

Félix : – Notre pays, c'est nos illusions. Nous avons les deux pieds dedans. Notre pays c'est notre rêve. »

Moi, j'ai noté depuis longtemps la raison pour laquelle ce pays est increvable : simplement, il n'en finit jamais de naître.

Les amis continuent d'arriver, l'un après l'autre. Dulude, Mauffette, les anciens Compagnons de Saint-Laurent. On trinque, on boit, on mange. Jean Lapointe, un très proche de Félix, Yolande et Jean-Paul Filion, Suzanne Avon, Janine Sutto, Yves Massicotte... des Français aussi comme l'écrivain Louis Nucera qui fut son attaché de presse chez Philips (1).

– La France vous manque-t-elle, Félix ?

– Non. Mais c'est mon asthme qui te répond. Car si j'étais comme il y a dix ans, verrat que j'irais! »

« Bah, j'ai tellement rêvé du moment présent, pourquoi je m'en irais ailleurs ? »

« Je ne suis pas dans la nostalgie. Je suis du temps présent. Pourtant, c'est vrai... Une soirée avec Devos, les frères Mella, leurs

(1) Il lui a consacré plusieurs pages dans *La kermesse aux idoles,* Grasset, Paris 1977.

femmes, Biraud, deux ou trois autres... Mais quelques-uns, déjà sont morts... »

Mais non, ils ne sont pas morts. Les voilà, justement, qui sortent de chez Jos Pichette : Francis Blanche, Fernand Raynaud, Maurice Biraud, Brassens...

L'île d'Orléans, surchargée d'amis, vogue maintenant au milieu du fleuve, vers Matane où le Saint-Laurent fait cinquante kilomètres de large. Le soleil a passé les cinq heures. Un peu d'air. Voici les miens, d'amis, ceux qui m'ont aidé dans ce travail : Luc Provencher qui fut mon guide, mon chauffeur, mon cerbère, mon scrupule; Monique Tremblay qui fut ma recherchiste exigeante et passionnée; Monique Behrer, mon espionne dans les archives du journal *Le Soleil*; et mes agents à l'intérieur de Radio Canada que je ne peux nommer ici. Enfin et surtout, l'historien Jean Provencher dont j'ai pillé la bibliothèque et qui, avec allégresse, répondait à chacune de mes questions en descendant de son grenier *le* livre, *le* document, *le* numéro de téléphone. Et tout ça, dans *le* même éclat de rire du fouineur ravi de ses trouvailles. Juste derrière lui viennent les auteurs que j'ai pillés et qui sortent enfin, les pieds mouillés, du bas de mes pages où je les avais postés. Félix plaisante avec chacun. Moi, pour les remercier, je ne puis que passer derrière lui avec ma main. Ça les impressionne moins, évidemment. Débouchons une bouteille de champagne. Bulles d'air dans les verres et dans la tête.

La famille arrive : les frères et sœurs Leclerc, suivant John. La maison de Sainte-Marthe dérive le long d'une haie. Non : comme une escadre croisant dans la mémoire, toutes les maisons, celle de Sainte-Marthe, celle de Vaudreuil, celle de La Tuque, et celle de Rouyn, celle de La Celle-Saint-Cloud et celle de Saint-Légier... Un artificier tire une bordée. Elles disparaissent.

Martin Leclerc survient alors qui regarde fièrement son père mais à la dérobée. Près de lui, un hercule roule sa cigarette en regardant son fils (fièrement mais à la dérobée). C'est Léo. Et cette vieille dame, là-bas, qui remonte de son verger, quelques pommes dans un récipient, avec une robe qui vole au vent et un visage de mère heureuse : Fabiola pour l'éternité.

Je montre à Félix une autre trace blanche dans le ciel : Un avion qui survole le fleuve, un avion pour l'Europe.

On peut très bien être dans un avion et se regarder passer. Il suffit d'avoir de l'imagination. Je suis dans cet avion. Nous sommes en septembre 1986 et, ayant clos mon manuscrit, j'ai embarqué à Montréal dans – tenez-vous bien – le dernier DC 8 que la compagnie Québecair lançait à travers l'Atlantique. Vol historique! Québecair, société nationale, vient d'être vendue à des capitaux privés dont la première décision a été de supprimer tous les vols internationaux. Désormais, on ne desservira que les villes de la province et avec des avions à hélices. La ravissante hôtesse qui me racontait la chose a précisé : « On licencie les deux tiers des hôtesses. Et nous nous retrouvons à une soixantaine, comme lorsque je suis entrée dans la compagnie, il y a quatorze ans. »

Il y a quatorze ans, au début du rêve.

Le Québec rêva qu'il serait un pays. Les Québécois, aujourd'hui, ne veulent plus entendre parler de ces histoires. « Parle-moi pas de d'ça! » Comme si on les avait trompés, comme si on les avait entraînés dans une aventure douteuse dont leur pudeur, leur sensibilité se trouve blessée.

Il ne leur reste plus qu'à être une province raisonnable dans un État moderne. Trait tiré sur tous les passés. Sur l'exaltation indépendantiste, comme sur le vieux Québec archaïque. Ne me parlez plus du passé. L'aculturation, le cléricalisme, les chantiers, ne me parle plus de d'ça.

Dans le silence qui se fait après que l'avion s'est perdu dans le ciel, je ramène Félix à son passé à lui. Un jour il m'a dit : « S'il se pouvait que notre génération soit absoute. » Je le rassure : elle le sera. Après tout, son seul péché, c'était la peur. La génération suivante fait-elle mieux ? Quand vous lui enlèverez les afféteries du modernisme, que verrez-vous ?

– Après nous (1) qui avons effardoché sans lois, sans académie et sans maîtres parce que nous jouissions de la santé et que ça nous amusait, viendront les Balzac, les Montaigne et Zola qui est déjà Michel Tremblay. Viendront les grandes œuvres. Et ceux et celles qui les réaliseront seront nés de pères instruits. Comme depuis toujours les fils de Français. »

Il exagère ? Sans doute les fils de Français ne sont-ils pas tous issus de familles au sang bleu et tous les écrivains français ne sont-ils pas passés par normale-sup. Pour beaucoup d'entre eux, l'accès à l'écriture, à l'édition, à la culture, à la parole, c'est une victoire, une manière qu'a la périphérie de s'agripper comme un lierre, comme des doigts crispés, sur le centre, à lui serrer le cou. Mais les Français doivent reconnaître que le Québec, il y a quarante ans, était follement plus loin dans la périphérie, plus loin à mesure de son abandon séculaire, de la colonisation, de l'aculturation, de la honte, de la peur.

Du temps du père Legault, on a estimé victorieux d'avoir rassemblé un public de quinze mille spectateurs potentiels pour le théâtre. Les dernières statistiques du ministère de la Culture indiquent que cente soixante-treize « organismes de production en arts d'interprétation » (théâtre, musique) ont reçu une aide financière en 1983. Ils ont attiré trois millions de spectateurs, soit une moyenne de trois cent onze spectateurs par représentation.

Après nous qui avons effardoché sans lois, sans académie et sans maîtres, viendront les Molière!

La jeune fille sans mémoire ignore tout cela. Pour elle, le problème de la culture ne se pose pas, ne se pose plus. Si l'on est optimiste, on peut voir là le signe que les artistes québécois ont bien

(1) *Le Devoir,* 5 mai 1984.

travaillé et que le fameux retard est rattrapé. Alors ? Que vous reste-t-il comme problème ?

J'ai convié un inconnu, un professeur de faculté qui, rencontré par hasard, une nuit, me déclarait, alors que nous rôdions ensemble sur la colline parlementaire, tout en haut de la capitale : « Le pays, je voudrais pouvoir passer trois jours sans y penser. Comme si je n'étais pas menacé, comme si c'était normal, comme un Anglais ou un Français... »

Nous, Français, qui ne connaissons du nationalisme que ce que les militaires en ont fait, une longue suite de massacres, nous, Français, qui nous croyons éternels, il nous faut en effet venir au Québec pour apprendre que le nationalisme commence par un manque, un trou béant dans la conscience.

J'ai cité ce professeur comme on vide ses poches avant de partir. La phrase me paraissait belle. Alors j'ai invité cet inconnu à la fête.

Et, dans les mots tirés de mes poches retournées avant les adieux, j'en retrouve quelques-uns que je conservais pour plus tard mais qui sont restés palpitants et inertes, inemployés :

– Je connais deux hommes libres : X... et Félix Leclerc m'a confié le journaliste Jean Royer.

Bon. C'est comme une allumette enflammée qu'on vous met dans les doigts. Qu'en faire ?

Jean Dufour aussi a dit cela. Mais de façon plus nuancée : – Félix Leclerc est un des derniers individualistes. Un des derniers hommes libres. Il est capable de sacrifier tout, mais tout, à sa liberté.

La jeune fille écoute gravement. Elle ne sait pas ce que c'est qu'un homme libre. Elle a des années et des années devant elle pour apprendre.

Pour ce soir je veux lui faire connaître un poème de joie. Dans *Chansons pour tes yeux,* Félix a écrit cette page digne des anthologies. Un des beaux poèmes d'amour de la langue française.

« Je viens de les traverser, ces collines de Sion, cette vallée de l'Euphrate.

« Et ces champs de lys. L'habit d'apparat du plus grand roi de la terre est pauvre vêtement comparé à l'un d'eux.

« J'ai entendu l'instrument d'or joué par les doigts des angelots nus aux plafonds des cathédrales.

« Le miel des paroles de l'ermite, je viens d'y goûter et j'en suis ivre.

« Mon pied a trébuché sur une pierre devenue soudain nuage.

« Ma main a saigné en touchant la ronce, des lèvres l'ont guérie.

« Les imprécations de mes ennemis sont devenues louanges.

« Mille ans à venir je vivrai à cause d'aujourd'hui.

« Le pays d'où je viens n'est pas d'ici mais je peux le situer.

« Gloire à ma patiente peine!

« Pour toute l'éternité, une femme jeune, très ancienne, sortie du Cantique des cantiques m'est apparue au bord d'une forêt très réelle. Je ne sais plus ni mon nom ni mon âge ni mon métier ni celui de mon père.

« S'est défait le nœud de la captivité et, comme l'ange de l'amour, j'ai sombré dans la chute connue de peu d'humains.

« Le poignard des lois ne me touchera jamais, protégé que je suis par les dieux du silence.

« Je me tairai comme se tait l'étranger qu'on questionne.

« Ma sandale a effacé les traces sur le sable, vous ne saurez jamais la direction qu'elle a prise.

« J'étais dessous le grand arbre penché vers l'est, immobile.

« Elle dansait dessus, en équilibre, comme un funambule.

« Fragile et durable comme un parfum, ma chanson d'amour pour les temps à venir s'appellera vague de la mer, moisson, musique, bleu de nuit (1). »

(1) *Chansons pour tes yeux*, op. cit.

L'île vogue maintenant dans l'obscurité. Autour de quelques lumignons, les invités figés dans l'immobilité de la mémoire attendent qu'on ouvre à nouveau ce livre à la première page, pour qu'ils puissent y reprendre leur place, leur mouvement, la vraie vie. Félix me tend la main :

– Laissons-nous là-dessus!

La jeune fille, assise les bras autour de ses genoux à hauteur du menton, a les yeux grands ouverts dans le vide. La porte de la maison se ferme. Un chien aboie. Elle me souffle :

– Ça commence comment, ton livre?

Ça commence ici même, demain matin. J'ai rendez-vous avec Félix Leclerc pour lui proposer d'écrire sa biographie.

Une biographie, c'est un arbre : il faut creuser profond pour trouver toutes les racines. J'irai chercher loin les racines : vers le milieu de l'autre siècle quand les hommes quittaient leurs familles pour s'engager dans les chantiers.

J'écrirai une sorte de roman historique sur la nation québécoise. Je choisirai mon héros parmi les pauvres. Non pas un homme politique, un militaire, un prélat; non pas un écrivain sorti des beaux quartiers, Oxford, Harvard, Louis-le-Grand. Non. Un fils de pionnier, petit-fils de bûcheron, un gars typique de ce peuple. Ce peuple était humilié, peureux, silencieux. Et en même temps, habité par un rêve immense : la forêt, un pays à bâtir, la parole à conquérir.

... *Il serait une fois* le sixième d'une famille de onze enfants. Le père aurait été un des premiers habitants de la Haute-Mauricie, un des premiers aussi à Rouyn, en Abitibi. Puis il serait revenu vers sa destinée : paysan sur le bord du vieux fleuve. Le jeune homme, après un début d'études au séminaire tenterait sa chance dans la radio naissante. Il deviendrait un écrivain connu. Et le premier chanteur québécois, l'un des quatre ou cinq grands de la chanson francophone, le Québécois ordinaire et extraordinaire.

On ne me croirait pas.

Il aurait eu un talent génial et brouillon, imparfait et désinvolte, sûr de lui et modeste. On l'aurait aimé. Mieux que ça : on l'aurait estimé. Et j'aurais montré que les pauvres font l'Histoire.

Elle me sourit. Elle y croit.

Bon. On rentre.

Le vieil homme, pas trop content que je l'appelle ainsi, est monté dans son bureau. De là, il régit le fleuve. J'imagine qu'en ce moment, il écrit cette lettre à Jean Dufour : « L'équilibre n'est pas de marcher à pas de bœufs vers le pâturage mais de trembler, d'avoir peur de tomber, comme Devos, à Bobino était tombé devant nous et c'était magistralement humain de le voir se relever et poursuivre... » (4 décembre 84).

Un homme banal : un prince.

Ce soir encore, il se couchera tôt. Il a du travail et de la paresse devant lui, demain matin.

Dans *Rêves à vendre,* la dernière note, toute seule sur la dernière page est son dernier clin d'œil en disparaissant : « C'est pas parce que je suis un vieux pommier que je donne des vieilles pommes! »

Table des matières

ACHEVÉ D'IMPRIMER
LE 8 DÉCEMBRE 1986
SUR LES PRESSES DE
L'IMPRIMERIE HÉRISSEY
À ÉVREUX (EURE)

Dépôt légal : 4e trim. 1986
N° d'Éditeur : 0013
N° d'Imprimeur : 41277
Imprimé en France